혼돈의 세상에서 자신을 지키는
실용주의 철학과 긍정심리의 결합

카오스의 별

글/그림 청야(淸夜) 김소현

우리로 하여금 절망에 빠진 자들을
돕게 하시고
우리의 사랑과 돌봄이 필요한 자들을
돕게 하소서.

Let us help those in despair and
those in need of our love and care.

차 례

선택적 의지론

Chaos of Thinking

Chaos of Values

Chaos of Love

Chaos of Faith

무엇을 선택할 것인가?

세상은 질서와 무질서의 복합체이다.

카오스(혼돈)란 예측이나 통제가 어려운 복잡한 상황, 질서 있는 무질서, 초기 조건들의 사소한 움직임이나 변화가 거대한 반응이나 엉뚱한 결과 또는 높은 민감성을 야기시키는 현상, 예를 들면 "중국에서 나비가 날갯짓을 하면 미국에서 허리케인이 발생한다."-에드워드 로렌츠, "모래알과 같은 작은 충격이 거대한 반응을 일으킨다."-마크 뷰캐넌, 와 같이 설명되는데, 『카오스의 별』은 불안정성의 가장자리(역동적 혼돈상태)에서 견딜 수 없는 극도의 격분, 바닥난 인내, 그로 인한 자기파멸의 늪에서 빠져나올 수 있게 할 변화된 생각과 중심의 간단한 원리들을 제시하고, 혼돈의 근원이 되는 초기 조건들에 대한 대처와 이미 야기된 혼돈의 상황에서도 굴하지 않을 의지를 확립시킴으로써, 세상이 정해놓은 패턴으로의 인간이 아닌, 자유의지를 가진 인간으로 거듭나기를 바라는 간절한 소망들을 담아 엮었다.

우리 모두는 언제 터질지도 모르는 시한폭탄과 강퍅한 마음 그리고 복잡하게 뒤엉킨 생각과 상황들을 가득 싣고 달리는 기차 안에 있고, 흔들리는 기차 안에서 자신의 중심마저 흔들리게 방치하고 있다.

외부에서 보면 그 기차는 목적도 없이 조급하게 달려가는 것처럼 보인다.

그렇게 달리다 보면 혼돈에 고통마저 가중되는 길 수도 짧을 수도 있는 어둠의 터널을 지나게 되는데, 문제는 터널을 통과하면 빛이 나오고, 그 빛마저도 그냥 통과해 버린다는 것이다.

결국, 그 기차는 죽음을 향해 달리고 있는 것뿐...

기차 안과 같은 무질서의 상태를 완전히 외면할 수는 없어도, 적어도 그 안에서 질서를 찾을 수도 있고, 멈출 수도 있다.

인생 전반에 걸쳐 자신이 만족할 수 있는 성공의 가능성은 5% 미만이다.

그렇다면 인생의 90% 이상을 차지하는 것은 지금 당장 눈앞에 펼쳐있는 현재의 상태인 것이다. 즉 현재의 상태를 어떻게 풀어나갔느냐에 따라 성공의 열쇠가 좌우된다.

이와 관련하여 본 저서 『카오스의 별』은 장엄하고 난해한 철학이나 이론을 제시하는 것이 아니라, 현실이라는 고정불변의 이치에 대하여 그것을 현명하게 대처하기 위한 깊이 있는 생각(실제적이고 구체적인 사고방식)과 방안들을 철학적 측면으로 연결했고, 단지 생각이나 깨달음으로 끝나는 것이 아니라 확고부동한 마음마저 정립시켜 그 과정들을 심리학적 측면으로 연결했다.

또한, 생각과 마음가짐 그리고 실천까지 이르는 과정에서 사이사이에 '의지'라는 맥을 이어가게 하여, 미래가 단지 가능성이 아니라 현실이 쌓인 결과물이라는 것을 제시하고자 하였다.

그뿐만 아니라, 이 글은 새로운 어떤 것을 제시하는 것이 아닌, 우리가 미처 깨닫지 못하고 지나친 중요한 것들을 다시 꺼내어 실생활에 유용하게 적용하려는데 목적이 있다. 우리의 문제는 알지 못하는 것이 아닌 실천하지 않는 것에 있는 것처럼… 우리의 의사와는 상관없이 세상은 혼돈을 중심으로 돌아가지만, 이러한 세상으로부터 무엇을 받아들이고 거부할지에 대한 선택은 우리의 결정에 달려있다. 그리고 그러한 선택들이 세상적인 휩쓸림으로 인해 초래된 좌절이 아닌, 의지로 인한 성숙이기를 바란다.

참조로 본 저서에 수록된 추상화 작품들에 대하여 간략히 설명하고자 한다.

본 저서에 삽화들로 수록된 추상화 작품의 전체적인 배경은 혼돈이다. 그리고 그 안에 담긴 실타래처럼 꼬여진 매듭들을 하나하나 풀다 보면 전달하고자 하는 의미들을 좀 더 쉽게 해석할 수 있을 것이다. 우리의 의사와는 상관없이 세상은 혼돈을 중심으로 돌아가지만, 이러한 세상으로부터 무엇을 받아들이고, 무엇을 거부해야 할지는 우리의 선택에 달려있다. 그리고 그러한 선택들이 세상적인 휩쓸림으로 인해 초래된 좌절이 아닌 의지로 인한 성숙임을 청야의 작품들은 말하고 있고, 그 속에는 어둠의 시대를 빛으로 변화시키고자 하는 저자의 간절한 바람이 담겨 있다. 작품세계를 음미해보면 차단된 귀, 닫힌 마음, 굳어진 입술이 서서히 열리고, 오염된 눈이 깨끗이 씻긴다. 온화하지만 거침없는 바람이 폭풍이 되어 한 폭으로 완성되었고, 벅차오르는 영감과 굳센 의지의 표현이 결국 진리를 향한 몸부림으로 승화되었다. 또한, 삶의 이치를 깨닫고자 하는 저자의 몸부림을 고스란히 화폭에 담아 보는 이로 하여금 절대 공감을 형성시킨다. 청야의 회화에는 정(情)이 있다. 인간 본연의 사랑이 있고, 살아 숨 쉬는 우리가 있다. 알면 알수록 슬픔도 번뇌도 깊어진다. 깊은 절망이라는 것을 뻔히 알고도 더 알려 하고 행하려 한다면 다칠 수 있는 감정에 책임을 져야 한다. 자기 안에 분리된 수많은 지체와 사고와 감정들을 세속적 생각과 마음에 지배당하게 한다면 결코 삶의 진정성을 찾지 못할 것이다. 청야의 회화에도 이와 비슷한 맥락이 있다. 파헤치고 연구하고 분석하고 비평하려는 태도와 보이는 것에 익숙해진 눈으로는 결코 그 세계를 이해할 수 없다. 자신을 내려놓고 내면의 소리에 귀 기울이며 심장의 떨림을 느낀다면 그 세계가 무엇을 보여주려 하는지 무엇을 말하려 하는지 알 수 있을 것이다. 다시 말해 청야의 회화는 복잡하고 난해한 우리들의 심적 고통을 색으로 대변하고 있다. 세상과 자기와의 괴리(乖離)와 불협화음(不協和音)에서 싸워 이기려는 눈물겨운 의지들이 날카로운 선과 거친 획으로 표현되었다. 세속화된 틀을 깨고 존재 그 자체에 가치를 부여하여 진정성을 향해 나가려는 우리들의 몸부림이 그대로 담겨 있다. 이처럼 청야의 작품에는 저자의 인생관, 철학관이 고스란히 담겨 있다. 거친 표현 뒤에 숨겨진 의미들이 하나씩 부각되면서 우리로 하여금 평안을 주고 내면의 소리에 귀 기울이게 한다. 그리하여 생각의 전환점을 형성시키고 내면을 힐링할 수 있도록 하는 것이 본 삽화들을 수록한 의도이다.

끝으로 어둠의 시대를 빛으로 변화시키고자 하는 간절한 마음을 담아 기도문을 시작으로 본 작품에 임하려 한다.

O God,

제가 쥐고 있는 펜으로는 당신의 깊은 뜻을 헤아리지 못하고, 하늘이 구름을 덮음과 같이 그 무한하심을 감히 표현할 수 없습니다.

하지만 당신께서 제 머리가 되어 주고 제 손이 되어준다면 저는 능히 모든 것을 표현할 수 있고 성찰이라는 내면의 세계로 인도할 수 있습니다.

당신의 능력으로 악의 계략과 세상의 거짓과 자기와의 싸움에서 승리할 수 있는 지혜를 주고, 당신이 보내는 바람으로 차단된 귀, 닫힌 마음, 굳어진 입술을 열게 해주며, 당신의 고결한 물로 오염된 두 눈을 깨끗이 씻어주고, 당신의 사랑으로 그들을 향해 눈물을 흘릴 수 있는 마음을 주소서.

저의 등 뒤에는 온화하지만 거침없는 바람이 폭풍이 되어 일게 하여 주고, 저의 마음에는 벅차오르는 영감과 굳은 결심들이 승화되게 해주며, 손에 쥔 펜과 키보드 자판은 미친 듯이 춤추게 해주소서.

한편의 스토리가 완성될 때마다 사회적 평가에 대해 기대보다는 가치 있는 목적에 충실했는지, 모든 직, 간접경험들을 제대로 표현했는지, 미사여구(美辭麗句)보다는 진정성(眞正性)을 최대한으로 발휘했는지만을 생각하게 해주소서.

또한, 이 글이 심오하지만 난해하지 않게 머리에서 끝나는 것이 아니라 진정 마음에서 요동치어 뿌리내릴 수 있게 해주소서.

글을 쓴다는 것과 읽는 과정 모두 역사하여 주시고, 이 글이 어디로 갈지는 몰라도 부디 덮어지는 책이 아닌, 절망의 영혼들을 어루만져 시대의 암흑을 빛으로 변화될 수 있게 하는 힘이 되게 해주소서.

청야 김소현

Art 1. Circle...혼돈

청아(淸夜) 김소현, 90.9x72.7 (LxH,30F) 혼합매체 acrylic on canvas 2017

여기서 Circle은 무질서한 혼돈상태의 끊임없는 순환과정을 의미한다.
즉, 인구의 활동이 증가하고 인간의 사고와 감정들이 점점 복잡하게 얽혀지면서
이러한 치열한 경쟁 사회에서 나타나는 스트레스와 중압감
그리고 이기심 등의 사회적 병폐가 날로 증가하여 세상은 점점 혼돈과 무질서를
반복하며 이러한 무질서도는 끝이 없이 증가함을 나타낸 작품이다.

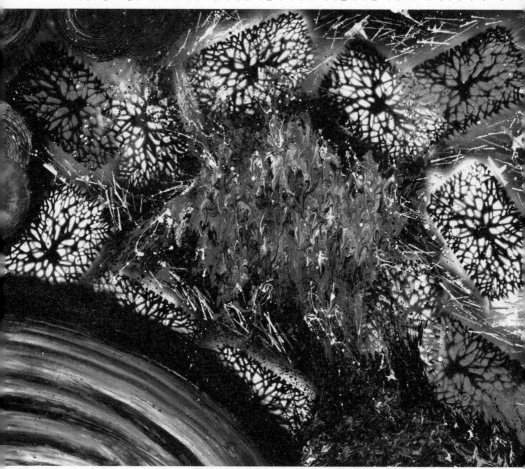

Art 2. 빅뱅

청야(淸夜) 김소현
116.8x91 (LxH,50F) 혼합매체 acrylic on canvas 2017

본 작품은 러시아 출신의 미국 물리학자인 가모프의 팽창우주론을 발전시킨

빅뱅이론을 근거로 우주생성의 시초가 된 것으로 여겨지는

대폭발의 이미지를 추상적으로 표현한 것이다.

상태에 엄청나게 높은 밀도와 온도의 상태 혹은 그 상태로부터 팽창함으로써 우주가 생겨났다는 이론이다.

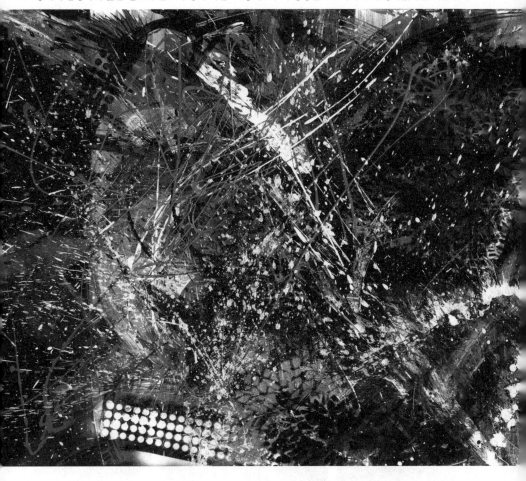

Art 3. 빅뱅2

청야(淸夜) 김소현
90.9x72.7 (LxH,30F) 혼합매체 acrylic on canvas 2017

본 작품 또한 우주의 처음을 설명하는 우주론 모형으로
매우 높은 에너지를 가진 작은 물질과 공간이 약 137억 년 전의 거대한 폭발을 통해
우주가 되었다고 보는 이론을 추상화하여 표현하였다.

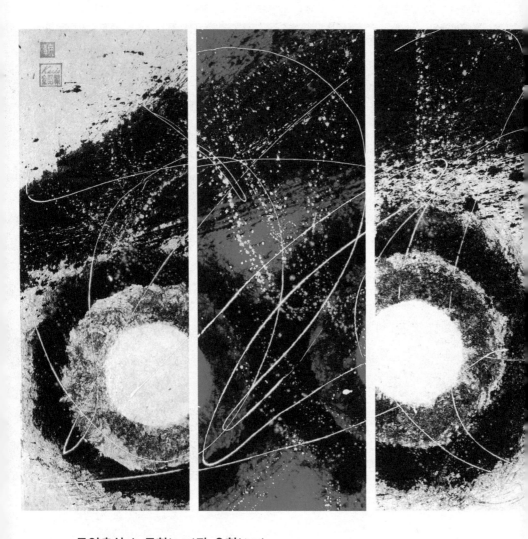

동양추상 1. 무한(無限)과 유한(有限)

청야(淸夜) 김소현
(23x64)x3sets (LxH) 한지(마)에 먹, 혼합 2017

동양추상 2. 비상(飛上)

청야(淸夜) 김소현
135x69 (LxH) 한지(옥당지)에 먹 2017

선택적 의지론이란…

"현실의 이치에 맞고 실현 가능한 진리만이 참다운 논리이다."라는 사상을 기본으로 한 실용주의 철학과 심리학이 결합(Pragmatism Psychology)한 신개념 이론이다.

더 자세히 설명한다면 '선택적 의지론'이란 다음과 같다.

첫째, 개인이 처해있는 현실적 상황 속에 자각하는 존재의 파악에서 출발하고, 개인으로서 인간의 주체적 존재성을 강조하는 합리주의와 20세기 철학사상인 실존주의와 비슷한 입장을 가진 철학적 이론이지만, 이를 좀 더 수정, 보완하여 "인간의 존재가치는 오직 존재 그 자체뿐만 아니라 본질(속성)인 '의지'라는 마음과 행동 양식이 결합하여야 하고 이 모든 것은 현실에 기초하고 적용되어야 한다."라는 Pragmatism psychology가 포함된 이론이다.

둘째, 이 이론은 인간이 인식할 수 있는 것은 현상뿐이며, 현상의 배후에 있는 본체는 인식할 수 없다는 '현상론(現象論)'과 대립하는 이론이기도 하다. 예컨대 뼈대가 있어야 육체를 이룰 수 있고, 기본골격을 만드는 골조공사가 있어야 건물을 지을 수 있듯, '본체'가 없는 '현상'은 '허상'에 불과하다는 입장이다. 가령 독이 든 사과를 깨물었다고 가정하면 독은 본체이고 사과는 현상이기 때문에 독이 든 사과는 더 이상 사과가 아니라 독이며, 이 독을 삼킬 것인지 뱉을 것인지에 대한 선택은 우리의 '의지'에 달려있음을 강조한 이론이기도 하다.

셋째, 이 이론은 물질을 제1차적 근본적인 실체로 생각하고 마음이나 정신을 부차적 · 파생적인 것으로 보는 유물론(唯物論)과도 대립하는 이론이다.

이유인즉, 이 이론에 의하면 물질적으로 완벽한 이들은 모두 행복하고 자유로워야 하는데 실제는 그렇지 않기 때문이다.

넷째, 이 이론은 사막의 어두운 골짜기를 지나도 두렵지 않고, 우주의 미아가 되어도 외롭지 않으며, 토네이도가 휩쓸고 간 잿더미 속에서도 실족이 아닌 한 줌의 흙을 움켜쥐며 다시 일어설 긍정의 마음을 심어주는 이론으로써 현상과 물질 이전에 모든 진리와 행복의 기초는 각자의 마음가짐에 있다는 이론이다.

다섯째, 인간은 상황과 환경에 영향을 받고, 그 결과에 따라 인격이 형성되며 운명이 결정된다는 것이 마치 세상의 이치처럼 굳어져만 가는 현실에서 그것이 과연 내면에서 우러나오는 자신의 목소리인지 재고(再考)하게 하는 이론으로써 자신의 삶을 지배하는 것은 다수의 목소리가 아닌 오직 자신이 선택한 의지라는 것을 강조한 이론이다. 여기서 의지란 주어진 환경에 맞서 싸워 자신이 원하는 방향으로 만들려고 하는 노력을 흔들리지 않게 잡아주는 중심이고, 원하지 않는 환경적인 영향을 단호히 거부하게 만드는 힘이다. 인간은 태초부터 텅 빈 마음으로 태어나 주변을 의식하게 되고 인식하게 되며 모방하게 된다. 자라면서 환경의 영향을 받게 되고 그러한 구속에 자신을 속수무책으로 내던지지만, 의지는 이를 인정하기는 해도 수용보다는 변화시키려 하고 개선하게 함으로써 자신이 직접 환경을 지배할 수 있게 힘을 길러준다.

여섯째, 의지(意志)란 어떠한 일을 이루고자 하는 마음을 뜻하는데 이 이론에서 중요시 다루어야 할 2가지 요소는 선택과 행위의 결정이다. 이 과정에서 잘못된 의지는 자칫 현상이 본체가 될 수 있기 때문에 올바른 가치관과 긍정심리를 바탕으로 한 의지를 재조명하여 확고한 신념(信念)으로 뿌리박혀야 한다. 신념에 대하여 더욱 구체적으로 설명한다면 계획을 현실로 만들려고 애쓰는 나를 도와주는 가장 중요한 손길인 내 안에 있는 긍정의 자아가 만들어 낸 확고부동(確固不動)한 의지이고, 어떤 상황을 막론하고 나를 방황하게 만드는 모든 생각에 대하여 마음의 문을 철저히 닫게 해주는 즉, 부정적인 생각이 전혀 없는 상태이며, 불가능과 두려움이라는 악과 대항하여 싸울 수 있게 만드는 우주의 불가항력적인 힘이다. 만일 자신이 인생에서 무엇을 원하는지 알고, 그것 이외에 다른 것들을 단호히 거부하며 자신이 원하는 것을 이루기 위해 어떠한 고통이 따르든 기꺼이 받아들이겠다는 의지를 선택한다면, 신념은 이러한 의지를 더욱더 확고히 하기 위해 무한한 우주의 능력을 수용하여 실제적이며 논리적인 방법으로 자신의 열망을 이룰 수 있는 탄탄한 초석이 된다.

끝으로 저자가 제시한 이 이론이 경제적 불확실성과 존재에 대한 허무감 그리고 좌절과 상실로 얼룩진 현시대에서 우리의 의지와 내면의 힘을 찾을 수 있는 안내자가 되기를 바라고, 주변에서 방황하는 자가 아닌 위대한 인생의 성공자로서 당신을 주인공으로 이끌기를 바라며, 생각이나 깨달음으로 국한되어진 기존의 사상들이 아닌 실제 적용되고 실천될 수 있는 이론이기를 바란다.

선택적 의지론

"하나뿐인 인생,
하늘에 떠도는 별들처럼 소유할 수 없는 것으로 만들지 말고,
내가 직접 내딛는 땅이 되게 만들어라."

Art 4. Circle... 질서

청야(淸夜) 김소현
116.8x91(LxH,50F) 혼합매체 acrylic on canvas 2017

여기서 Circle은 모든 생명체들이 가지고 있는 관계의 연결,
끊임없이 변화를 추구하지만, 사회적존재로서
서로의 가치를 존중하고 이해하며 살아가려는
인간의 참된 도리와 화합, 평등, 협동 등을 의미하고,
이러한 내용을 포괄적인 주제인 질서 안에 포함했다.

Art 5. 절제와 조화

청야(淸夜) 김소현
90.9x72.7 (LxH,30F) 혼합매체 acrylic on canvas 2017

상반된 추상적인 형태(분출, 선을 넘음, 자유분방함 등)를 도입하여
균형미보다는 조형미나 창조미에 주안점을 둔 작품이다.

다양하게 하여 다채로운 효과를 나타낼 수 있음을 보여 주었다.

Art 6. 절제와 조화2

청야(淸夜) 김소현
90.9x72.7(LxH,30F) 혼합매체 acrylic on canvas 2017

균형미와 조형미를 적절히 조화시켜 표현된 것으로
절제된 패턴 속에 상반되는 분출의
추상적 표현이 부조화 속에 조화를 이루는 모습을 보여준다.

Art 7. 절제와 조화3

청야(淸夜) 김소현
90.9x72.7 (LxH,30F) 혼합매체 acrylic on canvas 2017

절제와 조화의 작품들 중 가장 절제된 표현으로 균형미에 초첨을 둔 작품이다.

Art 8. 자아의 탄생

청야(淸夜) 김소현
80.3x65.1 (LxH,25F) acrylic on canvas 2017

의식이 깨어 있는 한 항상 어떤 것을 지향한다.
이러한 의미의 특색을 살려서 본 작품은 의식의 지향성과 끊임없는 흐름을 통해서만
진정한 자아가 탄생됨을 표현한 것이다.

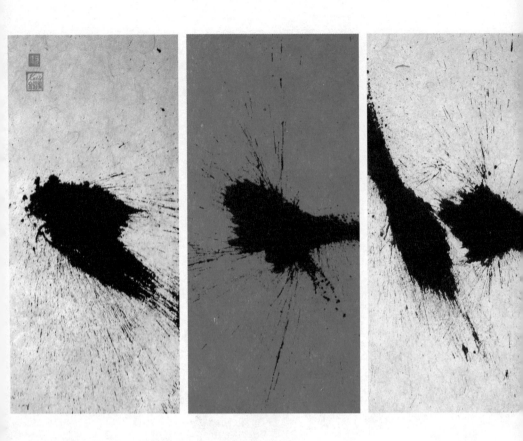

동양추상 3. 해후(邂逅)

청야(淸夜) 김소현
(30x64)x3sets (LxH) 한지(마)에 먹 2017

동양추상 4. 직관(直觀)과 통찰(洞察)

청야(清夜) 김소현
135x69 (LxH) 한지(옥당지)에 먹 2017

실현 가능한 희망을 품어라

목표를 상실한다는 것은 최상의 삶을 놓친다는 것을 의미하므로, 목표를 상실하지 않기 위해서는 자신의 열정과 목표의 방향을 일치시켜야 한다.

그러기 위해서는 자신에게 적절하고 만족스러운 실현 가능한 미래를 설계하는 것이 중요하다. 즉, '내가 얼마나 많은 것을 할 수 있는가'를 묻는 대신 '내가 과연 구체적이고 실현 가능한 목표를 추구하고 있는가'를 물어야 한다.

목표가 확고하고 구체적일수록 중요한 것들을 보다 잘 선택할 수 있고, 헛되게 에너지를 소진할 수 있는 쓸모없는 행위들을 사전에 인지하여 막을 수 있다. 여기서 지나치게 완벽함을 요하면 오히려 일의 진행을 더디게 하거나 과정 중에 있을 실패에 재도전이 아닌 영구적 좌절이나 포기를 유도할 수 있다. 따라서 확고한 목표 설정은 삶의 질을 높이고, 보다 적극적이고 긍정적인 태도를 이끌며, 당면한 문제들과 부정적인 요소들도 과감히 극복할 수 있게 한다.

다음은 설정된 목표를 추진하는 과정에서 우리가 경계하고 관리해야 하는 일련의 사항들을 언급하였다.

첫째, 타인이 당신에게 도움을 요청했을 때(여기서 도움을 준다는 것은 물질적인 것뿐만 아니라 정신적인 것과 시간을 할애하는 것까지도 포함된다), 우선 그 요청이 당신이 추진하고 있는 계획들에 차질을 빚을 수 있는지, 당신의 능력으로 할 수 있는지, 후회 없는 결심인지를 파악해야 하며, 그것이 당신에게 즐거움과 보람을 가져다주는 것인지도 파악해야 한다.

둘째, 시간을 효율적으로 관리하라.

제한된 시간 동안 일의 가치와도 상관없이 너무 무리한 일을 함으로써 자신을 지치게 하지 말라. 당신이 시간을 지배하고 관리해야지 역으로 시간에 구속되거나 쫓기게 된다면 시간은 당신을 완벽한 보석으로 만들기 위한 연마의 과정이 아닌 독을 바른 화살촉이 되어 당신을 겨냥하고 관통할 것이다.

끝으로 메모하는 습관을 가져라.

단지 머릿속에서 맴도는 것들로 하루를 계획하지 말고 우선순위를 정하여 메모하고 확인하는 습관을 가져라. 그리고 자신의 능력에 맞게 우선적인 것들부터 해결하고 순차적으로 일을 진행한다면 하루를 보다 알차게 보낼 수 있을 것이다. 여기서 중요한 것은 예상치 못한 일들이 발생하면 그로 인해 전체의 계획들이 흐트러질 수 있으므로 시간을 정할 때는 여유 있게 정하라. 그리하면 예상치 못한 일과 계획했던 일들 모두가 순조롭게 진행될 것이다.

실현 불가능한 꿈들 그리고 헛된 망상과 잡념들... 이러한 생각들은 현실을 더욱더 비참하게 만들 수 있고, 무의미하게 소중한 시간을 흘려보낼 수 있다.

"하나뿐인 인생, 하늘에 떠도는 별들처럼 소유할 수 없는 것으로
 만들지 말고, 내가 직접 내딛는 땅이 되게 만들어라."

"당신이 살 수 있는 길은
 오늘 최선을 다해 계획적이고 실속 있게 삶에 임하는 것이다.
 만일 오늘이 없이 미래만을 생각하는 것은 죽음만을 생각하는 것이요,
 과거만을 생각하는 것은 이미 죽은 삶이다."

표정관리를 잘하라

　정신적이든 물질적이든 동일하게 어렵고 힘든 상황이라고 했을 때, 대다수 사람은 그 표정에서 힘든 기색을 역력히 드러낸다.

　무엇인가 나쁜 기운을 받아 눌려있는 것처럼 얼굴에는 수심이 가득 차 있고, 무엇인가 잔뜩 화가 난 얼굴로 건드리면 바로 폭발할 것 같은 일그러진 표정들...

　하지만 잔뜩 찌푸리고 있다고 불편한 상황들이 무서워 도망가는 것은 아니다. 오히려 그 심각한 상황들에 가속도를 붙게 하여 당신을 더욱더 찌든 삶으로 유인할 뿐만 아니라, 간신히 힘을 내어 괴로움을 극복하려는 주변인들의 기분까지도 망칠 것이다.

　당신의 불쾌한 마음과 표정은 이것과 무관한 타인들에게도 전염이 되어 이는 결국 자신과 타인의 인생에 불행 바이러스를 확산시키는 주범이 되고 만다.

　상황과 표정관리는 별개로 해야 한다.

　위축되는 상황이라면 더욱더 당당하게, 부정적인 요소들이 초래되는 상황이라면 더욱더 밝은 표정으로 그 상황에 굴복하지 않겠다는 마음가짐을 외부로 표출시키는 기본 요소인 표정으로 나타내야 한다.

　표정관리에 관련하여 몇 가지 명언들을 소개한다.

"당신이 만약 어떤 사람의 속마음을 알고자 한다면 그 사람의 얼굴 표정을 자세히 살펴보라. 그의 표정에는 그의 마음이 잘 나타나 있을 것이다." -필립 도머 체스터필드

"모든 사람의 얼굴 표정에는 그 사람이 온화한지 아니면 실의에 잠겨있는지를 파악할 수 있는 삶의 경력과 앞으로의 인생관이 나타나 있다." -사무엘 테일러 코올리지

"습관적으로 호감을 가지려고 노력한 얼굴에는 그와 같은 감정을 그 얼굴에 자주 표현
함으로 고도의 정리된 아름다움이 나타나 있다." –사라. T. 엘

"이처럼 표정관리는 절제되고 연마된 마음가짐의 시초요,
자신을 보다 긍정적으로 만들려는 의지의 표현이기도 하다."

주변을 잘 살펴보아라.
찡그린 얼굴은 늘 찡그려져 있고,
불만이 가득 찬 얼굴은 늘 불만투성이며,
어두운 얼굴은 늘 어두워져 있고,
분노에 찬 얼굴은 늘 화가 나 있다.

하지만 밝고 웃는 얼굴은 늘 활기차 있고,
주변에 사람들도 많이 따른다.

"표정관리...
이는 곧 행복과 불행 둘 중에 '무엇을 선택할 것인가'에 대한
의지의 시초라 할 수 있다."

선택 장애로 시간을 낭비하지 말라

인생은 선택의 과정이라 해도 과언은 아니다.

급변하고 복잡해져 가는 현대사회에서 선택해야 할 일들은 무수히 증가하고 있다. 문제는 선택 결정 장애로 허비되는 시간도 많다는 것인데, 여기 몇 가지 예를 들어 본다.

선택 장애가 자기 분개로까지 확산된 20대 후반의 A 군

A 군은 우수한 성적으로 본인이 희망하는 회사에는 취업이 되었지만, 경력 부족과 자격 불충분으로 본인이 희망하던 지원 분야인 기술 영업직에는 근무하지 못하고, 본인의 적성과는 무관한 생산관리부에 근무하게 되었다.

아무리 생각해도 자기와 적성이 전혀 맞지 않는다고 생각한 그는 친구들에게 조언을 구한다.

"요즘 같은 불황에 취업한 것만 해도 어딘데… 네가 근무하는 곳은 많은 이들이 입사를 희망하는 국내에서도 손꼽히는 대기업이잖아, 그냥 잘 적응하고 지내."라고 어떤 이는 조언하고, "계속 망설이고 주저하면 쓸데없는 시간만 소비될 수 있으니 결국 그만둘 거 일찍 정리하고 내가 원하는 직종으로 다시 알아봐야 할 것 같다."라고 조언하는 이도 있었다.

결정을 못 하고 계속 다른 이들에게 조언만 구하기를 1년째… '더 이상 아니다.'라고 판단한 그는 다니던 회사를 그만두고 이번에는 원하던 분야를 중점으로 업체들을 알아보지만 1년이란 세월은 경력으로 인정하기에는 너무 짧아 서류전형부터 통과되지 못하고 있었다. 할 수 없이 이미 안정된 직장생활을 하고 있는 학과 선배에게 도움을 요청해본다. 그러던 어느 날 그 선배에게 연락이 왔다. 선배의 친구가 OO 회사 기술영업직 간부로 재직 중인데 대리급으로 구인공고를 하려고 하는 상황이니 이력에 관련된 자료들을 준비하여 금일 오후 4시에 당사 회의실로 오라는 것이었다. 다급히 관련된 서류들과 면접 시 입고 갈 옷들을 챙기는 A 군... 여러 벌의 정장들을 꺼내어 이리저리 입어보고 그러기를 1시간째... 도저히 셔츠와 넥타이가 마음에 들지 않아 헤어용품도 살 겸 근처 대형마트로 향했다.

남성의류코너... 사이즈부터 결정을 못 하고 망설인다.

95로 하자니 샤프해 보이지만 답답할 것 같고 100으로 하자니 둔해 보이고... 색상도 마찬가지 단색으로 할지 체크로 할지 밝은색으로 할지 어두운색으로 할지 결국 매장 직원에게 적당한 셔츠를 추천해 달라고는 하지만 추천을 해도 주저주저... 넥타이도 마찬가지였다. 그렇게 그렇게 흘려보낸 시간만 대략 2시간째...

화장품 코너... 헤어 관련 물품들도 너무 다양했다. 하나하나 담당 직원에게 제품 설명을 듣지만 또 선택의 기로에서 헤매게 되고 결국 어느 것을 고를까요 하며 간신히 하나를 선택하였다.

다급히 쇼핑을 마치려 하는데... 금일 깜짝 세일 코너에 눈을 돌리게 된다.

구매할 의사도 없었던 물품들을 카트에 잔뜩 싣고 계산대를 향하는 A 군, 갑작스럽게 등장한 절제의 신이 강림하여 구매하던 물건들을 제자리에 놓아두고 다시 계산대로 향한다. 계산하려던 순간 갑자기 '잠시만요' 하며 카트를 들고 2층 남성복 코너로 다시 돌아가 선택하던 셔츠와 넥타이를 다시 다른 것으로 바꾼다. 그렇게 결정 장애로 마트에서 허비한 시간이 대략 4시간... 약속된 면접시간이 불과 1시간밖에 안 남았다는 것을 인지한 그는 급히 집으로 향해보지만 차가 막혀서 안절부절못하게 되었고 게다가 차에 기름도 떨어져 간다는 것을 뒤늦게 확인하게 되었다. 간신히 집으로 돌아온 그... 새로운 셔츠는 다림질을 해야 하는 상황이라 기존에 입던 셔츠 중에서 대충 하나를 골라 황급히 챙겨 입고, 머리도 손 볼 겨를 없이 대충 정리하여 약속된 면접 장소로 향한다. 목적지까지 100M 정도 남아있던 순간, 아차! 개인 이력 서류를 현관 바닥에 두고 온 것이다. 급히 차를 돌려 집으로 향하여 도착한 후 서류를 들고 다시 약속 장소로 가게 된 A 군. 3시간이나 늦게 면접 장소에 도착한다.

"OO 부장님과 상무님하고 약속이 있었는데 죄송합니다. 제가 좀 늦었습니다. 만나 뵐 수 있을는지요."

"A 군님, 조금이 아니라 3시간이나 늦으셨고, 몇 번이나 전화를 드렸는데 받지도 않으셨어요. 두 분 모두 화가 나셨던지 연락이 오면 면접은 없었던 일로 하자고 전하래요."

다급한 나머지 시간이 길게 흐른 것도 핸드폰을 두고 온 것도 몰랐던 것이었다.

어깨를 축 늘어뜨리고 자신의 선택 결정 장애를 분개하며 A 군은 정처 없이 걷고 또 걷는다.

갈 바를 알지 못하고 헤매는 C 양

30대 초반의 C 양은 예비신부이다.

결혼식을 앞두고 너무나도 분주한 C 양.
결혼식만큼은 성대하게 치르고 싶었다.
상견례부터 일을 복잡하게 만드는 C 양...

장소부터 여러 군데를 물색한 후 결정을 못 하고 머리만 쥐어짠다.
예비신랑은 어느 곳이든 상관없다고 하지만 계속해서 선택을 못 하고, 가족, 친구, 직장동료, 누구나 할 것 없이 이것저것 물어보며 주변을 괴롭히는데 간신히 장소를 선택하면 상견례 음식 선택부터 입고 갈 옷까지 주변의 모든 이들을 괴롭히며 비상체제에 돌입하게 만든다.

그뿐만 아니라 미리부터 예단, 예물, 예복 등등 하나부터 열까지 자신이 직접 선택을 못 하고 전부 주변인들에게 떠넘기는데 그녀의 선택 장애로 결혼식은커녕 선택 문제로만 한 해가 다 지나갈 듯하였다.

청첩장... 인쇄업체만 여러 군데 정해놓고 디자인, 문구 등등 시안을 결정하지 못하고 계속해서 번복하며 주변뿐만 아니라 타 업체 관계자들까지 괴롭힌다. 또한, 웨딩 메이크업, 드레스, 헤어, 촬영, 장소 등등 누구든 그녀의 결정 장애로 모두 포기하고 도망갈 듯하였다.

신혼여행지도 세계 일주를 하려는 듯 온 나라의 여행 정보집을 펼쳐가며 예비신랑을 포함하여 주변을 또 괴롭힌다.

결혼식 직전, 청첩장도 전해 줄 겸 오랫동안 연락도 못 했던 친구들까지 모두 모이게 하여 이런저런 대화를 시작한다.

이번에는 신랑과 시댁 식구들에 대한 험담을 늘어놓는데... 그 이야기를 들은 이미 결혼한 친구들은 조언이랍시고 결혼 이후 안 좋은 상황들만 언급한다.

"사랑과 결혼은 엄연히 달라, 사랑해서 결혼했지만 결국 고부간의 갈등, 처음 기대했던 남편에 대한 실망감, 양육문제, 구속, 현실적인 문제들 때문에 결혼을 왜 했는지 너무너무 후회하고 있어. 신혼생활은 잠깐이야, 시간이 흘러봐 뼈저리게 느끼게 될 거야. 자유도 없고 신랑은 점점 무관심해지고, 시댁과의 갈등 때문에 스트레스는 날로 심해질 거고, 쯧쯧 자식이라도 생겨봐, 네 청춘과 자유는 이제 다 끝났어."

집으로 돌아온 후 한참을 고민하고 또 고민하는 C양...

이번에는 일어나지도 않은 일에 대한 걱정을 잔뜩 안고 가족들을 총집합시켜 결혼을 해야 할지 말아야 할지에 대하여 계속해서 결정권을 그들에게 위임한다. 그녀의 결정 장애로 화가 극에 달한 그녀의 가족들은 "네 맘대로 해, 다시는 이런저런 얘기 꺼내지도 마."하며 일제히 그녀에게서 빠져나온다.

다음날, 이번에는 어제 친구들과 대화했던 내용을 언급하며 예비신랑을 괴롭히는데, 결국 그녀의 변덕과 선택 결정 장애로 결혼은 무효가 되었다.

선택 결정 장애의 공통점은 크게 2가지로 볼 수 있다.

첫째, 선택을 하고도 이러지도 저러지도 못하는 우유부단함과 그로 인해 자신도 주변인도 지치게 만든다는 것과 둘째, 지나치게 겉치레에 치중하여 정작 중요한 것들을 놓친다는 것이다.

선택 결정 장애를 극복하기 위하여 우선적으로 필요한 것은 '본인의 확고한 의지'이다. 즉 어떠한 상황에도 자신이 결정하고 결심한 것은 확고히 밀고 나간다는 자세와 그에 대한 직접적인 실천이다. 물론 그 과정 속에는 재고의 소지도 있겠지만, 재고의 소지가 너무 많거나 복잡해지면 결국 선택 결정 장애까지 이를 수 있다.

"자신이 바로 서야 남도 바로 세울 수 있고,
 자신이 확실해야 남도 확실해질 수 있다."

선택 결정 장애는 인생의 반 이상을 허비할 수 있고, 자아의 확립을 무너뜨리는 주된 요인이므로, 아주 사소하고 작은 것부터 선택하여 결정하는 습관을 길러야 한다.

자신을 있는 그대로 수용하라

대부분 우리는 자신을 있는 그대로 수용하지 못하고 타인의 시선, 사회적 인식 그리고 비판에 대한 두려움 때문에 자신의 솔직함을 외면하려 한다.

타인에게는 부러움과 존경의 대상으로, 사회에서는 쓸모 있고 훌륭한 사람으로, 또한 모든 면에서 흠 하나 없는 완벽함으로...

우리는 그렇게 자신을 만들어 가지만, 그것은 자신이 원하는 자신을 만드는 과정이 아니라, 세상이 원하는 자신을 만드는 것뿐이다.

자신을 있는 그대로 수용하지 못하면, 타인의 평가에만 지나치게 반응하여 타인을 위해 존재하는 자신이 되어버리고, 무엇이든 완벽하려고 정작 중요한 것을 인식하지 못하여 시간과 정력을 낭비하게 되며, 자기애를 발휘할 수 없고, 오직 누군가로부터 사랑받고 인정받고자 하는 깊은 욕구에 빠져 본인 스스로 상처와 실망을 자초하게 되며, 상대의 비판이나 거부에 대하여 자기 분개, 자기 혐오까지 확산될 수 있다.

대중성과 사회성을 무시할 수는 없지만, 자존감을 낮추면서까지 타인에게 이끌려 다니는 삶은 결국 삶의 회의와 참을 수 없는 존재에 대한 자기 경시까지 확대되어 인생 자체를 파멸로 몰고 갈 수 있다.

자신을 있는 그대로 수용하라.

타인의 목소리 이전에 자신이 말하는 내면의 소리에 귀 기울이고, 타인을 인식하기에 앞서 자신을 철저히 관리하며, 상대의 비판과 멸시에 분개하지 않게 자신을 지켜야 한다.

완벽함보다는 불완전한 자신을 인정하고, 좀 더 자신에게 관대할 수 있다면, 늘 패기와 열정을 가지고 삶에 임할 수 있고, 더 나은 관계 형성과 세상을 보다 현실적이고 긍정적으로 임할 수 있다.

다수는 말한다. "내가 없어도 당신이 없어도 세상은 아무 일 없이 돌아간다고.", 하지만 우리는 우리 자신에게 이 말을 심어 놓아야 한다.

"내가 없으면 세상은 아무것도 아니다.
좋은 사람이 아닌 행복한 사람이 되자."

"매일매일 깨어날 때 생각하라, 오늘은 내가 살아 있어서 행운이고, 나는 소중한 인생을 가지고 있고, 나는 그 소중한 인생을 낭비하지 않겠노라고…" -달라이 라마

원하는 것을 확실히 밝혀라

원하는 것을 확실히 표현하지 않는다면 평생을 불이익으로 보낼 것이다.

신사화 전문점에서 근무하는 A 군

A 군은 현재 OO 백화점 신사화 전문매장에서 직원으로 근무한다. A 군의 꿈은 이러한 매장을 직접 창업하는 것이었다.

그동안 마련했던 적금과 약간의 대출 그리고 지인들이 빌려 갔던 금액들을 회수하면 창업을 하는 데 큰 무리가 없어 보였다.

자금은 순조롭게 조달되었지만, 문제는 자신에게서 빌려 갔던 금액들을 회수하는 문제였는데, 당연한 것임에도 불구하고 아쉬운 소리를 못 하는 성격 때문에 A 군은 이러지도 저러지도 못한 채 끙끙 앓기만 한다.

그러던 어느 날, 매장 점주가 그에게 다가와 말을 건넨다.

"A 군... 이런 말 해서 유감인데 자네도 알다시피 우리 매장의 주 고객 연령층이 20~30대이잖아, 자네는 이제 40세를 바라보고 있고, 어느 손님이 그러더군, 형님 같아서 이것저것 보여 달라 하기가 부담스럽다고, 이제 자네도 창업을 준비해야 하지 않겠나, 경력도 이만하면 충분하고, 미안하지만 창업을 준비하던가 다른 일자리를 알아봐야 할 것 같네. 그리고 창업을 생각한다면 이런 매장하기 좋은 장소가 있어, 그 건물의 건물주가 내 동창이라 얘기하면 임대료는 저렴하게 해 줄 걸세, 유동인구도 많고 사무실 밀집 지역이라 자네 같은 근성이면 반드시 성공할 걸세.”

상가 건물주들의 횡포를 익히 들었던 A 군은 황금 같은 기회를 절대로 놓치지 않겠다는 각오 하에 빌려 갔던 돈들을 반드시 회수하리라 마음먹는다.

우선 건물주를 만나 계약금 일부를 주고 잔금은 OO까지 입금하겠다고 약속을 한다. 그리고 지인들에게 하나둘씩 연락을 취한다.

OO 자동차 영업부 팀장으로 재직 중인 친구에게 전화한다.

“잘 지냈나, 하는 일은 좀 어때?”

“어! 웬일이야. 잘 되는 게 어디 있겠어, 이 불황에… 몇 달이 돼도 신규계약 건 하나 성사되지 못하고 있으니, 인센티브도 많이 줄어들었고, 아이들 교육비도 문제야. 점점 사교육비로 인한 지출이 늘어만 가는데 수입은 점점 줄어들고 있고, 치과 치료도 제대로 못 하고 있어. 참 힘드네 산다는 것이, 근데 자네는 좀 어떤가? 무슨 일 있나?”

“음… 실은… 아무것도 아니야, 그냥 잘 지내나 해서, 언제 한번 술이나 한잔하세, 손님이 와서 그럼 나중에 통화하세, 힘내자고.”

그렇게 통화를 끝낸 후 이번에는 사업자금이 필요하다며 자기한테서 돈을 빌려 갔던 형에게 전화한다.

“형, 그동안 잘 지냈어? 형수하고 조카들도 잘 있고? 녀석들 많이 컸겠네.”

“동생! 내가 지금… 후… 나중에 통화하자, 사실은… 왜 나는 하는 일마다 이 모양이니, 사업 운이 없나 보다, 애들 교육이든 생활이든 뭐든 다 잊고 혼자서 훌쩍 떠나고 싶다… 음… 후… 음…… 동생 이런 말해서 정말로 미안한데 염치없지만 나 한 번만 더 도와줄 수 없겠니?"

"형... 지금 나도... 사실은... 아니야... 다시 통화하자, 알아보고 연락할게. 애들 봐서라도 힘내고..."

계속해서 다른 이들에게도 연락을 해보지만, 결국 빌린 돈 갚으라는 말은 누구에게도 꺼내지 못했다. 쓸데없이 계약금만 날리고, 모아둔 적금과 대출받은 돈은 다시 형에게...

OO 중소기업 국내영업부에 재직 중인 B 군

외향적인 성격의 B 군은 외근직을 선호했다.

사람들 만나는 것을 좋아하고, 언변과 협상력에도 능하여 직접 발로 뛰어 제품을 홍보, 판매하고 거래처들과의 관계도 돈독히 하면 좋은 결과물들이 창출되어 회사에 큰 이익을 줄 것이라 자신했다.

하지만 회사 입장에서는 외근직 사원들이 너무 많아 B 군에게는 대부분 시간을 사무실 내에서 업무를 처리해야 하는 영업관리 업무를 맡기었다. 아침부터 저녁까지 계속 사무실에 갇혀 서류들과 씨름하는 B 군.

2~3인이 해야 할 방대한 양의 업무를 혼자서 처리해야 하는 상황이라 식사도 제때 못하고 휴식시간도 제대로 갖지 못하여 늘 스트레스와 과로로 시달리는데 게다가 사장의 친척쯤 되는 나이 많은 이사 직급인 그의 상사는 늘 자신의 업무를 그에게 미루기 일쑤였다. 심지어 융통성 없는 그의 상사는 퇴근 후에도 시시콜콜 그에게 연락하여 업무 내용을 재차 확인하고 보고 받았다.

'내일은 반드시 사직서를 제출하리라, 이사의 행각을 대표에게 보고하고... 꼭 제출하리라, 도저히 못 참겠다. 그리고 나갈 때도 직원들 앞에 대놓고 이사 면전에 사직서를 던지며 무능하면 스스로 알아서 나가든가 그따위로 행동하지 말라고 당당히 얘기해야지.'라고 다짐하고 또 다짐한다.

다음 날 아침, B 군의 책상 앞에는 어김없이 정리하고 보고해야 할 서류들이 쌓여있었고, 숨도 제대로 돌리지 못한 상황에서 이사의 호출은 계속 이어졌다.

그렇게 그렇게 스트레스와 과로가 쌓이던 어느 날, 위와 장에서 찌를 듯한 통증을 느끼게 된 B 군, '병원에 잠깐 다녀오겠습니다.'라는 말도 못 하고 통증 속에 서류 정리를 계속하는데... 조기 퇴근을 해야 하건만 오히려 그 통증을 이끌고 야근까지 감행한다.

간신히 아픈 몸을 이끌고 집으로 돌아온 B 군. 시간이 흐를수록 통증은 더해만 가고 이불이 다 젖을 정도로 병과 사투를 벌이는데... 이를 본 그의 아버지는 깜짝 놀라며 다급히 119에 연락을 취한다. 응급실에 실려 간 B 군, 그리고 그 결과 급성복막염(복통이 너무 심하여 수 시간 동안을 참기도 어렵고 생명이 위험할 정도의 중증질환)이라는 판단을 받게 되었다. 주치의는 말했다. "위염, 위궤양 증상도 있었는데 어떻게 치료도 안받고 참으셨는지... 미리 병원에 왔어야죠. 병을 키우셨네요."

그 누구도 당신의 건강과 인생을 책임지지 않는다.

그들에게는 그러한 의무도 없다. 그들은 당신에게 스트레스가 될 원인을 제공할 수는 있어도 그것에 대한 수용 여부는 당신에게 달려있다. 회사를 그만두게 되는 상황이 오더라도 B 군은 자신이 원하는 바를 솔직하게 표현해야 했다. 상황이야 어찌 되었든 그것이 거절로 이어질지라도 원하는 것을 확실히 밝혔어야 자신의 육체적, 정신적 건강을 모두 지킬 수 있었을 것이다. 그렇다면 우리는 왜 원하는 것들을 속 시원하게 표현하지 않는가?

여기에는 다음과 같은 이유가 있다.

어찌 보면 우리는 기초인 가정에서부터 학교, 사회에 이르기까지 자신의 이익보다는 사회의 이익을 먼저 생각해야 한다고 배웠을 것이다.

원하는 것을 확실히 밝히는 게 마치 이기적인 행위인 것처럼 잘못 간주하였을지도… 또한 이러한 표현은 '타인에게 불편함을 야기시키거나 관계 형성의 악화를 초래할 것이다'라고 간주했을지도 모른다.

하지만 이러한 생각은 그릇된 방향으로서의 자기보호이고, 자기 스스로를 무능력하고 약하게 만드는 요인이 된다.

자신의 입장을 당당히 표현하지 않는다면 상대는 당신의 생각에 대하여 부분만 알게 되거나 알지 못할 수도 있고, 적성과 무관하거나 하기 싫은 일들을 억지로 떠맡아 헛된 시간과 열정을 소모할 수 있으며, 더 나아가 후회와 원망, 자기혐오와 자기 분개까지로 이어질 수 있다. 또한, 이러한 행위는 자신의 능력 발휘를 저해시키는 요인이 되고, 불행한 삶으로 인도할 수 있으며, 자신의 감정을 자기 스스로가 억제해 스트레스를 증가시키고, 진정한 자아의 모습은 물론 상대방으로부터 올 수 있는 도움마저 상실하게 된다. 이러한 상실은 자신에게는 육체적, 정신적 질병으로 상대에게는 정서적 삭막함과 진실성 없는 관계를 초래하기도 한다.

명심하라!

"자신의 입장을 확실히 표현하는 것은 어떤 관계에 임하는 방식이지,
　무례하거나 관계 형성의 악화를 초래하는 것이 아니다."

여기서 한 가지 주의할 점은 원하는 것을 표현하기 이전에 이러한 바람이 실제적이고 논리적이며 합당한 것인지 그리고 자신에게도 확신이 있는

것인지를 먼저 파악해야 한다. 그렇다면 자신의 요구에 확신을 가지고 그것들을 담대하게 표현하라.

"원하는 것은 확실히 표현하는 것... 이는 곧 자기 사랑의 시초요,
 타인을 이해하고 사랑하는 동기가 될 것이다."

모든 문제의 주된 원인은 그것을 무심코 수용한 바로 자신이다

대부분의 사람은 어떠한 문제들이 발생하면 그 문제들에 대하여 남을 탓하거나 환경이나 사회 더 나아가 세상을 탓한다. 하지만 모든 문제의 주된 원인은 내면의 허락 없이 무심코 그것을 받아들여 후회와 원망으로 삶을 이끌어가는 바로 자신인 것이다.

특히 관계에 있어서 자신의 솔직한 입장을 무례하거나 일방적으로 표현하지 않고 겸손하고 합리적이며 논리적으로 표현한다면 관계의 지속성뿐만 아니라 진실성까지 이룰 수 있다. 하지만 진실을 회피하거나 주변을 너무 인식하여 솔직한 입장표명을 등한시한다면 결국 관계의 지속성이 아닌 악영향만을 초래할 것이다.

OO 대학 국문과 재학 중인 A 양

A 양은 졸업 예정자이다. 졸업 논문을 앞두고 그녀는 주야로 분주한 나날을 보내고 있었다. 이 논문은 그녀의 진로문제와도 연결된 중요한 것이었다.

그러던 어느 날, 타 학과에 재학 중인 절친한 친구에게서 연락이 왔다.

그 친구도 졸업논문을 준비하고 있었는데, A양이 국문학과이니 전제적인 문맥과 교정을 부탁하려고 하였다. A양 자신도 논문 때문에 시간이 부족하지만 친한 친구의 부탁이니 마지못해 요청을 수락한다.

대략 친구의 논문을 살펴보니 교정할 부분이 너무도 많았다. 이제 와서 거절할 수 없고, 대충 처리하면 친구의 논문 결과가 안 좋게 나와 관계에도 악영향을 미칠 것 같아서 A양은 자신의 논문을 뒤로한 채, 친구의 논문부터 교정하느라 온갖 시간과 노력을 소모한다. 거절하지 못했던 자신에 대하여 분개하며, "자기 일은 자기가 알아서 해야지, 나도 논문 때문에 바쁜 걸 알면서 뻔뻔하게 이런 부탁을 해."하며 친구까지 원망하는 A양.

또다시 걸려온 친구의 전화...

평소 심근경색을 앓고 있던 아버지의 병환이 악화되어 당분간 아버지를 돌보면서 다른 논문들도 준비해야 된다며 이번에는 출력 및 제본까지도 부탁한 것이다.

자신 또한 논문 준비를 해야 하고, 이 논문이 자신의 인생진로에 중요한 계기가 될 수 있어 시기가 다르면 당연히 최선을 다해 돕겠지만, 지금 상황은 거기까지는 힘들다고 단호히 얘기도 못 하고 또다시 그녀의 제안을 수락하는 A양.

우선은 친구의 논문부터 제본하고 빨리 자신의 것을 마무리해야겠다고 생각한 그녀는 300페이지가 넘는 분량을 출력한 후 제본을 의뢰하지만, 졸업시즌이라 바로는 안 되고 2~3일 소요될 것이라는 인쇄소 주인의 얘기를 듣고 허겁지겁 다른 인쇄소로 향하는데 하필이면 게릴라성 폭우가 쏟아져 친구의 논문들이 비에 젖고 말았다. 다시 출력했던 인쇄소로 향하지만, 주문량이 밀려서 당장은 힘들다는 얘기를 듣고 이리저리 다니면서 인쇄소 업자에게 사정하여 2일 만에 친구의 논문을 완성하고 친구가 있는 병원으로 향한다. 차도 막히고 자신의 논문 걱정 때문에 불안함은 극에 달하는데... 병원에 도착한 A양은 잔뜩 원망하는 표정으로... 친구를 노려보며 논문만 주고 바로 나온다.

황급히 자신의 논문을 준비해보지만 출력, 제본까지 고려하면 시간이 너무 없었다. 할 수 없이 절반도 마무리 못 하고 마감 시간에 맞추어 논문을 제출하고 만다.

결과는, 그 친구의 논문은 출력내용이 뒤죽박죽 섞여 있는 상태에서 제본이 들어갔고, A양은 당연히 논문 결과가 안 좋았다.

결국, 논문뿐만 아니라 친구와의 관계도 안 좋게 되었다.

만일 A양이 자신의 입장과 상황을 설득력 있게 얘기했다면 이러한 결과까지는 초래되지 않았을 것이다. 그리고 부탁을 받았을 때는 자신이 그것을 해결할만한 상황인지 또한 그 부탁으로 후회하거나 타인을 원망하지 않을 자신이 있는지를 잘 파악하여 수락 여부를 결정해야 한다.

**"지나침은 모자람만 못하다는 말이 있듯,
선택하고 수용해야 할 문제 이전에 자신의 입장과 상황을 먼저 고려하라."**

사랑을 불행으로 이끈 B 군의 이야기

대학입시에 떨어진 B 군은 재수를 결심한다.

더 이상 부모님께 신세 지기 싫었던 B 군은 틈틈이 Part time을 하여 벌어들인 수입으로 학원비와 생활비를 충당하였다.

OO 편의점 Part time으로 근무하던 어느 날.

한 여인이 매장 안으로 들어와 이것저것 물건을 고르고 있었다. 순간

B 군은 눈앞이 캄캄하고 숨이 멎을 것만 같았다. 이유인즉, 그녀의 모습이 자신의 이상형과 거의 같았고, 그녀는 참으로 친절하기까지 하였다.

공부하는 순간에도 그녀 모습이 아른거렸고, 식사할 때도, 거리를 걸을 때도 온통 그의 머릿속에는 그녀의 모습뿐이었다. 근무시간도 1~2시간 일찍 나왔고, 그녀가 주로 오는 시간대인 밤 8~9시 사이에는 거의 일이 손에 안 잡혔으며, 밖에만 뚫어질 듯 쳐다보았다.

그러던 그때, 그녀가 저 멀리서부터 오고 있었다. 편의점에 들어온 그녀.

물건을 고르기 시작했다. 행여 자기가 사랑에 빠졌다는 사실이 들통날까 봐 B 군은 그녀를 제대로 쳐다보지도 못하고 핸드폰만 보며 만지작거린다. 그녀가 계산대에 다가오면 다가올수록 식은땀과 더불어 콩닥콩닥 심장만 뛰고 있는 B 군… 오늘도 변함없이 '수고하세요.' 하며 온화한 미소와 다정한 목소리만 남긴 채 가버리는 그녀… 그녀가 가는 길을, 아니 그녀가 이미 가버리고 없던 길도 B 군은 한없이 그 거리를 쳐다만 본다.

이때, 무엇인가 들여오는 굉음 같은 소리 "이 봐, 계산 안 할 거야, 몇 번이나 불러도 반응이 없어, 이 사람이… 정신 똑바로 차려.", 그 뒤에도 다른 이들이 계산하려고 줄을 서고 있었다. "죄송합니다. 죄송합니다." 황급히 계산을 마친 B 군… 그때 다른 손님이 바닥에 떨어진 지갑 하나를 들고 "어느 손님이 떨어뜨린 것 같아요."라며 B 군에게 바닥에 떨어진 지갑을 주워 건넨다.

지갑을 살펴보니 학생증이 있었고, 그 지갑의 주인은 바로 B 군이 사랑에 빠진 그녀의 것임을 알았다. 그런데 학생증을 보니 그녀는 자기와 동갑이었고, B 군이 떨어진 대학에 재학 중인 것이었다. 순간 열등의식에 빠진 B 군. 그리고 다짐한다. "정신 차려야지, 나 같은 상황에.. 혹 시간 있어요? 라고 물어보기라도 했으면 주제넘게 어디를 넘봐하며 코웃음 지었겠지, 후... 정신 차리자 바보같이..." 그렇게 생각에 생각을 하고 있던 찰나 그녀가 다시 편의점으로 들어왔다. "혹시 지갑 못 보셨어요?" "아, 예. 제가 바로 발견 못 하고 나중에 다른 손님이 발견해서 못 드렸네요, 여기 보관하고 있었으니 가져가세요." "아! 다행이다. 너무너무 감사드려요, 사례해 드릴게요.", "괜찮습니다. 그래도 발견했으니 다행이네요." "그러게요... 지갑 속에 중요한 것들이 많았거든요, 제가 언제 한 번 식사 대접할 테니 이 연락처로 편한 시간에 연락 주세요."하며 그녀는 또 한 번의 천사 같은 미소를 지으며 그 자리를 떠난다.

도저히 일도 못 하고, 공부도 못 하고, 잠도 못 이루고...

그녀가 준 연락처를 몇 번이나 꺼내보고 집어넣고, 안 되겠다 싶어 휴지통에 버리다가 다시 휴지통을 뒤적뒤적한 후 다시 호주머니에 집어넣고... 밤이 새도록 그녀의 연락처를 손에 쥐고 머리로 로맨틱 소설을 쓰고 있던 B 군...

급기야는 편의점도 그만두고 다른 일을 해보지만, 도저히 그녀의 생각으로 뭐든 손에 잡히지 못했다.

세월이 흐르고... 어느덧 대학입시가 다가왔다. 결과는... 이번에도 실패하게 되었다. 삼수를 하자니 도저히 자신 없었던 B 군은 이 상황을 벗어나고자 군대에 가기로 결심했다. 그것도 가장 고되고 험난하다는 특수부대 특전사로. 그곳에 가면 다시는 세상 속으로 들어오지 않으리라 결심한다.

여기서 문제의 핵심은 B 군의 현 상황도 그녀도 아닌 B 군 스스로가 만든 열등감과 자격지심 그리고 진실을 말한 후 받게 될 수 있는 거절에 대한 두려움이었다.

인간은 다 똑같다.

태어날 때가 있으면 죽을 때도 있고,

젊음으로 패기 왕성할 때가 있으면 나이 들어 약해질 때도 있고,

평탄할 때가 있으면 험난할 때도 있고,

만남이 있으면 헤어짐도 있는 것이다.

단 하나뿐인 인생 무엇이 두려워 자신을 학대하며 헛된 시간을 낭비하는가?

내 마음이 사랑하면 사랑한다고 고백하면 되고, 고백 못 하면 그냥 사랑하면 되고, 상대 또한 같은 마음이기를 바라지만 그게 아니라면 할 수 없는 것이다. 오히려 **인연을 억지로 이어가는 것이 길어지면 길어질수록 자신을 향한 상처의 골만 깊어지는 법.** 고귀한 사랑을 자신의 판단과 상대의 위치나 반응에 따라 좌우되는 것으로 만들지 말고, 이루어지든 못 이루어지든 사랑이 점점 사라져 가는 세상에서 사랑을 느낄 수 있는 자신에 대해 대견해 하라. 사랑이 뭔지 몰라서 그러한 초월적 감정을 느끼고자 하는 이들도 있다. **사랑을 느낄 수 있다는 것은 엄연히 축복이고 자신의 마음속에 순수함이 남아있다는 것**이니 열등감이나 자격지심으로 이러한 축복을 어둠으로 몰고 가지 말고 내 감정이 원하는 대로 행하라. 단, 절대로 후회하거나 낙담하지 않겠다는 조건 하에.

이러한 표현도 괜찮았을 것이다.

ex1) 당신은 제 이상형이었습니다. 당신을 바라볼 때 심장이 뛰고 있는 저 자신을 발견하며 '사랑하고 있구나'라고 생각했고... 당신이 저를 거부할 수도, 불편해할 수도, 기분이 상할 수도 있습니다. 하지만 당신으로부터 어떤 반응이 온다고 해도 저는 저 자신에 솔직해지고

고 싶군요. 이번이 아니면 기회가 없을 것 같습니다. "사랑합니다." 그리고 제 기억 속에 당신의 아름다운 모습을 간직하게 해주셔서 감사합니다.

ex2) 오래전부터 당신을 좋아했습니다.
하지만 제 상황과 처지가 너무나도 역부족입니다. 그래서 자신감도 없었고... 만일 당신 또한 저에게 호감이 있다면 1년 후에 진지한 만남을 갖고 싶어요. 자신을 사랑해야 상대도 사랑할 수 있는 법... 만일 당신이 아니라면 이 말 한마디는 남기며 헤어지고 싶습니다. 저에게 좋은 인상과 아름다운 기억 그리고 어떤 것이라도 대체할 수 없는 사랑이라는 위대한 감정을 느끼게 해 준 당신께 감사합니다.

두려워하는 것은 즉시 표현하라.
그렇다면 타인과 맺고 있는 관계는 좀 더 선명해지고, 솔직한 것이 될 수 있으며 상대의 반응이 달라질 수 있다. 당신이 두려움을 고백하고, 당신 역시 완전하지 못하다는 것을 인정하는 방식으로 접근한다면, 상대는 마음을 조금씩 움직여 당신의 말에 귀 기울일 것이다. 이렇듯 **자신의 두려움에 열린 태도를 취한다면 당신 스스로를 곤경에 빠트리는 어리석은 행동은 하지 않을 것이다.**
여기서 중요한 것은 위 2가지 방법에의 효과는 자신에게 솔직하고 충실했기 때문에 후회는 없을 수 있다. 문제는 그럼에도 불구하고 상대의 거절이 크게 다가왔을 때 그것이 깊은 상처로 남았을 때의 문제이다. 이 말만 명심하라. "아님 말고"... 좋은 추억이면 간직하고 상처라면 깨끗이 지워 버려라. 상처가 너무 깊어 지울 수 없다면 상처를 준 상대를 더 이상 사랑의 대상으로 생각하지 말고, 자신의 성공을 위한 자극제 또는 수단으로 간주하라.

"일이 잘못되면 군자는 제 탓을 하고, 소인은 남을 탓한다." -공자

화를 내려면 제대로 내라

다수는 말한다. "네가 참아, 화를 내보았자 너만 손해니…"

사회는 말한다. "분을 표출하는 행위는 자기 절제의 부족함에서 나오는 것이며, 인격 수양이 잘 되어 있는 자일수록 분을 삼킨다고…"

그렇듯 세상은 당신에게 감정의 주요요소인 희노애락(喜怒哀樂) 중 노(怒, 노여움)를 묻어 버리라 한다.

하지만 **화를 내는 것은 잘못된 것이 아니라, 화를 삼키는 게 문제이다.**

화를 삼키면 그 화가 자신의 내면에 스며들어 온갖 정신적. 육체적 질병들을 초래하기 때문이다. 단, 화를 내어도 제대로 정당하게 내라. 이유인즉, 통제 불능의 감정이나 파괴적인 분노는 본연 목적의 화를 덮음으로써 자신에게는 독이 되고 상대에게는 반감과 기피의 원인이 되기 때문이다.

그렇다면 화를 제대로 낼 줄 아는 방법은 무엇인가? 이에 저자는 다음과 같이 그 방법들을 제시하고자 한다.

첫째, 자신의 화가 합당한 분노 또는 의분(義憤)인지를 파악하라.

합당한 분노의 예는 다음과 같다.

공정치 못한 사회적 제도에 대한 분노

상대의 불합리한 행동과 태도에 대한 분노

멸시, 조롱, 차별, 학대, 강압, 모함 등에 대한 분노

자신의 권리가 침해당했을 때의 분노 등… 처럼

자신의 분노가 합당하다고 확신했다면 그 즉시 표출하되 횡설수설, 우왕좌왕, 과거 일까지 들먹여서 fact를 놓치지 말고, 분노의 원인이 된 요소만을 가지고 집중적으로 언급하라.

둘째, 자신의 화가 백해무익(百害無益)한 것은 아닌지를 파악하라.

백해무익한 분노의 예는 다음과 같다.

화를 낼 필요가 없는데도 습관적으로 화를 내는 경우 또는 마음의 부정적인 상태 즉, 매사가 꼬여 있는 상태에서 즉흥적으로 뭔가를 표출하는 분노, 이러한 분노에서 상대는 이것을 분노가 아닌 분노한 당사자 자체의 심리적, 정서적 결함으로 간주할 수 있다.

쌓여있던 분노가 일시적으로 폭발하여 그 원인과 전혀 무관한 자가 전부 뒤집어쓰거나 엉뚱한 곳에 발산하는 것... 이러한 경우 대부분이 자신이 사랑하고 소중히 여기는 사람들(ex> 친구, 가족, 애인, 지인...)이 분노의 희생양이 될 수 있음을 주의해야 한다.

자신이 직접 해결할 수 없는 막연한 분노... 사회적 제도, 법률, 대인기피, 사람에 대한 혐오, 현 상황과 환경, 시대적 흐름, 교통체증, 날씨, 부정적인 세계관 등 이러한 요소는 심각한 범죄와도 연결되어 더 큰 사회적 문제를 일으킬 수 있다.

  셋째, 당연히 화를 내어야 하는 상황에서 억지로 분을 참고 있는지도 파악하라.

억제된 분노는 다음과 같은 악영향을 초래한다.

끊임없이 외부적인 악영향들이 자신을 침투시키게 만듦

스트레스의 증가, 만성질환의 원인이 됨

나와 상대 모두에게 진실을 배반시킴

경시와 멸시의 대상이 됨

자신을 파멸로 몰고 가는 자기혐오와 증오로 확산됨

복수하고 싶은 충동을 일으킴(참조로 복수심은 우리의 정서적인 에너지를 고갈시키고, 삶 자체를 불행으로 이끌며 중요한 일에 집중하지 못하게 만듦)

오히려 이러한 이들에게 증폭된 분노가 표출되면 자제력을 상실하여 더 큰 사회적 문제점을 일으킬 수 있다.

  넷째, 목소리의 톤을 낮춘 상태에서 간단명료하게 의분을 표출하고 시간과 시기를 놓치지 않게 화가 발생한 그때에 그 원인만을 파악하여 정확히 표출하라. 시기를 놓치면 자신조차 화가 난 원인을 제대로 파악하지 못하게 되고, 상대에게는 자신의 잘못을 제대로 알지 못하게 하는 요인이 된다.

다섯째, 다음의 경우에는 반대로 화를 낼 필요성이 없는 경우이다. 상식이 통하지 않는 자, 자기 합리화나 변명만 늘어놓는 자, 잘못하고도 그 것을 인정하지 않고 회피하려고 오히려 화가 난 당사자를 모함하려는 자... 이러한 자들에게 화를 내는 행위는 말 그대로 입만 피곤하고 쓸데없는 시 간과 에너지 소비일 뿐이다. 또다시 화를 자초하지 말고, 이러한 사람들과 는 거리를 두거나 단절하라.

성경에 이런 말씀이 있다.

"분을 내어도 죄를 짓지 말며, 해가 지도록 분을 참지 말고..."

즉 분을 내어도 증오, 원망, 복수와 같은 악감정으로 확대시켜 삶 자체를 불행으로 이끌지 말라는 것이다.

명심하라!

"옳지 않은 것에 화를 내는 것은 당연한 것이지만,
화를 낼 때는 감정을 드러내며 막연하게 내지 말고
제대로 확실하게 내라는 것을..."

인생은 항상 합리적이지 않다

　세상은 늘 합리적이지 않다. 인간 자체가 비합리적이고 불완전하므로 이 사실을 인정한다면 당신은 비로소 억눌린 자기 분개에서 벗어날 수 있고, 상대로부터 오는 모멸감과 상처로부터 자유로울 수 있다.

　그렇다고 비합리적 모순들을 마냥 수용하라는 것이 아니다. 이것들에 대항하여 싸우려고 하지 말고 스스로 방어태세를 갖추라는 것이다. 이유인즉, 싸우면 싸울수록 그 폭이 무한하므로 싸우다 지쳐 이에 굴복하게 된다면 우리의 눈에 비친 지구는 점점 혐오스러운 땅으로 변하기 때문에 우리가 삶을 이어가고 있는 한 이러한 전투는 우리 자신에게 아무런 득이 되지 않기 때문이다. 달리 생각하면 저자의 의도가 비겁해 보일 수도 있고 소극적인 의지로 간주될 수도 있다. 하지만 어둠이 있기에 빛을 알 수 있듯이 비합리적인 모순들이 있기에 무엇이 합리적인 것인지를 알 수 있고, 그 합리성을 자신이 발견하여 마음의 무기로 간직하여 쌓여 놓고, 어떠한 방법으로든 비합리적인 요소들에 방어태세를 갖춘다면 그 모순들이 나 자신에게 점점 소멸될 것이다. 무기 없이 방패만을 가지고 전투에 참여한다면 백전백패이고, 적의 계략을 알지 못하면 그 전투에 패배하듯이 불합리한 모순들이 계속해서 나타날 수 있게 방어태세를 갖추고 우리가 무엇이 모순인지를 정확히 판단할 수 있을 때, 그때 합리성이라는 무기를 들고 한 번에 쳐내려 가라는 것이다. 그렇다고 세상에서 비합리적 모순들은 사라지지는 않는다. 단 이러한 훈련을 통해서 자신이 이것을 수용하지 않는 힘이 길러질 수 있고, 자신이 원하는 합리성으로 삶을 유도할 수 있다.

　그렇다면 이처럼 비합리적인 요소들로부터 자신을 지키고 보호할 수 있는 방법은 무엇인가?

첫째, 비이성적인 것에 절대로 합리성을 고집하지 말라.

자칫 비이성적인 태도에 순응하라는 뜻으로 오해할 수 있는데, 이는 상대가 비합리적이고 부정적인 요소들로 가득 차 있어 합리성 자체를 수용할 수 없는 상태인데 굳이 그런 이들에게 합리성을 내세워 쓸데없는 자기 분개와 상처 그리고 낙담으로 오는 시간 낭비를 초래시키지 말라는 것이다.

즉, 이 말은 굶주려있는 사자에게 인내를 요구하는 행위와 같이 무모하다는 것이다.

둘째, 비이성적인 것에 거리를 두어라.

비이성적인 자들은 이미 비합리적 모순들이 그들의 정신을 지배하고 육체를 만들어 통제 불능한 상태이므로 다가가서 또는 변화시키려고 오히려 화를 입지 말고, 되도록 거리를 두거나 단절시켜야 한다. 또한 **변화시킨다는 생각... 이는 개미에게 많은 먹이를 제공하여 코끼리가 되기를 바라는 마음과 같다.** 인간의 변화는 외부적 요인이 아니라 그들 스스로가 해야 되기 때문에 변화시킨다는 생각은 오히려 자신에게 엄청난 악영향으로 다가올 것이다.

셋째, 비관론적이고 부정적인 말에 현혹되지 말라.

폐업 직전에 있던 40대 자영업자 이야기

경쟁업체의 증가와 장기적인 경기침체로 결국 폐업이라는 결단을 하게 된 A 군에게 동종업계에 종사하던 K 군이 찾아온다. K 군 또한 폐업을 고려하고 있었다. 상황은 비슷했지만 K 군의 상황이 더 안 좋았다. 이유인즉, 수입의 절반 이상이 창업을 위한 대출금의 이자로 쓰였는데 문제는 거치 기간이 거의 임박하여 원금도 상환해야 하기 때문이었다.

K 군이 말한다. "나 또한 기존의 사업체를 조기 폐업하고 재창업을

준비하려는데... 그게... 글쎄... 솔직히 자신이 없네, 청년실업도 날로 증가하고 있는 추세인데 누가 40대를 고용하겠나, 결국 재창업을 해야 한다는 것인데... 언론에서도 한결같이 말하는 게 자영업자들의 잇따른 폐업이고, 아무리 아이디어가 좋고 자신감이 있으면 뭐하나, 경기 체감과 장기불황이라는 현실이 인생을 가로막는데, 그래서 40대들도 창업을 두려워하여 그냥 망연자실(茫然自失) 하는 경우가 많다더군... 게다가 기업도 '빈익빈 부익부'의 현상이 날로 실감 나는 상황이고, 투자도 과감하고 여유 있게 해야 하는데 어설프게 투자해 봤자 결과는 뻔한 거고, 영세사업자들은 글쎄... 대기업이 모든 걸 장악해서 그들과 경쟁이 될 리가 있겠어, 고객들도 소형업체들보다는 브랜드화된 대형업체들을 더 선호하는 상황인데... 뭘 해도 재창업을 고려한다는 것은... 글쎄 밑 빠진 독에 물 붓기라 할까 그래서 해외 취업을 고려 중일세, 특히 건설 노동직처럼 힘들고 고된 업무들은 스펙이나 외국어 구사 능력과는 무관하게 등용한다 하니 그래서 지금 그 절차들을 알아보고 있는 중이야."

그 말을 들은 A 군. 그동안 재기(再起)에 필요한 요소들(ex> 재창업을 위한 교육과정, 신기술 습득, SNS나 인터넷들의 소셜 네트워크를 통한 마케팅, 고객, 판매관리, 창업 관련 법률 및 세무회계 등)이 전부 부질없는 것으로 판단한 A 군은 그 친구에게 해외 취업에 대한 자세한 정보를 들은 후 관련된 절차들을 밟기 시작했다.

그리고 몇 년 후, A 군은 계획에도 없던 해외 취업을 하여 중동으로 이주를 한 후 경험에도 없던 고되고 힘든 건설 노동업무를 했지만, 급여도 예상보다 훨씬 적었고 체력도 악화하여 결국 일도 제대로 할 수 없는 상태까지 오고 말았다. 게다가 중동에 위치된 업체와는 이미 근로계약에 서명된 상태라 계약불이행으로 인한 손해까지도 배상해야 했다.

반면 K 군은 주변 지인들의 도움을 받아 재창업을 시작했고, 지금은 재기(再起)에 성공하여 안정된 중견기업으로 성장하고 있다.

취업준비생인 20대 B 양

대학 졸업 후 몇 년이 지나도 취업이 안 되던 B 양은 정규직을 포기하고 비정규직이나 인턴사원으로 입사하여 조건보다는 경력을 쌓기로 결심했다.

이미 OO 은행 인턴사원으로 재직 중인 친구에게 자문을 구한다.

"뭐 인턴사원으로 취업 준비하고 있다고... 글쎄 인턴에서 정직원이 될 확률이 결국 몇 프로나 될까? 거의 희박해. 나도 들은 얘기인데 기업들도 신규채용을 위한 인턴보다는 정부의 눈치 때문에 어쩔 수 없이 인턴을 모집하고 최소 급여 수준으로 인턴에게 급여가 나간다고 해. 그리고 기간은 길면 1년 짧으면 3개월로 규정한 후에 정규직 전환으로는 없거나 극히 드물다고 하고, 또한 잡무도 일의 양도 정규직보다 훨씬 많고 부당한 대우를 받기 때문에 인턴으로 입사하여 포기하는 경우도 많대, 그래서 난 그냥... 부모님이 주선해 준 곳으로 괜찮으면 시집이나 가려고..."

그 친구의 말을 듣고 B 양은 생각한다. "세상이 다 그렇구나, 내가 뭘 한들 전부 부질없는 것 일 거야, 힘들게 준비해 비정규직이나 인턴사원으로 입사한다고 해도, 상처만 받은 채 금방 포기할 테고... 그래 나도 시집갈 준비나 해야겠다." 결국, B 양은 취업준비도 포기하고 현실도피로 결혼을 선택하지만 사랑 없는 결혼은 결국 그녀에게 외로움과 고통만 가중시켰고, 배우자의 사업도 문제가 생겨, 경제난뿐만 아니라 자녀의 양육이라는 무거운 짐까지 맡게 되어 힘든 날들이 더욱

더 힘들게 되었다.

반면 B양의 친구는 인턴에서 정규직으로 전환이 되어, 지금은 부지 점장까지 직위가 오르게 되었다.

사람뿐만 아니라 세상은 우리로 하여금 부정적으로 만든다. 매일같이 어두운 현실을 주입해 우리로 하여금 좌절하고 포기하라 한다. 방송, 언론, 각종 매체도 연이어 어두운 현실을 보도하며 우리로 하여금 동참하게 만들며 혼란을 가중시키고 희망을 절망으로 물들게 한다.

하지만 우리에게는 선택이 있다.

생각 없이 내뱉는 타인들의 무모하고 부정적인 말들에 현혹되어 자신의 인생을 망치느냐 아니면 세상에 요동치지 않고 자신이 계획한 목표에 신념을 가지고 추진하느냐라는...

살다 보면 피해야 할 때도 있고, 시간과 거리를 두고 객관적이고 냉철하게 상황을 주시해야 할 때도 있다.

주변의 말들에 현혹되거나 상황에 굴복하지 말고 확실한 신념을 가지고 삶에 임하라.

그리고 명심하라!

"상황판단도 못 하고 무모하게 뛰어들거나
상대의 말에 자신의 신념이 흔들린다면
결국 해를 입거나 후회하는 이는 오직 자신 뿐이라는 것을..."

절대로 사람을 믿지 말라

아무리 영성 높고 성품이 곧기로 이름난 신자나 종교지도자들도 그들 앞에 돈뭉치가 보이면 그들의 신도 외면하고, 영성도 흔들리며, 진실 또한 왜곡할 수 있다.

아무리 명성과 인격을 가진 자라 해도, 자기에게 조금이라도 불리하거나 불편하다면 무고한 사람들을 이용하거나 짓밟아서라도 자신의 위치를 지킬 수 있다.

아무리 친한 관계라 해도, 당신이 보잘것없이 추락하고 있으면, 도움은커녕 단절과 친구 목록에서의 삭제만 있을 수 있다.

남자는 보이는 그대로 사악할 수 있고, 여자는 교묘히 사악할 수 있다.

청년들은 무례하고, 노인들은 거만하며, 가진 자는 욕심이 끝이 없고, 없는 자는 불평이 끝이 없을 수 있다.

그렇다면 인간과의 관계를 아예 단절하고 살라는 것인가?

저자의 말에 의문을 제기할 수 있다.

단절하라는 것이 아니라, 인간인 우리는 누구나 다 죄의 습성이 있기 때문에 어느 누구든 의롭거나 선하다고 단정할 수 없으므로 늘 조심하라는 것이다.

그렇다면 사람과의 관계에서 무조건 의심하고 회피하라는 것인가?

아니다. 인간은 상황과 환경에 따라 달라지고, 늘 변화무쌍한 인격체이기 때문에 그 누구든 완벽한 성인이라 할 수 없다. 따라서 이러한 불편한 사실을 염두에 두고 어느 정도 자신만의 울타리를 치고 관계에 임한다면 관계에서 오는 괴리감과 손해, 상처 등을 미리 방어할 수 있다.

경계선이 허물어진 상태에서 관계에 악영향이 온다면 당신의 삶은 걷잡을 수 없이 피폐해질 수 있고, 이러한 깊은 상처는 당신으로 하여금 마음에 굳은 성벽을 만들게 하여 관계 자체를 단절시키게 하는 요인이 될 수 있다.

따라서 분별력과 객관성 그리고 어느 정도의 방어기제를 가지고 관계에 임한다면 겪을 수 있는 손해나 실망에서 벗어나 오히려 관계를 더 길게 이어 나갈 수 있다.

명심하라!

"자신만의 경계선이 없다면, 언젠가는 외적 요인들로 인하여
자기를 지키고 있는 성벽이 허물어져 자기파멸을 자초한다는 것을…"

"불편한 진실… 인정하고 지혜롭게 헤쳐 나간다면 큰 손해는 없겠지만,
이를 인정하지 않거나 애써 부인한다면
언젠가는 밝혀질 진실 앞에 땅을 치고 후회할 수 있다는 것을…"

"빛이 어두움을 비취되 어두움이 깨닫지 못하더라." -성경

관계 형성 시 주의할 점

'상처란 사랑받을 자격이 없는 무례하고 파렴치한 자에게 진실을 준 대가'라고도 한다. 이 말은 관계 형성에도 관련이 있다.

사람을 대할 때는 분별력을 가져야 한다. 무턱대고 자신의 솔직한 견해를 꺼내다가 그것이 악성루머가 되는 요인이 될 수 있고, 고민거리를 털어놓는 것은 상대와 그 주변인들에게 당신을 험담할 수 있는 요인이 될 수 있으며, 비합리적인 상대에게 계속해서 자신의 입장과 생각을 detail하고 논리정연하게 표현한다면 당신의 소리는 의(義)의 외침이 아닌 무의미한 사고와 시간 낭비로만 될 수 있다. 물론 비합리적인 사람에게도 양심이 있는지라 옳은 것은 알지만 자기를 철저히 합리화시키려고 오히려 옳은 당신을 그릇된 인간으로 간주시키고 기피하려 할 것이다.

그렇다고 관계 형성을 가식적이거나 형식적으로 이어가라는 뜻은 아니다.

상대가 어떤 태도와 인격을 가졌느냐에 따라 할 말 못 할 말을 구분해서 하라는 것이다.

주변을 잘 살펴보면 부와 더불어 인격까지 고루 갖춘 이들의 특징은 말을 아끼고 할 말만 한다는 것이다. 또한, 제대로 배운 자일수록 자신의 말보다 타인의 의견에 더 귀를 기울여서 좋은 것들은 내 것으로 만들고 나쁜 것들은 간접적으로 습득하고 참조하여 자기 안에서 제거해 버린다.

말이 많으면 배우지를 못한다. 말이 많으면 자신의 단점을 고칠 수 없다. 말이 많으면 대인관계에서도 기피의 대상이 된다.

분별력을 가지고 대화의 깊이를 달리하고, 절제와 경청을 우선시한다면 관계 형성은 더욱더 잘 지속되고, 상대로부터 존중과 친밀감까지도 얻게 될 것이다.

"말 많은 앵무새는 새장에 갇히고, 말할 수 없는 다른 새들은 자유로이 난다." -밀라레파

의견인가? 가르침인가? 무례한 사람들을 대처하는 자세

의견이란 어떤 대상에 대하여 개개인이 가지는 생각을 말하는 것이다.

하지만 의견은 말 그대로 의견일 뿐, 가르침이 되거나 동조할 것을 강요하는 행위가 되어서는 안 된다.

어리석고 무례한 자들은 상대방의 의사와는 상관없이 자신의 의견을 거침없이 난발하여 의견이 아닌 주입식 소음으로 만든다. 그러한 그들은 마치 자신이 모든 분야에 통달한 듯 행동한다. 그 분야에서 많은 경험과 명성을 쌓고, 고도의 지식을 가진 이들에게까지 오히려 의견을 가장하여 가르치려 하거나 자기 생각들을 암암리에 주입시켜버린다.

어리석은 자들에게는 경청의 태도나 겸손함 그리고 배움의 자세가 전혀 없다. 그러한 그들에게 시간을 소비한다는 것은 헛된 낭비일 뿐이다.

하지만 어쩔 수 없이 그들과 마주쳐야 하는 상황이라면 웬만하면 말을 이어가지 말고 침묵으로 일관하라. 그리하면 자기도취에 빠져 열변을 토한 그들이 정신을 차려 깨어날 수도 있다.

어리석은 자들은 자신의 무지함과 부족함을 감추려고 쓸데없는 막말을 계속해서 늘어놓고, 열등의식이 강하여 배움이나 조언을 마치 수치심 인양 여기며, 그 옹졸한 마음속에는 타인에 대한 존경심은 없고 시기나 질투로 가득 차 있기 때문에, 당신의 귀한 시간과 말들을 소모할 필요가 없다.

그러한 그들을 피하는 것이 최선의 방법이지만, 피할 수 없다면 침묵으로 일관하라.

"당신이 말할 때는 아는 것만 반복한다. 하지만 들으면 새로운 것을 배우게 된다." -
달라이 라마

"그 말이 가벼운 사람은 책임을 지지 않는다." -맹자

"인간은 그가 말하는 것에 의해서 보다는 침묵하는 것에 의해서 더욱 인간답다." -탈
무드

지나친 이타심을 배제(排除)하라

"지나친 이타심은 자신에게는 무의미한 배려와 정성이요,
  타인에게는 은혜를 모르는 뻔뻔함을 유발하는 행위이다."

적절한 때 적합한 자에게 적당한 도움과 베풂은 감사로 이어지지만, 이것이 지나치면 상대는 당신의 도움과 베풂을 당연하게 받아들이고, 심한 경우 도움이 끊어지면 당신을 모함하거나, 강압적으로 이를 요구할 수 있고, 자존심 때문에 당신을 회피할 수 있다.

베풂 이전에도 반드시 분별력을 가져야 한다.

당신의 선행이 어떤 이에게는 악용으로 될 수 있고, 어떤 이에게는 무기력함을 초래할 수 있다.

은혜를 모르는 자에게 베풂이란 마치 허공 속에 떠다니는 먼지와도 같다.

그들은 은혜를 상처로 갚을 것이고, 베풂과 호의를 무색(無色)하게 만들 것이다.

도움과 베풂의 범위를 확실히 하라.

필요 이상의 은혜는 대가를 생각할 수 있고, 그 기대치가 어긋나면 원망과 분노가 쌓일 수 있다.

시골에서 농사를 짓던 어느 노부부 이야기

그들에게는 아들이 한 명이 있었다.

자신들이 어렵고 힘들게 자라온지라 하나뿐인 아들에게는 남부럽지 않게 모든 것을 해주고 싶었다.

허리 한 번 제대로 못 펴고 주야로 일만 하였고, 원하는 모든 것을 포기한 채, 오직 아들한테만 그가 원하는 모든 것을 해주려고 하였다.

세월이 흘러, 그 아들은 서울에 소재 한 OO 명문대 의과대학에 진학하게 되었고, 졸업 후에는 관련 대학병원 인턴으로 근무하게 되었다. 그러던 중, 결혼도 하게 되어 슬하에 2명의 자녀까지 두었다.

학교도 다 마쳤고, 안정된 직업도 있고, 장가도 갔으니 이제는 고생 끝에 낙이 올 것이라 기대하고 있던 노부부에게 갑작스럽게 아들 내외가 방문한다.

아들이 말한다.
"아버님, 어머님... 그동안 부족함 없이 저를 키워 주셔서 감사합니다. 고생하시면서 키우신 것 잘 알기에, 힘들고 고된 일도 마다하지 않고, 선배나 교수진들의 강압과 횡포에도 굴하지 않고, 대학병원 인턴에서 전문의까지 일련의 과정들을 무사히 마치려 했는데 이제는 도저히 버틸 수 없습니다. 툭하면 호출해서 노예 부리듯 하고, 잠도 제대로 못 자고, 식사는 물론 휴식 한번 제대로 가지지 못해요. 야근에다 스트레스까지... 사실 같은 학번의 학우들은 이러한 사실들을 이미 알고 있어서 대학병원 인턴과정을 안 밟으려 해요, 대부분이 개인병원을 차려 직접 운영하고, 여기까지는 모두가 부모님의 지원을 받는 것 같아요. 저는 차마 두 분 고생하시는 것 잘 알기에 이 말까지는 안 하려고 했는데 여기까지 힘들게 도와주셨잖아요. 손자, 손녀 생각해서 이번 한 번만 더 저를 믿으시고 시골에 있는 모든 재산 처분하고 서울에 올라와서 저희와 함께 살아요. 연세도 있으시니 곁에서 제가 직접 돌봐 드리고 싶고요. 이제는 고생 그만하시고 저희와 함께 편히 지내세요. 개인 병원을 차린 학우들을 보니 금방 안정화되는 것 같으니 걱정하지 말고 조금만 기다려 주세요..."

이번에는 며느리까지 합세하여 말한다.

"아버님, 어머님... TV 보시죠, 이제는 더 이상 고생하지 마시고 TV에서 나오는 분들처럼 모임에도 참석하시고, 취미 생활도 즐기세요. 서울에 올라오면 적적하지는 않을 거예요. 주변에 노인분들을 위한 모임이나 시설들이 많아요... 여태까지 고생하셨으니 이제는 저희가 행복하게 잘 모실게요. 애들도 할아버지, 할머니 올 수도 있다고 하니 너무들 좋아해요. 이런저런 고민 말고 저희와 함께 살아요."

계속되는 아들 내외의 간곡한 부탁으로 결국 노부부는 모든 재산을 아들에게 위임하고 서울로 올라와 그들과 함께 지내게 되었다.

하지만 도시 생활은 노부부에게 마치 어둠의 서곡이었다.

도시화된 아이들은 늙고 촌스러운 할아버지, 할머니한테 이예 가까이 가려 하지 않았고, 웃어른에 대한 예의도 없었으며, 버르장머리 없이 행동하기 일쑤였다. 아들은 바쁘고 피곤하다는 핑계로 말조차 건네려 하지 않았고, 며느리는 하지도 않던 맞벌이를 핑계 대며 노부부에게 애들을 맡기고 온갖 집안일들을 떠맡기며 밤이 되어서야 집으로 돌아왔다. 알고 보니 자신이 도리어 모임과 취미 생활을 갖느라 분주했다.

그러던 어느 날, 큰 사고가 나게 되었다.

중풍 전조증상이 있었던 할머니는 익숙하지 않던 현대식 구조의 욕실에 들어가려다가 그만 타일 바닥에 미끄러져 변기에 머리를 크게 부딪쳤다.

한참을 혼수상태에 있다가 간신히 깨어난 할머니... 오른쪽 전신이 마비된 것이다. 진료 결과는 중풍...

그로부터 몇 년 후, 아들에 대한 원망과 증오가 화병까지 이르게 된 할아버지는 가족과 세상으로부터 철저히 고립되어 지내다가 아들에 대한 원망, 가족 간의 불화, 분노 조절 장애 등의 정신적 고통이 가중된 상태에서 치매까지 발병되게 되었다.

결국, 노부부는 허름한 요양원에서 후회와 원망만을 남긴 채 생을 마감한다.

헌신하면 헌신짝이 된다는 말이 있다.

모든 것은 '적당히'라는 말이 있듯, 자신을 저버리고 모든 것을 희생한다면, 대다수의 사람은 그 고마움에 중독되어 잊어버리고, 호의가 계속되면 권리인 줄 알고 착각하게 된다.

"지나친 이타심은 자신을 망치는 행위요,
상대를 파렴치한으로 몰고 가는 어리석은 사랑이다."

"적당한 자기 관리하에 적당한 이타심만이 나와 상대 모두를 만족시키고,
관계까지도 향상시킬 수 있는 방법이 될 것이다."

The Law of Attraction

'끌어당김의 법칙'은 예전부터 많은 이들로부터 언급된 이론이다.

이 법칙을 단순하게 정의한다면 "좋은 것이든 나쁜 것이든 자신이 생각하고 있는 것을 끌어당긴다"는 것이다. 예를 들면 걱정함으로써 걱정거리를 끌어당기고, 실망함으로써 더 실망스러운 것들을 끌어당기며, 부정적인 생각들은 계속해서 부정적인 요소들을 끌어당긴다. 의심이 쌓이면 불신이되고 상처가 쌓이면 원한이 되며, 좌절이 쌓이면 파멸까지 이를 수 있다는 논리와도 유사하다. 가난을 예를 든다면 가난이 계속해서 고질병이 되는 이유는 나 자신이 가난을 피할 수 없는 환경으로 끌어당겨 변화할 시도조차 하지 않은 채 그것을 부추기는 부정적인 사고들을 계속해서 끌어 오기 때문이다.

이와는 반대되는 긍정적인 요소의 하나인 '감사함'에 대하여 끌어당김의 법칙을 적용해 보았다.

감사라... 한참을 생각하고 생각해 보아도 감사할 일보다는 불만족스러운 것들만 떠올랐다. 계속되는 실패와 좌절, 아무리 노력해도 상황은 변하지 않는다는 부정적인 생각들, 미래에 대한 불확실성에서 오는 극도의 불안감, 현실과 이상의 괴리감 등등... 다시 한번 마음을 다잡고, 아주 작고 사소한 것부터 감사할 일들을 찾아보기로 했다.

그렇게 감사할 요소들을 끌어당기니 의외로 감사할 일이 너무도 많았다.

볼 수 있다는 것, 들을 수 있다는 것, 걸을 수 있다는 것, 내가 무엇이기 때문이 아닌 존재 그 자체로만 사랑해 주는 가족과 친구들, 이렇다 할 스펙도 인맥도 없는 나에게 창작능력을 심어 주시고 다양한 길을 보여 주시는 나의 하나님께, 불쌍한 사람들을 돕고 싶은 긍휼의 마음을 주신 것, 솔로임에도 불구하고 외롭기는커녕 주변에 나를 챙겨주는 이들이 너무나 많다는 것, 내가 무엇을 해도 나의 재능이 최고라 믿고 있는 내 가족들, 그리고 목표의식이 확실하다는 것 등등... 이렇듯 감사한 요소들을 계속해서 끌어당기니 행복과 기쁨도 같이 끌려왔고, 불행을 자초했던 나 자신에 대하여 반성하게 되었다.

이번에는 현대인들의 가장 큰 관심사인 돈, 명예, 성공이라는 3가지 관점에서 이 법칙을 적용해 보겠다.

돈이란 가치 있는 목적을 위한 수단이 되어야 한다.

하지만 대다수의 사람은 점점 돈을 수단이 아닌 목적으로 끌어당긴다.

돈이 목적이 되어 그것만을 위해 계속해서 끌어당기기만 한다면, 결국 돈의 노예가 되어 자기 자신뿐만 아니라 사람도 인생도 모두 잃게 될 것이다.

또한, 돈은 욕심으로 변해 사악한 이기심이 되고, 교만에 선봉에 서서 사람들을 업신여길 것이며, 늘 돈에 대한 조바심과 걱정으로 영육 혼 모두가 메말라 갈 것이다. 결국, 돈이 목적이 되어 끌어당기는 삶은 천국이 될 수 있는 인생을 생지옥으로 만드는 것과 같다.

반면 가치 있는 목적 달성을 위하여 깊고 올바른 사고방식, 긍정적인 태도와 실천, 절제, 인내, 확고한 신념, 직관력, 통찰력, 분별력, 배우려는 적극적인 자세들을 끌어당긴다면 돈, 명예, 성공은 자연스럽게 끌려 올 것이다.

사랑도 마찬가지이다.

맹목적으로 사랑을 끌어당긴다면 사랑은 더 이상 사랑이 아닌 소유욕이나 집착이 되어 상대에게는 비호감이 자신에게는 비참함이 된다.

하지만 사랑을 위하여 상대의 마음을 끌어당기고 이를 위해 자신이 최선을 다해 노력하고, 인내하며, 포용한다면, 사랑은 서로에게 행복이라는 큰 축복으로 맺어진다.

"따라서 무엇을 끌어당길 것 인가에서 무엇은 막연하고 생각 없는 또는 세속화된 무엇이 아니라 의미심장(意味深長)한 선택이 되어야 한다."

§

진정성은 반드시 빛을 발한다

흔들리게 하는 자신을 허용하지 말라.
순간의 좌절과 실패는 목적을 위한 하나의 여정일 뿐이다.

목적에만 집중하라.
그리고 대우주의 힘을 신뢰하라.

세상의 모든 악은 부정의 틈을 타고 들어온다.
불안감과 두려움을 허용하지 말고
의심이라는 불에 기름을 붓지 말라.

표면적으로는 매사가 꼬이고, 안 되는 것 같지만,
목적에 진정성(眞正性)이 있다면 언젠가는 반드시 빛을 발한다.

콩 심은 데 콩 나고, 팥 심은 데 팥 나는 것처럼,
절대로 배나무에서 감이 열리지 않는다.

세상에 요동치지 말고, 당신이 선택한 목적들이 제대로 심어지고 있는지
또 이를 위해 최선을 다해 노력하고 잘 가꾸고 있는지만을 생각하라.

모든 일은 근본에 따라 거기에 맞는 결과가 나타난다.

때를 기다릴 줄 아는 인내와 목적에 대한 확고한 신념과 노력이 흔들리지
않는 뿌리로 내려져 있다면,
반드시 측량할 수 없는 무수한 열매들이 맺어질 것이다.

-김소현, 〈진정성은 반드시 빛을 발한다〉 전문

§

반복되는 것들에 주의하라 (습관의원칙 中)

습관을 이루는 요소는 '반복'이다.

반복에는 긍정적이든 부정적이든 패턴으로 고정하려는 힘이 있어, 반복되는 생각과 행동들을 사소히 넘기지 말고 주의 깊게 살펴야 한다.

예를 들어 불행은 부정적인 생각과 마음이 반복되어 습관이 되고 삶의 패턴으로 고정된 것이므로, 자신의 인생이 불행하다는 느낌이 들 때마다, 그 생각들을 마음에 두지 말고, 그 원인이 되는 요인들을 파악하여 제거해야 한다.

습관의 원리를 좀 더 자세히 설명하면 아래와 같다.

1. 긍정과 부정

생각에서 시작→선택 : 긍정적 마인드 또는 부정적인 마인드→선택의 반복(확실히 바뀌지 않으면 불변의 상태로 고정)→습관이 됨→삶의 패턴으로 고정됨

ex1)

긍정적 마인드(Positive mind)	부정적 마인드(Negative mind)
실패와 좌절이 반복되더라도 두려워 않고 그것을 거울삼아 목표를 향해 끊임없이 나아간다.	실패와 좌절이 반복되면 될수록 자기 비하와 침체의 범위는 점점 깊어진다.
실패 이후... 목표 설정을 재검토하고 분석하여 실패한 요인들을 보완. 수정한 후 또다시 도전한다.	실패 이후... 패배감에 사로잡혀 도전보다는 두려움만 앞선다.

계속되는 실패에도 그 속에서 무엇인가를 배우고 깨달으려 하며, 위기를 기회라 간주한다.	계속되는 실패에도 자신의 잘못된 습관이나 방향을 고치려 하지 않고, '뭘 해도 안 될 거야.'라는 패배감에 사로잡히거나 환경이나 상황 그리고 세상을 탓한다.
실패란 자기가 만들어 낸 마음 상태이지 결론이 아님을 늘 인식하고, 환경이나 상황이 어찌 되었든, 계획과 방법에는 수정이 있어도, 확고한 신념에는 변함이 없다.	실패가 두려움이 되어 모든 것을 기피한다.(인간관계, 목표 설정, 도전의식 등등)
고난의 눈물에 절대로 굴복하지 않고, 어떠한 부정적인 요인들도 허용하지 않으며, 자신은 물론 주변인들에게까지 '할 수 있다'라는 긍정의 마음을 심어 넣는다.	영육혼 모두가 부정적인 요소들로 꽉차 있어 자신은 물론 주변인들한테도 악영향을 끼친다.
부정적인 요소들이 틈을 타고 들어오지 않게 늘 건설적이고 좋은 방향으로 생각하고, 목적은 목적대로 자기관리는 자기 관리대로 철저히 이행한다.	무기력함은 생각의 부재를 만들고, 그 빈 공간 속으로 부정적인 요소들을 계속 쌓아 넣는다.
그 어떤 역경과 고난이 오더라도 시간 관리를 철저히 한다.	망연자실(茫然自失)하며 시간을 헛되고도 무의미하게 낭비한다.
인생의 성공과 행복이라는 걸작(傑作)을 완성한다.	좌절과 불행이라는 졸작(拙作)으로 생을 마감한다

ex2)

긍정적 마인드(Positive mind)

계획→실패→수정·보완→계획의 재정립→실패→재수정·보완→계획의 재정립→실패→잠시 휴식, 재점검, 도전→실패→의지력을 강화, 도전→성공→역경, 고난→과거의 실패들을 거울삼아 극복함→실패→끊임없는 사고의 흐름, 배우려는 자세 그리고 도전→성공의 연속→영육혼 모든 것의 만족인지 다시 체크→성공의 연속→주변을 돌아보고 그들 또한 인생성공의 지름길로 인도함

부정적 마인드(Negative mind)

계획→실패→막연하게 다시 도전→실패→상황과 세상을 탓함→실패→자괴감, 자기비하로 이어짐→실패→부정적인 요인들을 거침없이 수용→실패→자신은 물론 주변인들까지 괴롭힘→좌절→포기→실패를 불행까지 확장시킴

사무엘 베케트는 말했다.

"시도했는가? 실패했는가? 괜찮다. 다시 시도하라. 다시 실패하라. 더 나은 실패를 해라."

인간 자체가 불완전한 존재이므로 산다는 것 자체가 실패의 연속일 수 있다. 인간은 수많은 실수와 실패를 통하여 더 나아지고 성숙해지는 존재이다.

실패한다는 것은 한편으로 성공할 가능성이 커지고 있음을 의미한다. 문제는 실패를 성공을 위한 수단이 아닌 실패 자체로 받아들여 좌절하고 포기하는 것이다.

명심하라!

"실패를 두려워하지 않고 나아가는 사람만이
인생의 진정한 의미를 찾을 수 있다."

여기까지는 긍정과 부정에 관련된 습관의 원칙을 나열했다면, 다음은 다른 요인들로 예를 들어 습관의 원칙을 적용해보겠다.

2. 결정장애의 반복

우유부단함이 습관화됨→자기발전이 없음, 자괴감, 자기비하 더 나아가 패배주의 의식이 삶의 패턴으로 고정됨

3. Give는 없고 Take만 있는 경우

받는 것이 습관화됨→의존적인 삶과 궁핍함이 삶의 패턴으로 고정

검사나 형사가 범인을 심문할 때 주로 쓰는 방법이 '반복'이다.

사건에 대하여 반복적으로 질문하게 되면, 범인은 사건을 은폐하려고 계속해서 거짓 진술을 하지만 거짓은 확실한 신념을 가진 진실과 달라 진술을 계속 번복하게 만들고 나중에는 자신이 어떠한 말을 내뱉었는지도 모르게 만든다.

잘못된 습관들은 하루아침에 고쳐질 수 없다.

'세 살 적 버릇이 여든까지 간다.'라는 속담처럼, 반복된 나쁜 습관들을 고치기란 매우 어렵지만, 반복해서 자신의 과오를 뉘우치고 이를 고치려고 노력한다면, 어느덧 자신의 잘못된 습관들은 서서히 사라질 것이다.

지금 당신은 무엇을 '반복'하고 있는가?

꿈을 향한 도전, 배움, 독서, 운동, 취미 생활, 기도, 감사...

아니면 걱정, 열등의식, 패배주의, 원치 않는 의무감, 우유부단함, 우울함, 분노, 원망, 좌절...

명심하라!

"당신이 반복해서 생각하고 행동하는 그것들이
삶을 고정하는 패턴이 되고 인생이 될 것이다."

§

마이클 조던의 실패

나는 농구를 시작한 이후로 9,000번 이상 슛을 놓쳤고,
거의 300번의 패배를 기록했다.

승패를 결정하는 슛을 놓친 경우도 26번이나 된다.

나는 인생에서 수없이 반복해서 실패를 거듭했다.

바로 그것이 내가 성공한 이유다.

§

보다 구체적이고 현실적인 대안으로써 자신을 지키는 방법들

이기심

당신은 모든 이들로부터 사랑과 존경을 받아야 한다.

하지만 이기적인 태도는 당신을 철저히 외톨이로 만들뿐더러 냉혹한 시선으로 세상을 보게 만든다.

인간관계

다음의 사람들을 경계하라.

평상시에는 소홀하다가 자기 필요 하에 연락을 취하는 자

당신의 말과 행동을 가볍게 여기고 무시하는 자

스트레스는 다른 곳에서 받고 그것과 무관한 약자에게 푸는 자

사사건건 트집 잡는 자

당신에게 희생을 암암리에 강요하는 자

착함을 가장한 우유부단함으로 당신에게 피해 주는 자

걱정, 고민거리의 짐들만 잔뜩 가지고 와 당신에게 거침없이 푸는 자

늘 불평·불만으로 가득 찬 자

상대에 대한 배려와 사랑이 없는 자

받을 줄만 알지 베풀 줄 모르는 자

은혜와 감사를 모르는 자

상대의 말은 들으려 하지 않고 자기 말만 하려는 자

당신의 소중한 시간을 낭비하게 하는 자

당신에게 부정적인 마음을 심어 놓는 자

자신의 불쾌한 감정들을 당신 또한 공유하게 만드는 자

겉과 속이 다른 자

자신의 잘못된 행위를 합리화하려는 자

이유인즉, 이러한 자들의 속성은 당신에게도 전염되어 당신 또한 이러한 인간이 되기 때문이다.

"모든 인간에게는 할 수 있는 일과 할 수 없는 일이 있다.

자신의 마음을 바꾸는 일은 할 수 있는 일이지만,

타인의 마음을 바꾸는 일은 할 수 없는 일에 속한다.

할 수 있는 일에 힘쓰는 사람은 지혜로운 사람이지만,

할 수 없는 일에 힘쓰는 사람은 어리석은 사람이다." -에픽테토스

"사람을 대할 때는 불을 대하듯이 하라.

다가갈 때는 타지 않을 정도로, 떨어질 때는 얼지 않을 만큼..." -디오게네스

"상대의 감정에 민감한 사람은, 자신의 감정에 둔감한 사람이다." -청야(淸夜) 김소현

사랑에 대하여

누군가를 사랑한다는 것은 아름다운 축복이다. 하지만 사랑에 빠져 자신의 신념조차 망각하거나 집착이 되어 자신의 인생을 망친다면 사랑은 더 이상 축복이 아닌 저주의 늪이 되고 만다.

"주기만 하는 것은 자신을 사랑하지 않는 것이요, 받기만 하는 것은 상대를 사랑하지 않는 것이다." -청야(淸夜) 김소현

"사랑은 두 사람이 마주 보는 것이 아니라, 함께 같은 방향을 바라보는 것이다." -쌩떽 쥐베리

맹목적인 사랑을 과감히 끊어라. 사랑은 주고받는 것이기 때문이다.

또한, 사랑이 집착으로 변한다고 느껴지면, 그 집착을 다른 곳으로 옮겨라.

인생에 있어 가끔 찾아오는 집착이라는 강력한 에너지를 효율적인 방향으로 활용한다면, 이는 곧 자기발전은 물론 상대와의 관계도 향상시킬 것이다.

상대방의 직종에 상관없이 모든 이들 앞에 당당 하라

다수의 사람은 서비스업종에 종사하는 이들로부터 당당히 대우받고자 한다. 이유인즉, 상품에 대해 대가를 지급했고, 이러한 지급 안에는 제품 및 판매 관련자들의 서비스도 포함되어 있기 때문이다.

문제는 같은 대가를 지급하고도 어떤 분야는 당당히 권리를 요구하지 못 하고 어떤 분야는 지나치게 자신의 권리를 요구한다는 것이다.

곰곰이 생각해 본다면, 저자의 말을 이해할 것이다.

다수의 사람이 무언가에 대해 대가를 지급하고도 만족을 못 했을 때, 그 냥 자기의 권리를 포기하거나 또는 불쾌한 마음으로 수용하거나 또는 오히 려 그들의 비위를 맞추면서 사회적 약자로 전락해가는 경우가 있다. 그러 한 예를 들면 아래와 같다.

국가, 사회단체, 공공기관 관련 종사자들 또는 공무원들

우리가 낸 세금으로 운영된다. 하지만 불만족스러워도 그냥 넘어가는 경 우가 많다. 대가를 지급한 만큼, 불합리한 요소들에 맞서 당당히 시민의 권 리를 행사하라.

소위 고급 직종 종사자들... 교수, 법무관계자, 의사 등등

교수는 학생의 등록금으로, 법무나 의료종사자들은 우리가 지급한 금액 으로 생계를 이어간다. 여기서도 불합리성이 있다면 당당히 맞서 권리를 행사하라. 고도의 지식을 가진 자들이라 할지라도 우리가 대가를 지급한 만큼 그들에게 주눅 들 필요는 없다. 만일 그들에게서 합리성에서 벗어난 거만한 태도나 권위적인 행동을 받았다면 당당히 맞서 자신의 권리를 찾아 라. 그들은 무료로 당신에게 도움을 준 것이 아니기에 당신이 대가를 지급 한 만큼, 만족스러운 결과가 아니더라도 충분히 이해될 수 있는 상황까지

는 가야 한다.

"자신에게 당당한 사람은 타인의 시선을 의식하지 않고,
타인의 위치에 따라 자신의 권리를 조절하지 않는다."

종교지도자... 그들은 신이 아니기에 그들의 말에 무조건 복종해서는 안된다.

종교단체나 종교 관계자들 모두 신도들로부터 받은 헌금으로 유지되기 때문에 영적인 갈등이나 문제가 있다면 당당히 질문하라. 또한, 그들의 안일함과 세속적인 태도 또는 모순들이 발견되면 그 즉시 지적하고, 신을 팔아 인간이 우상화되는 거짓 선지자들의 음모에는 강하게 대처하라.

종교인들의 폐단으로 신을 떠나는 행위는 타인들의 농간에 빠져 자신을 버리는 행위와도 같다.

"가장 고귀한 사람들은 언제나 가장 추악한 자들의 비위에 거슬리는 법이다." -보에티우스

§

없음을 인정하라

운명은 없다... 운명이란 불행을 자초한 이들이 만든 한낱 변명에 불과하다.
천부적 재능은 없다... 재능이란 일분일초를 쪼개고 쪼개서 공들인 노력의
결과물이다.

기적은 없다... 기적은 세상을 공짜로 얻으려는 헛된 바람이다.
내일은 없다... 오늘이 없다면 내일도 없다.

-김소현, 〈없음을 인정하라〉 전문

§

의무감에 대하여

당신의 첫 번째 의무감은 무엇입니까?

주변의 지인들에게 물어본다.

대부분의 공통적인 의견은 나라에 대한, 사회에 대한, 가정에 대한, 일에 대한 것들이었는데, 그 누구도 '자신에 대한 의무감'에 대하여 언급하지 않았다.

여기서 자신에 대한 의무감이란 존재가치의 확립과 행복한 삶을 위한 노력, 원하는 것을 이루고자 하는 목표나 자유와 진리를 추구하려는 의지 등으로 해석할 수 있다.

하지만 이러한 견해가 사회적인 통념으로 해석되면 자칫 이기적인 태도로 왜곡될 수 있지만, 자신에 대한 의무감을 마치 그릇된 겸손으로 간주하여 무시해 버린다면, 결국 사회 전반적인 의무감마저도 저버리게 된다.

"자신이 바로 서야 주변은 물론 사회 전반에 좋은 영향을 끼칠 수 있지만,
자신이 바로 서지도 못하면서 주변이나 사회만을 생각한다면
돌아오는 것은 자기파멸과 불행뿐이다."

즉 원하지 않는 상황에서 단지 책임감과 의무감만 앞서 행동한다면 자기와의 불협화음, 자주적인 사고방식과 명확한 행동의 규제, 창조적인 능력과 자기발전의 저해, 존재가치의 상실, 인생의 회의감들로 자신의 소중한 시간을 어둠과 불행으로 흘려보낼 것이고, 꿈과 이상을 망각한 채 주체적 자아가 아닌 사회나 주변을 위한 하나의 부속품으로 전락하여 인생을 무의미하게 마감할 것이다.

명심하라!

"자신에 대한 의무감에 충실한 사람은 운명을 지배할 수 있지만,
그렇지 못하면 불행이라는 운명에 지배당한다."

인격은 스펙이 아니다

당신은 사람들의 어떠한 모습을 보고 인격을 판단하십니까?

학력, 경력, 업적, 사회적 공로...

만일 어떤 이가 소위 성공이라는 대열에 합류했고, 사회에 대한 기여도도 컸으며, 좋은 평판과 명성을 얻었다면, 그 사람의 인격 또한 '훌륭할 것이다'라고 생각하십니까? 대다수의 사람은 실제로 그들을 접해보지 않았어도 단지 스펙상으로 '그렇다'라고 판단할 수 있다.

어찌 보면 그 사람의 인격을 판단한다는 것은 매우 추상적이고 단정 짓기 어렵다. 또한 '인격이 훌륭하다 또는 아니다'라고 판단하는 것도 애매하다.

그렇다면 과연 무엇으로 그 사람의 인격을 판단할 수 있는가?

이에 저자는 그 판단 기준을 그 사람의 사고방식과 행동 양식이 긍정적인지 아니면 부정적인지로 설정해 본다.

전염병만 전염되는 것이 아니라 그 사람이 품고 있는 마음 상태와 행동 또한 상대에게 전염되므로 '인격이 훌륭한 자'는 '어떠한 상황에도 불구하고 긍정의 마음으로 자신은 물론 타인까지도 위로와 힘이 되는 자'라 할 수 있다.

인격이 훌륭한 자는 대중의 말에 오가는 소위 접근할 수도 없는 높으신 양반이 아니라, 지금 현 위치에서 고통 중인 당신을 향해 '모든 다 극복할 수 있어, 우리가 세상을 이길 거야, 파이팅'하며 긍정의 마음으로 당신에게 빛이 되어주는 당신 바로 옆에 있는 그 누구일 것이다.

인격은 스펙이 아니다.

자신이 가난해도 나누려고 하는 자, 자신이 넉넉하지 않아도 도우려고 하는 자, 자신이 고통 중에 있어도 남의 고통에 눈물을 흘리며 극복할 수 있게 힘이 되어 주는 자, 이기적이고 사악한 세상에도 굴하지 않고 자신은 물론 타인에게도 긍정의 마음을 심으려 하는 자, 빵 한 조각이라도 감사할 줄 아는 자 등등... 즉 '인격이 훌륭한 자는 결국 내면이 밝고 온화하며 사랑으로 가득 찬 자'라 할 수 있다.

"햇빛이 아주 작은 구멍을 통해서도 보일 수 있듯이 사소한 일이 사람의 인격을 설명해 줄 것이다." -S.스마일즈

"세상에는 일곱 가지 죄악이 있다. 노력 없는 부, 양심 없는 쾌락, 인격 없는 지식, 도덕성 없는 상업, 인간성 없는 과학, 희생 없는 기도, 원칙 없는 정치가 바로 그것이다." -마하트마 간디

두 마리 토끼를 잡는 법

어느 교회의 예배시간이었다.

목사님의 설교 중 이런 대목이 있었다.

성도 여러분,

부는 축복인 동시에 저주가 될 수 있습니다. 부의 척도가 가치가 된다면 축복일 것이고, 돈에 대한 집착이나 욕심이 된다면 저주일 것입니다.

부의 척도를 가치에 두십시오. 그리고 부유한 삶을 이끌 수 있도록 최선을 다하십시오. 좋은 일도 부유하다면 더 많이 할 수 있습니다. 물론 넉넉하지 않아도 남을 위한 선행을 할 수 있습니다만, 범위가 좁을 수 있습니다. 저의 바람은 여러분 모두가 정신적인 풍요는 물론 물질적인 풍요도 동시에 누리어 소수가 아닌 다수의 가난하고 소외된 이들을 돌보는 것입니다.

여러분이 지금 하고 있는 일이 남들이 보기에는 하찮고 보잘것없을지라도 그 일을 통하여 생계문제가 해결되고, 원하는 것을 위한 자금이 되며, 더 나아가 주변을 살필 수 있는 베풂이 됩니다. 부정하고 민폐를 끼치는 일이 아니라면 지금 당신이 하는 일에 애정을 가지고 더욱더 노력하십시오.

만일 하고 있는 일이 물질적인 부와 전혀 무관하다면 경제적 한계에 부딪혀 현실과 이상 모두를 포기할 수 있습니다. 부를 손에 쥐기 위해 노력하시고, 지나쳐서 욕심으로 변하지 않는다는 전제하에 어느 정도 부가 자신의 소유가 된다면 자신이 하고 싶었던 일과 주변을 위하여 가치 있게 활용하십시오.

참으로 현실적이면서 의미심장한 설교였다.

이처럼 두 마리 토끼를 잡는다는 것은 무모한 도전이 아니라 현실과 이상을 동시에 만족시킬 수 있는 해법일 것이다.

"지혜로운 이가 하는 일은 쌀로 밥을 짓는 것과 같고, 어리석은 자가 하는 일은 모래로 밥을 짓는 것과 같다. 수레의 두 바퀴처럼 행동과 지혜가 갖추어지면 새의 두 날개처럼 나에게 이롭고 남도 돕게 된다." -원효

두려움을 극복하라

두려움이란 해로운 일이나 고통을 예상하는 것, 일반적으로 경계심, 무서움, 불안감 등을 특징으로 하는 고통스러운 감정을 뜻하는 데 문제는 두려움이 너무 지나쳐 자신을 창살 없는 감옥으로 몰고 간다는 것이다.

아래는 두려움으로 인한 악영향들을 언급한 것이다.

질병에 대한 두려움... 걱정함으로써 오히려 건강을 악화시킴

경제에 대한 두려움... '돈에 대한 걱정은 피를 말리고 뼈를 녹인다.'라는 말이 있듯이, 경제에 대한 두려움은 오히려 시야를 좁게 하여 부의 확장을 저해할 뿐만 아니라 근심으로 인한 신경쇠약이나 체력 저하까지도 일으킬 수 있으며, 자신의 삶을 더욱더 가난하고 궁핍한 상황으로 몰고 갈 수 있다.

비난과 평가에 대한 두려움... 타인의 목소리에 지배되어 본연의 마음을 상실하게 되고, 자주적인 생각과 주체성 그리고 자존감과 존재감마저도 무너뜨리게 한다.

상처에 대한 두려움... 대인기피, 사회적 이탈감 등으로 자신 스스로가 고립감을 자초한다.

미래에 대한 두려움... 진취적인 사고, 창의적인 정신, 신속한 결단력, 민첩함, 열정, 신념, 목표의식들을 마비시켜 미래에 대한 두려움이 현실화될 수 있다.

**"말이 씨앗이 된다는 말이 있듯,
마음 또한 자신이 품고 있는 대로 이루어진다."**

"이처럼 두려움이란 나와 세상을 가로막는 장벽이요,
꿈이 현실화될 수 있는 통로를 차단하는 마음이며,
걱정과 불안으로 인하여 인생을 불행으로 이끄는 악의 올가미이다."

자신을 철저히 관리하라

사람과 말조심

사람을 흥하고 망하게 하는 주된 원인은 사람이다.

"현명한 친구는 근심, 걱정을 없애 주지만, 어리석은 친구는 근심, 걱정을 몰고 온다."라는 말이 있듯, 사람 간의 관계에서는 매사에 세심하고 신중한 태도를 지녀야 한다.

대화에 있어서도 해야 할 말과 하지 말아야 할 말을 구분하라.

자신의 솔직함이 상대에게는 당신의 약점이 될 수 있고, 자신의 한계를 드러내는 일 또한 당신을 기피하고 경시하는 원인이 될 수 있다.

무작정 감정을 숨기고 남을 의심하라는 것은 아니지만, 전적인 믿음과 의지로 상대를 대한다면 그로 인해 야기되는 실망과 상처의 골이 너무 깊어져 무고한 사람과의 관계까지도 끊어질 수 있기 때문에 대화에서도 분별력을 가지고 해야 할 말과 하지 말아야 할 말을 적절히 조절하여 사용하라.

"자신이 무엇을 말해야 할지 아는 것만으로 충분치 않다. 그것을 어떻게 말해야 할지 알아야 한다." -아리스토텔레스

"개가 짖는다고 해서 용하다고 볼 수 없고, 사람이 떠든다고 해서 영리하다고 볼 수 없다." -장자

"지혜 있는 자의 혀는 지식을 선히 베풀고, 미련한 자의 입은 미련한 것을 쏟느니라."
"입으로 들어가는 것이 사람을 더럽게 하는 것이 아니라, 입에서 나오는 그것이 사람을 더럽게 하는 것이니라." -성경

열등감은 아주 사소한 것부터 거부하라

어떤 이의 만사형통함을 보고 박수가 아닌 열등의식에 사로잡힌다면 또한 자신이 그러한 감정을 계속해서 극복하지 못한다면, 우선은 그 관계를 일시적으로나마 중단하고 자신이 포용할 수 있을 때까지 관계 재개를 기다려라.

자기감정이 안 되는 것을 억지로 인내하거나 포용하려는 것은 오히려 열등의식이 자기비하로까지 확대될 수 있는 소지가 된다.

그들은 그들이고, 당신은 당신이다.

겉으로 형통해 보이는 그들에게도 남모를 고민이 있을 수 있고, 원숭이도 나무에서 떨어질 수 있는 것처럼, 그 누구도 타인의 미래를 장담할 수는 없다.

하지만 열등의식 속에서도 그들의 형통한 원인을 배우려고 하고, 이를 자기발전을 위한 자극제로 사용한다면 열등의식은 당신의 성공을 위한 수단이 될 수 있다.

말의 중요성

신뢰를 쌓는 기초는 말부터 시작된다.

말을 할 때는 반드시 아래의 사항들을 고려하기 바란다.

주제에서 벗어나지 말고 늘 신중하고 정확한 의사전달을 습관화하라.

대화에 있어서도 주고받는 것이지, 나만의 일방적인 것인지, 아니면 상대방의 말만 무성한 것인지를 잘 파악하여 대화의 흐름을 상호작용으로 이끌어라.

말을 할 때는 신중하게 자기의 말에 책임질 것을 전제하에 하라.

확실하지 않은 이상 호언장담을 하지 마라.

말의 내용이 계속해서 바뀌지는 않는지 점검하라. 이는 상대로 하여금 불신감을 고조시킨다.

말을 되풀이하거나 번복하지 마라. 당신의 말이 상대에게는 소음으로 간주할 수 있기 때문이다.

상대의 말이 끝나기도 전에 자신의 생각을 미리 말하지 마라.

하지만 상대가 당신에게 전혀 대화할 틈을 주지 않고 자신의 말만 계속해서 늘어놓는다면 조용히 그 자리를 떠나라.

승낙과 거절의 말은 가급적 짧게 하지만, 반드시 시간을 두고 신중하게 결정하라.

확실한 의미만을 전달하라. 지나치게 부연 설명하거나 강요 또는 설득한다면 말하고자 하는 핵심을 놓칠 수 있다.

"사람을 이롭게 하는 말은 솜처럼 따뜻하고, 사람을 해치는 말은 가시처럼 날카롭다. 한마디 말의 값어치가 천금과 같고, 한마디로 남을 해치면 칼에 베이는 것처럼 아프다." -명심보감

나의 가치를 올리는 법

관계에 대한 처세술

자기 자신에 대해 너무 떠벌리지 마라. 말수가 적은 것이 오히려 상대방으로 하여금 당신이 깊이 있는 사람으로 보일 수 있다.

상대에 대한 지나친 배려심도 당신을 경시하는 원인이 될 수 있고, 상대에 대한 지나친 인색함도 당신을 기피하는 원인이 될 수 있다.

모든 것은 적절한 때 적당히 하는 것이 당신의 가치를 높이고, 관계를 유지하는 길이다.

극한 감정에 사로잡힐수록 원인을 제공한 자와 거리를 두어라.

돌이 서로 부딪치면 불똥만 튀기는 법, 극한 감정에 사로잡힐수록 각자의 시간을 갖고 거리를 두는 것이 회복의 지름길이다.

좋은 감정들은 많이 표현하라

표현 없는 아버지가 있었다. 마음은 전혀 아니었지만...

기쁨도, 슬픔도, 안타까움도, 심지어 사랑하는 마음까지도 아버지라는 위치와 체면 때문에 거의 모든 감정을 표현하지 않았다. 그러면서 내심 그 아버지는 자식들이 표현 안 해도 자신의 마음을 알아주었으면 하였다.

그러던 어느 날, 그 아버지가 돌아가셨다.

자식들이 말한다.

"우리 아버지는 사랑도 없었고, 참으로 무관심한 분이셨다..."

표현 없는 남편이 있었다.

아내를 아끼고 사랑했지만, 굳이 표현하지 않았다. 어부였던 그는 사랑하는 아내를 위하여 주야로 수고를 아끼지 않았고, 한 푼이라도 더 벌어서 아내를 행복하게 해주고 싶었다. 급기야는 돈을 더 벌어서 아내에게 더 해주고 싶은 마음으로 1년 동안 원양어선에서 조업을 하며 월급의 대부분을 아내에게 송금하였다. 자기를 생각하면 더 외로워할까 봐 연락도 가급적 삼가하였다. 1년 만기 이후 집으로 돌아온 남편. 탁자 위에는 편지 한 통이 남겨져 있었다.

"당신이 보내 준 돈, 전부는 아니더라도 틈틈이 모아 저축했어요. 통장은 OO에 있습니다. 그리고... 저를 아주 많이 사랑해주는 사람이 생겼어요. 그분 품으로 갑니다. 어차피 당신은 저를 사랑한 것이 아닌 남편이라는 의무감 때문에 살았잖아요. 당신도 당신이 사랑하는 좋은 분 만나기를 바라요..."

사람의 인생은 사람과 함께하며 그 속에는 희(喜) · 노(怒) · 애(哀) · 락(樂)이 있다. 그리고 이러한 감정들은 공감이라는 마음을 통해 사람들에게 전달되고 표현된다. 체면이나 성격상의 이유로 이러한 감정들이 표출되지 않고 마음으로만 묻는다면 적수역부(積水易腐, 고여 있는 물은 반드시 썩는다)와도 같을 것이다.

사물의 본질을 꿰뚫어라

인간은 본래 본질 그 자체가 아닌 그들이 원하는 방식으로 대상을 확대 해석한다. 또한, 과장하게 해석함으로써 자신의 위치를 비하하고 위축시킨다.

우리는 우리가 부러워하는 대상의 실제적인 삶을 전부 알 수는 없다.

대체로 50%는 자신의 상상 속에서, 30%는 자신이 보는 눈으로, 나머지 20%는 다수의 의견으로 판단할 뿐...

행복도 마찬가지일 것이다. '그들은 행복할 거야, 부족한 것이 없으니'라고 생각하는 그들이 정작 불행할 수도 있고, 불행해 보이는 어느 한 밀림 촌의 원시 부족 청년인 당사자는 행복을 느끼며 살 수도 있다. 겉으로 대단해 보이는 이들이 실제로는 그렇지 않은 경우도 많고, 남들이 존경하는 그 누군가가 오히려 짐승만도 못할 수 있다. '인간은 인간일 뿐' 그 이상도 될 수 없기에, 상대에 대한 지나친 과대평가로 자신의 존재를 무(無)로 만들지 말라.

상대의 마음을 움직여라

호감 가는 사람이 되고 싶다면, 자신의 말보다 상대가 더 많이 말하게 하라. 즉 상대가 더욱더 관심을 가지고 당신을 대면하게 하라.

누군가를 사랑한다면 상대에게 전적으로 헌신하지 말고 상대 또한 당신을 사랑할 수 있도록 당신을 더욱더 다듬고 가꾸어라.

사랑은 일방적인 것이 아닌 쌍방이 하는 것이기 때문이다.

여러모로 당신이 모든 면에서 월등하더라도 상대 또한 월등함을 부각해라.

당신만 부각되고 상대는 위축된다면 당신 주변에는 결국 당신만 남을 것이다. 때로는 알아도 모르는 척, 잘나가도 티 내지 않으며, 나를 낮추고 상대를 드높이는 것이 당신의 가치를 더욱더 올릴 수 있는 수단이 된다.

모든 관계는 되도록 편하고 자연스럽게 형성하라.

긴장하거나, 스트레스를 받거나, 잘 보여야 하거나, 자신을 과장해야 하는 인간관계는 결국 오래가지 못할뿐더러 당신에게 소화불량만 남길 것이다.

편한 의자에서는 오랫동안 앉아 있지만, 차갑고 딱딱한 의자에서는 오랫동안 앉아 있지 못하는 것처럼...

자기방어 능력을 키워라

거절의 힘

착한 사람들의 단점은 거절의 힘이 부족하다는 것이다.

아니면 No라고 단호히 말하지 못한다는 것...

이러한 언행은 남들에게는 착하게 보일 수는 있어도, 자신을 속여 후회와 자기 분개를 일으키는 소지가 된다.

No라는 거절의 의사에 관계가 서먹해질 수는 있다.

하지만 시간이 지나면 상대도 이해할 것이고, 그러한 의사를 밝힌 자기 자신에게도 자랑스러워할 것이다. 또한, 상대가 불쾌해하거나 이해하지 않는 상황이 오더라도 확신을 가지고 거절의 의사를 밝힌 것이면 더 이상을 마음에 두지 말라. 당신의 주체성을 인정하지 않는 타인이라면 굳이 관계를 이어갈 필요도 없기 때문이다.

반면 마지못해 승낙한 Yes는 장기간 또는 평생의 후회로 남을 수 있고, 거절하지 못했던 자신에 대해 분노하고 혐오할 수 있으며, 더 나아가 관계된 타인에 대한 원망으로 확대될 수 있다.

무조건 상대의 요구를 거절하라는 뜻은 아니다. 주어진 시간, 여건, 상황들을 고려하여 당신의 상황에 맞게 행동하라는 것이다.

"거절의 힘도 자신의 노력과 용기가 필요한 마음의 수련방법 중 하나이다."

노크의 중요성

관계된 사람 중에는 사전에 예고 없이 불쑥 방문하거나 약속도 일방적으로 정하여 통보하는 자들이 있을 것이다.

반대로 생각해 본다면 그들은 결코 높은 위치에 있는 자들에게는 그렇게 행동하지는 않을 것이다.

자기존중은 자기가 먼저 해야 상대가 따라오는 것이다. 따라서 이러한 행동을 하는 자들에게는 불쾌함과 동시에 No라는 의사표시를 확실히 하여 자신의 인격을 스스로가 높일 수 있도록 품행을 유지하라.

선을 지켜라

자신의 주체성과 견해를 망각한 상대를 위한 무조건적 배려와 희생은 상대로 하여금 이기심과 독선적인 사고와 행동을 조작하는 행위요, 자신의 가치를 스스로가 깎아내리는 원인이 된다. 아무리 친한 관계라 하더라도 반드시 선을 지켜라.

깊게 생각하고 지적능력을 키워라

우리는 무언가 필요한 해답을 얻기 위해 자신의 머리가 아닌 다른 매체나 정보 등에 의지하거나 일반적인 대중의 의견에 동참한다.

하지만 현시대의 사람들에게 절실히 필요한 것은 모든 외적인 요소들을 차단하고 스스로 생각하는 연습을 하는 것이다.

여기서 깊은 생각만큼 중요한 것이 지적능력의 습득 즉 '배움'이다.

배움 없이 생각하는 것은 독선적이고 왜곡된 사고를 만들고, 위태로움을 면할 수 없게 만든다. 따라서 스스로 생각하는 법과 지적능력의 습득은 불가분의 관계이며, 험한 세상에 맞서 이길 수 있게 만드는 힘이 된다.

"생각이란 밝은 지혜를 말한다. 밝은 지혜는 성인을 만든다." -서경「홍범」

"마음이 맡는 역할은 곧 생각하는 일이다. 생각하면 얻지만, 생각하지 않으면 얻는 것이 없다." -맹자

"돈 많은 사람과 내면적 사색이 충실한 사람, 누가 더 행복할까?
사색하는 쪽이 더 행복할 것이다." -랄프 왈도 에머슨

"사색을 포기하는 것은 정신적 파산 선고와 같은 것이다." -알베르트 슈바이처

하는 일, 해야 할 일, 하고 싶은 일

지금 당신은 무엇을 위하여 수고하고 계십니까?

생계를 위하여 또는 선택의 여지 없이 어쩔 수 없이 하는 것입니까?

사회적 의무와 가정에 대한 책임감으로 자신의 결정이 아닌 타인에 의해 평가된 올바르고 안정된 길을 그냥 걷고 있습니까?

그리고 그 수고 중에는 진정 자신이 원하는 것도 있습니까??

또한, 자신이 원하는 것을 하고 있어도 생계에 전혀 도움이 안 되어 현실적으로 고민하고 계십니까? 아니면 원하지 않는 막연한 사명감으로 기계적인 삶을 살고 계십니까?

다수는 말한다. "하고 싶은 일을 하는 사람이 과연 몇이나 있겠어?

환경이나 재정이 뒷받침되어 원하는 일을 하는 자들을 제외하고는 선택의 여지 없이 주어진 일을 묵묵히 하는 것뿐..."

그래서 '하는 일'을 하는 사람은 '하고 싶은 일'과 '해야 할 일'을 하는 사람들을 부러워한다.

그러나 '하고 싶은 일'과 '해야 할 일'에 보다 충실하고 영구적으로 지속시킬 수 있는 근원은 지금 '하는 일'에서부터 시작되고 '하는 일' 또한 '하고 싶은 일'과 '해야 할 일'을 배제한다면 인생에 아무런 의미가 없다.

다양한 사람들에게 공통으로 '지금 하고 있는 일에 만족합니까?'라는 질문을 해본다.

20대 청년

만족스러운 일이 어디 있나요? 산업화, 자동화, 기계화들로 일자리는 점점 줄어들고, 경기불황으로 청년실업률도 감소할 기미가 안 보이는데요...

일자리만 있다면 그냥 감사하며 다니는 거죠. 그러나 그 자리 또한 오랫동안 보장된다는 것도 없고, 하루하루 늘 불안합니다.

40대 맞벌이 부부

만족이요? 날로 치솟는 물가, 사교육비의 증가, 생계비 등... 남편의 월급으로는 너무너무 부족한데, 저라도 직업의 전선에 뛰어들지 않으면 생계 자체가 안돼요. 만족이 아니라 살기 위해 어쩔 수 없이 하는 거겠죠.

30대 후반 종합병원 전문의

남에게 도움을 주고 생명을 살리는 귀하고 소중한 일이라 생각했어요.

물론 의사라는 직업이 경제적인 안정을 주고 높은 사회적 위치라고 생각했고요. 하지만 정해진 휴일도 없고, 여유도 없고, 고된 업무에 늘 긴장 속에 잠도 제대로 못 이루니... 경제적 안정이요?? 환자보다 의사의 수가 더 많아질 것이라는 유머도 있잖아요. 교수 임용과 경력 때문에 무보수로 일하는 전임의들도 많아요... 그렇다고 독립적인 병원을 개원 한들, 병원들도 너무 많고 경쟁이 치열하니... 개인병원들의 폐업들도 많다던데.. 사명감에서 시작했지만 기쁨이 없네요... 산다는 것이...

50대 재즈 피아니스트

저는 재즈 피아니스트라는 직업을 너무나도 사랑하고 연주를 하고 있노라면 저 자신이 살아있다는 것을 느껴요.

하지만 나이가 들어 연주할 기회도 점점 줄어들고 생계도 막막해서... 지금은 학생들을 가르치며 하루하루 넘어가지만... 학원도 대형화 추세라 저희처럼 소규모로 운영되는 곳은 생계의 안정을 장담하지 못해요. 학생 수도 줄고 있고요... 그래서 틈틈이 돈벌이가 될 수 있는 다른 일들을 겸업하고 있어요.

40대 변호사

법정에서 싸우고 한쪽이 승리하면 한쪽이 패배자가 되고...

변호사라는 직업으로 생계를 유지하려면 의뢰한 사건들이 정의롭지 않아도 승소시키는 쪽으로 유도해야하니...

변호사나 법률사무소는 계속 늘어만 가고, 반대로 의뢰하는 사람들은 점점 줄어들고 있으니... 어쩔 수 없이 하는 일이 거의 대부분입니다.

　내가 만난 이들 중에는 하는 일, 하고 싶은 일, 해야 할 일에 대한 상호작용을 가진 자들은 전혀 없었다. 그러던 중 한 사람이 이러한 일들의 상관관계에 대하여 자신이 하는 일과 결부시켜 말해 주었다.

제 꿈은 사진작가입니다.

세계 여러 곳을 다니며 제가 본 좋은 곳들을 한 장 한 장 사진에 담아 다른 이들에게도 공유하고 싶어요. 하지만 제 꿈만 찾아서 간다면 현실적인 생활들은 전혀 유지할 수 없어요. 이런 문제들은 결국 제가 하고 싶은 일조차 포기하게 만들 수 있고요. 그래서 그 어떤 것도 포기할 수 없기에 급여는 조금 부족해도 주말과 공휴일 그리고 연월차가 가능한 직업을 선택했습니다. 그리고 훗날에는 개인 전시회를 열어 그 수익금을 제가 사명으로 생각했던 불우하고 소외된 사회적 약자들을 위해 쓰려고 합니다. 따라서 저는 '하는 일'에 충실하여 '하고 싶은 일'을 평생 할 것이며, 동시에 한 인간으로서 제가 품은 사명 즉 '해야 할 일' 또한 충실히 이행하여 제 인생에 가치를 부여하려 합니다. 만일 계획된 일들이 순조롭게 진행되지 않는다면 이 세 가지 일에 대한 시간과 노력의 비중이 달라질 뿐, 제 일들은 변함없이 유지될 것입니다. 그래서 저는 하루가 24시간으로 부족하고 매 순간마다 열정과 보람을 느끼며 살고 있습니다.

그렇다. 지금 우리는 우리가 '하는 일'을 '하는 일'로만 단정 짓지 말고, '하는 일'이 있기에 '하고 싶은 일'과 '해야 할 일'을 할 수 있으므로 소홀히 하지 말고, 또한 '하고 싶은 일' 때문에 생계를 망쳐 꿈까지 포기되게 하지 말 것이며, '해야 할 일'만을 집중해서 인생 자체를 기쁨 없는 중압감으로 만들지 말아야 한다.

명심하라!

"하는 일, 하고 싶은 일, 해야 할 일, 이 세 가지는 독립적인 선택이 아닌 유기적인 순환 이자 상호작용의 관계이다."

"성공한 사람들의 이전에는 고되고 힘들었던 하는 일이 있었고 그들은 이러한 일들이 비록 하찮고 보잘것없어도 하고 싶은 일 못지않게 최선을 다했다."

선(善)함을 가장한 어리석음

아래 항목은 자신도 미처 몰랐던 선함을 가장한 어리석은 행동들이다.
자신이 얼마나 어리석은지 체크해 보기를 바란다.

☐ 선하고 착한 인상을 주려고 또한 타인의 기대에 부응(副應)하고자 지나
　치게 노력한다.

☐ 누군가로부터 조롱, 멸시, 차별, 부당한 대우 등을 받았어도 자신이 심
　어놓은 선한 이미지에 손상이 될까 봐 화가 나도 꾹 참고, 도리어 자신
　의 감정을 짓누르며 침착하고 아주 이성적인 것처럼 행동한다.

☐ 타인에게 상처를 주거나 밉보일까 봐 또는 반감을 살까 봐, 싫어도 좋은
　척, 아니어도 맞는 척, No라도 Yes라고 반응한다.

☐ 시간, 노력, 열정 등을 자기 자신이 아닌 타인의 평가나 만족도에 초점
　을 맞춘다.

☐ 항상 도움을 주는 자(그렇지도 못한 상황임에도 불구하고)로 자처함으로써 정
　작 자신이 도움을 받아야 할 상황에 있더라도 절대로 내색하지도 요구
　하지도 않고 가슴앓이 앓듯 혼자만 괴로워하며 자신을 학대한다.

☐ 탑처럼 쌓여있는 자신의 문제들을 등한시한 채, 마치 신이 된 양 타인의
　문제를 철저히 해결하려 든다.

☐ 솔직한 자신의 입장을 감추며 사회 통념상 좋은 취지와 의도를 마치 자
　신이 정해놓은 것처럼 합리화시켜 늘 선한 이미지로 자신을 속이며 산
　다.

☐ 희·노·애·락의 모든 감정을 억지로 짓누르며 평정심을 가장한 감정
　억제로 타인으로부터 성인군자처럼 보이게 함으로써 늘 좋은 이미지와

함께 존경심을 얻기를 원한다.

□ 나 하나만 희생하면 주변 모두가 편할 수 있다는 그릇된 자기희생으로 본연의 자아가 의도하지도 않던 길을 가고 있다.

여기서 한 부분이라도 자신과 결부된 것이 있는가?

아니면 전부 해당하는가?

해당도 되고 자신도 잘못된 것을 알고 있지만 고치고 변화되기 어려운가?

그렇다면 이에 대한 해결방안을 아래와 같이 제시하고자 한다.

우선 선(善)을 제대로 인식하라.

자기희생과 학대, 무조건적 수용, 겉과 속이 다른 이중적인 마음, 과도한 감정의 절제, 주변에 대한 지나친 인식, 타인을 위한 삶, 내가 죽고 네가 살고…, 이러한 마음과 행위는 진정한 선(善)의 추구가 아니라 무분별한 자기학대요, 희생일 뿐이다. 참된 선(善)을 추구하기 위한 밑바탕에는 자신의 행복과 만족이 있어야 한다. 그러기 위해 자신이 노력해야 할 항목들을 아래와 같이 적어본다.

► 아닌 것은 '아니오'라고 확실히 전한다.
► 타인의 평가나 기대 이전에 자신의 만족도부터 점검하라. 즉 내가 원하는 것인지? 남이 원하는 것인지?
► 원하는 것을 솔직히 표현하라.
► 지위고하(地位高下)를 막론하고 어긋나고 그릇되며 무례한 모든 것들에 대하여 반드시 분노를 표출하라.
► 타인에 대한 배려는 자신의 삶에 부담을 주지 않는 범위 내에서 행하라.
► 타인의 문제이전 자신의 문제부터 해결하라.
► 타인의 일방적인 요구에 자신이 정한 귀한 시간을 파괴하지 말고, 억지로 보탬이 되려고 또는 누군가에게 맞추려고 노력하지 말라.

그러기에는 인생이 너무 짧다.

위와 같은 태도들은 관계의 악화가 아니라 오히려 관계라는 미묘한 난제들을 자연스럽게 풀어 갈 수 있는 방법이 되고, 자기 스스로가 자신을 존중하는 과정이 되며, 자기 안에 쌓여 있던 내부적 갈등들을 하나하나 제거함으로써 관계 형성의 유지를 가져올 수단이 될 것이다.

명심하라!

"그릇된 선(善)은 자기 자신에게는 학대와 헛된 희생이요,
타인에게는 관계단절의 원인이 된다."

군맹평상(群盲評象)을 직역하면 '여러 명의 맹인(盲人)이 코끼리를 평(評)하다'라는 것인데, 이는 개인적인 견해나 좁은 생각으로 그릇된 판단을 한다는 뜻 또는 일부분만을 알고 전체를 모르는 것을 비유하여 사용된다.

진정한 선(善)의 추구는 우리 자신이 누구인지를 바르게 알 때 그리고 무엇이 자신을 위해 좋은 것이고 나쁜 것인지를 알 수 있을 때 가능하다. 자신을 바로 알 때 그리고 자신의 영혼이 온전하고, 마음이 깨끗할 때 선한 것을 알 수 있고 행할 수 있다. 다시 말해 선행은 사회적 인식이나 일반적인 대중들의 평가에 의해서 이루어지는 것이 아니라 **자기 자신의 내면에 충실하고 만족한 상태에서 이루어지는 좋은 행위들의 포괄적인 개념**이다. 따라서 선을 행하기 위해서는 자기에 대한 인식부터 출발해야 하고, 끊임없이 자신의 내면을 살피고 마음을 다스려야 하는 것이다.

"선(善)이란 자신의 고유한 탁월성(남보다 두드러지게 뛰어난 성질)에 따르는 영혼의 활동이며, 이것의 궁극적인 목표는 행복이다." -아리스토텔레스

"너 자신을 알라." -소크라테스

무모하고 무리한 일들로 자신을 학대하지 말라

주변을 살펴보면 수습도 못 하면서 일만 벌여놓는 사람들을 간혹 볼 수 있다. 그들의 공통점을 살펴보면 소위 귀가 얇고, 자기 주관이 뚜렷하지 않으며, 무책임하다. 또한, 본인 스스로가 열등감에 사로잡혀 남들보다 더 잘해야 하고, 남들보다 더 많은 일을 해야 하며, 경쟁에서 살아남아야 한다는 강박증에 시달려 늘 초조해하고 조급해한다.

하지만 무모하고 무리한 일들에 매달리게 되면 정작 중요한 것들을 놓치게 되고, 그러한 일들을 수습하느라 열정도 식게 되며 결국 지쳐서 아무것도 할 수 없는 무기력한 상태까지 이를 수 있다.

이러한 행위들은 자칫 근면 성실함과 열정으로 착각할 수 있다. 하지만 이는 자기 과소평가에서 오는 신념의 불확실성과 인내의 부족일 뿐이다. 이러한 사람들의 특징은 남의 말을 듣지도 않을뿐더러 자신도 믿지 않는다는 것이다. 결국, 아무런 목표 없이 이리저리 헤매다 허무하게 사라지는 하루살이의 삶과도 같다.

인생의 계획은 심사숙고하고 구체적이며 장기적으로 가치 있게 그리고 강한 신념을 가지고 세워야 한다.

삶을 계획한다는 것은 막연한 긍정이 아니라 생존에 필요한 기술을 터득한다는 것이다. 즉 자신이 원하는 목표가 무엇인지를 파악하고 그것이 무모하거나 무리한 일들로 상실되어 가는 것인지 틈틈이 파악해야 하며, 불가피하게 병행되는 생계 때문에 포기되어가는 것은 아닌지도 파악해야 한다.

인간은 유한하다. 이는 "인간의 사고도 유한하고, 체력도 유한하다."라는 것과 같다. 따라서 초인적인 불가능한 자아를 만들려고 하지 말고 자신에게 맞는 또한 자신의 신념에 따라서 삶을 주도해야 한다.

존재가치란 인정받기 위해 무분별한 행위로 이루어지는 것이 아니다. 존재가치는 그 누구에게나 있는 것이지만, 자신을 제대로 파악하고, 자신의 확고한 신념과 노력을 세상에 요동치지 않고 밀고 나아갈 때 발휘되는 것이다.

명심하라!

"당신은 당신이 원하는 만큼 강하지도 유능하지도 않을 수 있지만, 당신이 생각한 것만큼 약하지도 무능하지도 않다."

"목표에 대한 확고한 신념만이 무모하거나 무리한 일들로 인해 희생되고 학대 될 수 있는 자신을 지키는 의지가 된다."

"암탉은 휴식할 때 알을 많이 만들고, 공작은 잠자고 있을 때 멋진 꼬리를 보여준다."
　－밀라레파

모든 것을 내 것으로 만들기

누구나 다 존경하고 동경하는 대상이 있을 것이다.

하지만 그들을 단지 선망(羨望)의 대상으로만 여기지 말고, 그들이 가졌던 경륜과 지혜 그리고 삶에 임했던 태도들을 파악하여 내 것으로 적용하는 작업을 해야 한다.

"존경의 대상과 그 기준점"

이 주제를 가지고 선배와 대화를 나눈다. 여러 대화가 오가던 중 그 선배는 역대 대통령들의 이름을 언급하며 그들 중 OOO 대통령을 가장 존경한다고 하였다. 이에 대해 존경한다는 그분이 행한 것 중 어떤 부분이 선배의 인생에 크게 도움이 되었는지, 그리고 그분이 걸어왔던 인생역정(人生歷程) 중에서 선배가 그 경륜과 지혜를 깨닫고 직접 적용하고 실천했던 요소들은 무엇이었는지 물어보았다.

하지만 그 선배는 질문의 의도에서 크게 벗어나 역대 다른 대통령들의 단점들을 말하며 그가 존경하는 인물을 부각했고, 다수의 평가가 마치 자기의 평가인 양 존경이라는 것을 단정 짓는 것 같았다.

나는 선배에게 부탁하였다.

앞으로 저와 이러한 사항에 대하여 대화를 할 때는 존경하는 사람의 이름이나 대중의 의견이 아니라 그들이 남겼던 뼈가 되고 살이 되어 실생활에 적용할 수 있는 깊은 명언, 삶과 사람 관계에서 성공할 수 있었던 요인과 지혜 그리고 위기에서 극복할 수 있었던 그들만의 대처능력 등에 대하여 얘기해 달라고 하였다.

성공한 사람들을 대하는 우리의 자세도 마찬가지이다.

만일 당신이 하고 있는 또는 하려는 분야에서 그 누군가가 이미 이 분야에서 성공했고 그들을 롤 모델로 삼았다면, 그들을 단지 부러움의 대상으로만 그치지 말고, 그들이 어떤 방식으로 어떤 철학과 노하우를 가지고 어떻게 고난과 역경을 극복했고 어떻게 관계들을 형성했는지를 파악하여 실제로 자기 자신에게 적용되고 실천될 수 있게 해야 한다.

내 것이 되지 않으면 아무리 좋고 훌륭한 것이라도 자기 자신에게는 아무런 소용이 없다.

존경의 대상 또한 하고 있는 분야로 축소시키지 말고 내 인생 전반에 걸쳐 도움이 되고 실천될 수 있는 인물들로 확대해 그들의 지혜와 경륜을 내 것으로 만들어라.

존경의 대상이 종교지도자라면 여기에는 큰 분별력이 요구된다.

종교지도자의 역할은 신과 인간 사이를 보다 밀착시키고 신의 섭리와 뜻을 깨달을 수 있고 실제 적용할 수 있도록 그리고 신의 말씀이 생활화되게 영성을 깊게 쌓을 수 있도록 깨끗하고 투명한 통로가 되는 것이다.

하지만 다수의 부패하고 세속화된 종교지도자들은 신이 아닌 자신을 믿고 따르도록 거짓으로 사람들을 설득하고 유혹한다. 그들은 종교 본연의 진리에서 벗어나 사람들에게 큰 금액의 헌납을 강요하거나 같은 종교임에도 불구하고 타 단체들을 시기, 질투하고 모함하기까지 한다. 아무리 종교지도자라 할지라도 그들의 말에 분별력을 가져야 한다. 그 말씀 안에는 신이 존재할 수도, 악이 존재할 수도, 사람이 존재할 수도 있기 때문이다. 만일 그들의 말을 통해 신의 뜻이 전달되었다면 내 것으로 만들되, 지도자를 의지하고 숭배하는 오류를 범하지는 말라. 그들의 말을 우리가 듣는 것은 신을 향한 보다 깊은 영성을 쌓고, 신과 더욱더 긴밀한 관계를 유지하며, 신의 뜻이 보다 구체적으로 실생활에 적용할 수 있게 하기 위한 발판이지 그들 안에 있을 사람의 말에 따르는 것은 아니다.

따라서 종교지도자들의 말을 맹목적으로 따르지 말고, 그 말 속에서 진리들을 파악하여 내 것으로 만드는 작업을 해야 한다.

"화 있을진저 외식하는 서기관들과 바리새인들이여...

너희는 천국 문을 사람들 앞에서 닫고, 너희도 들어가지 않고, 들어가려 하는 자도

들어가지 못하게 하는 도다." -성경

"말법의 시대에는 중생이 중생을 구제한다. 이는 즉 신을 위한 수행이 아니라, 중생

을 위한 수행이 되므로 절도 불상도 법당도 다 필요 없게 된다." -법화경

"실용성 없는 논리는 필요 없다.
최고로 좋은 것을 내 것으로 만들려는 의지를 선택하라."

"자기 확신에 대한 신념을 가지고, 무한한 우주의 능력을 수용한다면
당신은 카오스의 별을 눈부신 빛으로 만들 것이다."

"상처, 고통, 좌절...
과거에도 겪었고, 지금도 겪고 있는...
하지만 앞으로 겪게 될 이러한 어둠들은 거부라는 확고한 의지의 선택으로
더 이상 내 안으로 흡수되지는 않는다."

"작렬한 태양 빛에 주눅 들지 말고,
마음이라는 칼을 뽑아 태양을 향해 당당하게 돌진하라.
한계는 없다. 두려움도 없다.
오직 당신에게는 이것들을 선택할 수 있는 의지만이 있을 뿐이다."

"하나뿐인 인생,
하늘에 떠도는 별들처럼 소유할 수 없는 것으로 만들지 말고,
내가 직접 내딛는 땅이 되게 만들어라."

"내가 얼마나 많은 것을 할 수 있는가를 묻는 대신
내가 과연 구체적이고 실현가능한 목표를 추구하고 있는가를 물어야 한다."

"당신이 살 수 있는 길은
오늘 최선을 다해 계획적이고 실속 있게 삶에 임하는 것이다.

만일 오늘이 없이 미래만을 생각하는 것은 죽음만을 생각하는 것이요,
과거만을 생각하는 것은 이미 죽은 삶이다."

"표정관리... 이는 곧 행복과 불행 둘 중에
'무엇을 선택할 것인가'에 대한 의지의 시초라 할 수 있다."

"선택결정장애를 극복하기 위하여 우선적으로 필요한 것은
'본인의 확고한 의지'이다."

"자신이 바로서야 남도 바로 세울 수 있고,
자신이 확실해야 남도 확실해 질 수 있다."

"내가 없으면 세상은 아무것도 아니다.
좋은 사람이 아닌 행복한 사람이 되자."

"자신의 입장을 확실히 표현하는 것은 어떤 관계에 임하는 방식이지,
무례하거나 관계 형성의 악화를 초래하는 것이 아니다."

"지나침은 모자람만 못하다 라는 말이 있듯,
선택하고 수용해야 할 문제 이전에
자신의 입장과 상황을 먼저 고려하라."

"좋은 추억이면 간직하고 상처라면 깨끗이 지워 버려라.
상처가 너무 깊어 지을 수 없다면
상처를 준 상대를 더 이상 사랑의 대상으로 생각하지 말고,
자신의 성공을 위한 자극제 또는 수단으로 간주하라."

"지나친 이타심은 자신을 망치는 행위요,
상대를 파렴치한으로 몰고 가는 어리석은 사랑이다."

"적당한 자기관리 하에 적당한 이타심만이 나와 상대 모두를 만족시키고,
관계까지도 향상 시킬 수 있는 방법이 될 것이다."

"돈이 목적이 되어 끌어당기는 삶은
천국이 될 수 있는 인생을 생지옥으로 만드는 것과 같다."

"맹목적으로 사랑을 끌어당긴다면
사랑은 더 이상 사랑이 아닌 소유욕이나 집착이 되어
상대에게는 비호감이 자신에게는 비참함이 된다."

"무엇을 끌어당길 것인가에서 무엇은
막연하고 생각 없는 또는 세속화된 무엇이 아니라
의미심장(意味深長)한 선택이 되어야 한다."

"표면적으로는 매사가 꼬이고 안 되는 것 같지만,
목적에 진정성(眞正性)이 있다면 언젠가는 반드시 빛을 발한다."

"모든 일은 근본에 따라 거기에 맞는 결과가 나타난다."

"때를 기다릴 줄 아는 인내와 목적에 대한 확고한 신념과 노력이
흔들리지 않는 뿌리로 내려져 있다면
반드시 측량할 수 없는 무수한 열매들이 맺어질 것이다."

"당신이 반복해서 생각하고 행동하는 그것들이
삶을 고정하는 패턴이 되고 인생이 된다."

"상대의 감정에 민감한 사람은,
자신의 감정에 둔감한 사람이다."

"인생에 있어 가끔 찾아오는 집착이라는 강력한 에너지를
효율적인 방향으로 활용한다면,
이는 곧 자기발전은 물론 상대와의 관계도 향상 시킬 것이다."

"자신에게 당당한 사람은 타인의 시선을 의식하지 않고,
타인의 위치에 따라 자신의 권리를 조절하지도 않는다."

"종교인들의 폐단으로 신을 떠나는 행위는
타인들의 농간에 빠져 자신을 버리는 행위와도 같다."

"자신이 바로 서야 주변은 물론 사회 전반에 좋은 영향을 끼칠 수 있지만,
자신이 바로 서지도 못하면서 주변이나 사회만을 생각한다면
돌아오는 것은 자기파멸과 불행뿐이다."

"자신에 대한 의무감에 충실한 사람은 운명을 지배할 수 있지만,
그렇지 못하면 불행이라는 운명에 지배당한다."

"두 마리 토끼를 잡는다는 것은 무모한 도전이 아니라
현실과 이상을 동시에 만족시킬 수 있는 해법이다."

"말이 씨앗이 된다는 말이 있듯,
마음 또한 자신이 품고 있는 대로 이루어진다."

"두려움이란 나와 세상을 가로막는 장벽이요,
꿈이 현실화될 수 있는 통로를 차단하는 마음이며,
걱정과 불안으로 인하여 인생을 불행으로 이끄는 악의 올가미이다."

"하는 일, 하고 싶은 일, 해야 할 일, 이 세 가지는 독립적인 선택이 아닌
유기적인 순환이자 상호작용의 관계이다."

"성공한 사람들의 이전에는 고되고 힘들었던 하는 일이 있었고
그들은 이러한 일들이 비록 하찮고 보잘것없어도
하고 싶은 일 못지않게 최선을 다했다."

"타인의 문제 이전에 자신의 문제부터 해결하라."

"그릇된 선(善)은 자기 자신에게는 학대와 헛된 희생이요,
타인에게는 관계단절의 원인이 된다."

"당신은 당신이 원하는 만큼 강하지도 유능하지도 않을 수 있지만,
당신이 생각한 것만큼 약하지도 무능하지도 않다."

"목표에 대한 확고한 신념만이 무모하거나 무리한 일들로 인해
희생되고 학대 될 수 있는 자신을 지키는 의지가 된다."

"삶을 계획한다는 것은
막연한 긍정이 아니라 생존에 필요한 기술을 터득한다는 것이다."

Chaos
of
Soul

"가장 위대한 일은
훌륭한 업적이나 공로가 아닌 생명을 살리는 것이고,
가장 훌륭한 사람은
세상을 위해 눈물을 아끼지 않는 자이다."

Art 9. 자각존재(自覺存在)

청야(淸夜) 김소현
116.8x91 (LxH,50F) 혼합매체 acrylic on canvas 2017

여기서 자각(自覺)은 '스스로 깨닫다.'라는 의미이고,
자각 존재(自覺存在)란 끊임없는 의식의 흐름 속에서 존재에 대한 각성(覺醒)과
성찰(省察)로써 참된 존재로 거듭나려는 의지를 가진 인간을 뜻한다.
본 작품은 그 과정에서 오는 시련과 고통, 인내, 복잡한 잡념에서의 탈피, 의지에의 승화를 흰색과
검은색 2가지로만 표현함으로써 보다 작품에 내포된 의미들을 집중시켰다.

Art 10. 리듬앤블루스(R&B)

청야(淸夜) 김소현
116.8x91 (LxH,50F) 혼합매체 acrylic on canvas 2017

본 작품은 미술과 음악의 콜라보에 중점을 두었다.
점·선·면·획의 입체화 그리고 splatter brush art 같은 다양한 기법들을 응용하여
미술이라는 장르를 음악이 지니고 있는 리듬, 박자, 감각, 흐름에 적용시켜 표현하였고,
그에 사용된 혼합매체들은 서라운드 입체효과와도 같은 느낌을 들게 하여 들을 수는 없지만
보이는 것만으로 음악을 감상하고 리듬을 탈 수 있는 효과를 나타내었다.

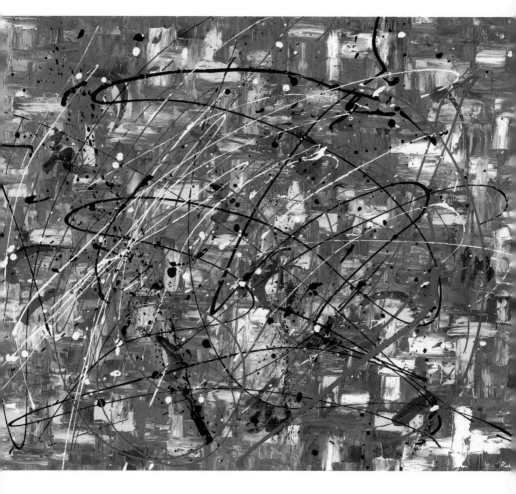

Art 11. Blue Moon

청야(淸夜) 김소현 / 90.9x72.7 (LxH,30F) 혼합매체 acrylic on canvas 2017

본 작품의 전체적인 배경색은 Blue톤이다.
제목인 Blue Moon은 '극히 드물다' 또는 '매우 오랜 기간'이라는 뜻을 가지고 있는데,
고대에는 파란색의 경우 얻기 힘들 뿐만 아니라, 어둡고 칙칙하여 사람들에게 선택받지 못했다.
하지만 현대에 이르러 파란색은 전 세계적으로 선호도가 높은 색이 되고 있다.
본 작품은 기피의 대상이었던 색이 오랜 세월을 거쳐 대중화되고 선호도가 높은 색이
되기까지의 과정을 표현한 것으로 이는 절망적인 환경과 상황에도 굴복하지 않고
희망을 향해 달려가는 우리들의 의지와 노력을 내포하기도 하였다.

Art 12. Gap

청야(淸夜) 김소현
90.9x72.7 (LxH,30F) acrylic on canvas 2017

본 작품은 현실과 이상의 괴리감을 표현한 것이다.
냉혹하고 차가운 현실 속에서 각양각색을 가진 인간의 꿈과 이상은 점점 더 환상 속으로 사라져 버린다는 아픈 현실을 담고 있다. 작품 상단의 다채로운 오로라는 무한한 인간의 꿈과 이상을 의미하고, 하단 부분의 거센 물결은 냉혹한 현실을 그리고 중앙 부분의 거대도시는 일률적으로 검정 계열 색으로 묘사하여 꿈과 이상이 사라진 도시를 상징화하였다.

Art 13. 디스토피아(Dystopia)

청야(淸夜) 김소현
60.6x50 (LxH,12F) acrylic on canvas 2017

본 작품은 미래를 계획할 수도 없는 꿈과 이상이 사라진 죽은 사회에서
절망이라는 확신이 굳어져 버린 청년들의 분노와 절규를
자살률이 높은 장소인 한강과 마포대교를 배경으로 표현한 것이고,
화려한 야경과 즐비한 고층빌딩들을 묘사하여
그들이 느꼈을 상대적 빈곤감을 더욱더 세밀히 전달하고자 하였다.

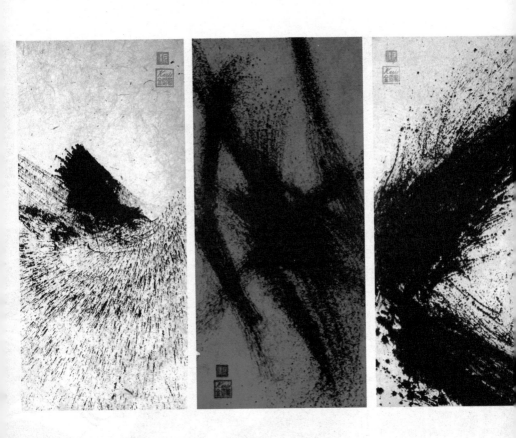

동양추상 5. 절대자유(絕對自由)

청야(淸夜) 김소현
(30x64)x3sets (LxH) 한지(마)에 먹 2017

동양추상 6.
불생불멸(不生不滅)
청야(淸夜) 김소현
69x135 (LxH)
한지(옥당지)에 먹
2017

정신질환 극복기

대부분 정신적 질환과 관련하여 다루는 논제의 서두는 '왜'이다.

한없이 되풀이되는 '왜'에는 수만 가지의 사연들이 있음을 발견하지만, '어떻게'라는 대처의 방법들은 대부분이 약물이나 심리치료 등 범위가 아주 협소하였다. 결국, 이러한 방법들은 습관성, 의존성으로 흐를 수 있고, 지나친 수면과 무기력증을 초래할 수 있다.

저자는 '어떻게'라는 방법을 신이 부여한 자기통제인 '의지'라는 능력으로써 몇 가지 치유법들을 제시하려 한다.

첫째, 초고온 사우나에서 땀을 빼라. 그리고 100이든 1000이든 정해놓은 숫자를 세라. 정해진 숫자를 셀 동안 버티면 이 고통에서 벗어나리라 믿어라. 중간 정도 셀 때쯤 도저히 버틸 수 없다면 밖으로 나오고 다시 고통이 밀려오면 안으로 들어가 re-account를 해라. 치유가 안 된다 해도 몸 안의 독소는 제거될 수 있다.

둘째, 현 위치에서 가장 가까운 산을 등반하라. 가급적 짧은 시간에 정상을 오를 수 있는 산을 선택하고 5회 정도 정상을 밟으면 나으리라 믿어라. 한두 번 오른 뒤 체력이 안 되면 운동기구들이 있는 곳으로 향하라. 팔 굽혀 펴기, 근육 강화 운동, 복근 운동 등... 각각 수십 번씩 반복하라. 이 치유법이 부족하면 다시 산에 오르고, 등반이 버거우면 다시 이 운동을 반복하라. 치유가 안 된다 할지라도 몸은 튼튼해진다.

셋째, 어느 정도 체력의 한계가 오면 걸어라. 가급적 사람들이 많은 타인들의 일터로... 재래시장, 쇼핑센터, 서점, 증권가, 사무실 밀집 지역, 먹자골목 등 젊은층에서 노년층 모두가 열심히 일하는 장소로 발걸음을 옮기고,

열심히 일하는 그들의 모습을 본 후 본업으로 들어가 나머지 체력을 확실히 소비하라.

넷째, 이 모든 것이 마감되는 새벽 시간... 그래도 잠이 안 오고 정신적 고통이 밀려온다면... 글을 쓰든, 그림을 그리든, 노래를 하든, 춤을 추든, 지금의 고통을 하나도 빠짐없이 예술이라는 장르에 모두 표출시켜라. 사회적 기대도, 돌아올 대가도, 누군가의 평가도 개의치 말고 당신의 감정들을 모두 표출시켜라.

이것이 고통이라는 시기에 놓인 당신의 하루다. 이러한 제안들을 한마디로 요약하면 당신의 두뇌를 지배하고 있는 악으로부터 그것들을 부추기는 상념들을 내 안에서 모두 쫓아버리라는 것이다.

저자의 방법이 엄두가 안 난다면 누가 뭐라 하든지 그냥 바보처럼 기뻐하라. 바람에 머리카락이 헝클어진 모습도, 자기 뜻대로 숨을 쉴 수 있는 것도, 두발로 멀쩡히 걸을 수 있는 것도, 말할 수 있는 것도, 볼 수 있는 것도, 들을 수 있는 것도, 이 땅에 서 있는 것조차 기뻐하라.

개인경기 전 막판 승부를 보면, 승자와 패자 모두 기진맥진한 상태이다. 승자가 결정되면 승자는 패자에게 악수를 건네고 포용함으로써 경기는 끝난다.

"정신질환은 자기 자신과의 불협화음(不協和音)에서 기인하며,
긍정의 자아가 부정의 자아를 이기고,
이를 감싸고 위로하면서 치유될 수 있다.
이러한 뼈를 깎는 듯한 노력이 바로 의지인 것이다."

§

무지(無知)의 필요성

알면 알수록 슬픔도 번뇌도 깊어진다. 사람도, 인생도...

깊은 절망이라는 것을 뻔히 알고도 더 알려고 하고 행하려 한다면
다칠 수 있는 감정에 책임을 져야 한다.

자기 안에서 분리된 수많은 지체와 사고와 감정들을
하나의 생각이 지배할 수 있게 방치한다면,
언젠가 그들이 당신을 역으로 공격할 것이다.
육체적, 정신적 질병으로, 뇌의 복잡함으로 인한 수면 부족과
그에 따른 피로와 무기력함으로...

때로는 무지(無知)함이 삶을 편안하게 한다.

-김소현, 〈무지(無知)의 필요성〉 전문

§

한강에서

새벽 1시 30분... 나에게는 야생(野生)의 기질이 있는지 집에서는 잠이 안온다. 할 수 없이 내 오래된 밤 동무인 자전거를 깨워 여의도로 향한다. 이러하기를 몇 해던가... 아래의 이야기는 새벽 2-4시경 한강 주변에서 일어난 일들을 적어본 것이다.

어느 날 1

중년의 한 남자. 마포대교 중간쯤 다리 난간에 팔을 기대며, 한강을 멍하니 바라본다. 고개를 떨구고 저으며 다시 강을 바라보고 그러기를 몇 번, 그런데 갑자기 난간 위로 다리를 올린다. 순간 "아저씨 안돼요!"라고 외치고 싶었지만, 자극되어 오히려 역효과 날까 봐 페달 소리를 크게 내어보고, 자전거 경보음을 여러 차례 울려본다. 그 남자는 난간에서 내려와 다시 고개를 떨구며 대교를 따라 어디론가 힘없이 걸어간다. 그가 가는 발걸음을 등 뒤로 지켜보다가 내가 그만 난간에 부딪혀 자전거와 함께 넘어지고 말았다.

어느 날 2

대교 아래 긴 의자에 누워 달빛에 취해 스르르 눈을 감는다.
갑자기 옆 벤치에서 흑흑하는 소리가 들려왔다. 30대 초반으로 보이는 한 남자. 옆에는 맥주 캔들이 즐비하다. 무슨 가슴 아픈 사연이 있는지...
차라리 엉엉하고 소리쳐 울 것이지, 마음 깊은 곳에 폭포 같은 눈물들을 담고 담아 결국 넘쳐흘러 자신도 모르게 '흑'하고 터져 나오는 듯...

100번의 눈물들을 모아 '흑' 하며 1번으로 함축시킨 것 같았다.

흑... 흑... 흑... 흑... 흑...

어느 날 3

한강대교 강어귀, 20대 중반으로 보이는 한 여자.

쭈그리고 앉아 강을 쳐다본다. 신발을 벗고 한쪽 발을 강에 담갔다가 뺏다가를 계속 반복하였다. 어떤 이의 신고로 경찰들이 와서 그녀에게 말을 건넨다. 달래고 달래어 강어귀에서 끌어내어 보지만, 뿌리치고 다시 강가에 가서 쭈그리고 앉고, 다시 끌어내면 다시 뿌리치고... 그러기를 계속 반복하다가 경찰들도 그냥 주저앉아 그녀와 같이 한강을 바라본다. 그리고 이런저런 대화를 시작한다. 착한 분들이다. 공권력보다는 인간애가 보이는 아름다운 장면이었다. 결국, 그녀는 경찰관들의 손을 잡으며 강어귀에서 나와 다른 곳으로 향한다.

어느 날 4

20대 후반으로 보이는 어느 한 청년.

실연을 당했는지, 상처를 받았는지, 어떤 아픔이 있는지 자전거로 운동을 하려고 온 것이 아니라, 속에 있는 괴로움들을 떨쳐 내려는 듯 음악을 크게 틀며 다리가 보이지 않을 정도로 미친 듯이 페달을 밟는다.

아 - 아 - 악--.

저 멀리서 들려오는 그의 고함(高喊) 소리...

괴롭지 않은 이들은 도저히 느낄 수 없는...

그 소리의 함축이 저자에게는 100마디의 부르짖음보다 더 가슴에 메여왔다.

어느 날 5

근래 부쩍 대교 중앙 약 두 세 군데 설치되어있는 SOS 생명의 전화박스에 전화기를 잡고 하소연하며 괴로워하는 청년들을 많이 본다. 경찰들도 깜빡이는 자전거 라이트를 켜며 대교 주위를 순회하고...
괴롭다. 그 심정 알 것 같아서... 괴롭고... 또 괴롭다.

한국 자살률 OECD 국가 중에서 8년째 1위라는 불명예, 그중 투신장소 1위인 마포대교.
가난했던 이가 가난의 고통을 알고,
소외당했던 이가 소외됨의 고통을 알며,
극단까지 결심하려 했던 이가 그 극한의 고통을 알 것이다.
자살률 1위라는 오명을 벗어 버리기 위해 눈가림 캠페인에만 급급했던 우리의 현실, 정작 필요한 건...

그들을 위한 열린 귀와
그들을 위한 뜨거운 눈물과
그들을 위한 진심 어린 Hug와
사랑과 관심 그리고
살 수 있게 인도할 수 있는 신중하고 실제적인 대화인 듯.

대교 중앙에 작은북 카페 같은 곳 있던데, 밤에는 아예 불도 꺼버리고 문도 잠가버린다. 생과 사가 오가는 그 중요한 곳에는 정작 그들을 살릴 아무런 대책이 없다. 위로의 글 몇 마디 말고는...
24시간 내내 외부에 보이는 곳에만 휘황찬란(輝煌燦爛)하게 전력과 자금을 지원하지 말고, 세상에 고하노니 비록 초라하고 무익할지라도 그들은 당신의 형제요, 자매요, 부모요, 자식이요, 친구요, 바로 당신일 수 있으니, 그들의 목소리를 모을 수 있고, 사랑과 온기를 나눌 수도 있는 그러한 공간에도 지원하기를 바라며 이는 비단 특정인들이 아닌 우리 모두의 손길이기를 바란다.

그들이 나이기에 그 괴로움 알 것 같아서 그들과 같이 행복할 수 있기를 오늘도 변함없이 이를 악물고 눈으로 기도하며 페달은 다리에게 맡기고 난 빈 허공이 되어 텅 빈 밤하늘과 함께 운행한다.

§

반전(反轉)

인생, 실패, 고통, 슬픔, 아픔, 괴로움, 외로움...
기도, 기도, 울부짖음, 기도, 기도, 매달림...
참을 수 없을 정도로... 괴롭고 또 괴로운...
포기하지 말자... 포기하지 말자... 포기하지 말자...
어둠의 영들이 나를 감싸고 휘저어 죽음의 늪으로 몰고 갈지언정...
신께서도 차갑게 외면한 버림받은 영혼이라도...
포기하지 말자... 포기하지 말자... 포기하지 말자...
불쌍한 내 영혼... 우주 밖으로 내몰릴 지라도
내 영혼 내가 지키리라... 포기하지 말자...

-김소현, 〈반전(反轉)〉 전문

§

마음이 신체에 미치는 효과

마음이 신체에 미치는 효과의 예로 의학용어인 플래시보 효과(Placebo effect)가 있다. 이는 화학적 성분으로는 아무런 효과가 없는 가짜 약을 복용하였는데 심리적 효과에 의해 증상이 호전되는 것을 말하고, 이 효과는 1950년대부터 의학계의 임상시험을 통해 널리 인정을 받았다.

그 예로 하버드 대학교 교수인 심리학자 엘렌 랭거는 양로원에 있는 고령 환자를 모집하여 임상시험을 하였다. 그들에게 젊은 시절에 유행했던 옷, 음식, 음악을 자주 접하게 한 뒤, 몇 주 후 신체검사를 하였는데, 그 결과 환자들의 피부 탄력도 좋아지고, 시력도 향상되었으며, 근육 강도도 증가하였고, 골밀도도 또한 이전보다 높게 나타났음을 발견하였다.

이와는 정반대로 노세보 효과(nocebo effect)도 있다.

이는 정상적인 약, 정상적인 처방을 했다고 하더라도 그것에 대한 신뢰가 없어 믿지 않고, 나의 몸은 계속 상하게 될 것이라고 믿는 것이다.

즉 정상적인 약을 처방받았음에도 불구하고 효과를 못 보게 될 수 있는 현상을 말한다.

"모든 병은 마음에서 시작된다."는 말처럼, 이 두 가지 효과는 즉 '마음은 사람의 몸을 더욱 강하게도 만들고 더욱 약하게도 만든다는 것'을 보여준다.

저자의 예로 몇 년 전 스스로 목숨을 끊은 후배의 이야기를 하고자 한다.

그는 우울증을 심하게 앓고 있었다. 삶에 대한 회의감이 지배적이었고 "이제 그만 살고 싶다."라는 말을 종종하였다. 검진 결과 병원에서는 아무런 이상이 없다는 말에도 불구하고 이유 없이 늘 온몸이 아프고, 자고 또 자도 피곤은 사라지지 않았다고 말했다. 눈에는 늘 눈물이 글썽거렸고, 사람들도 세상도 싫다는 말을 자주 하였다. 주위의 권유로 OO 대학병원에서 약물과 더불어 정신과 치료도 해보았지만 상황은 여전히 호전되지 않았다. 신경안정제, 항우울증 치료제, 항정신병 약제, 항불안제 등 약이란 약은 다 써보고, 전기경련 요법이나 광선치료, 심리치료 등 모든 방법을 동원하여 수개월에 걸쳐 치료를 해보았지만, 그의 마음은 이미 '삶에 대한 포기'가 지배적이었다.

결국, 마음 깊숙이 자리 잡은 그릇된 확고함의 결과가 자살이라는 비극을 초래하고 말았다.

저자가 후회되었던 것은 "너의 기분 잘 알아, 네가 생각하기에 달려있어, 너 보다 더 안 좋은 상황에 있는 사람도 있어, 낫는다고 확신을 가지고 강해져야지, 힘내..."등등 백 마디 위로의 말들이 아닌, 그냥 꼭 안아줄걸. 필요할 때 곁에 있어주고, 힘들어할 때 남몰래 기도하고, 그 속에 있는 모든 슬픔과 아픔을 밖으로 토해낼 수 있게 안아주고 또 안아줄걸... 내 눈물이 작게나마 그 여린 마음을 달랠 수 있었다면 내 후배를 하늘에 양보하지는 않았을 텐데...

나의 친구가 이와 같이 했기에 난 극복할 수 있었는데, 내 후배에게 이 방법을 미처 생각하지 못했던 것이 지워지지 않는 아픔으로 남는다.

故 심봉섭 군을 추모하며...

30대의 젊은 피... 사슴 같은 눈망울과 바람에 나부끼는 잎새와도 같은 여리고도 여린 마음을 가진 서글픈 청춘이여!

인간이 갈구하는 것 중 가장 강력한 것이 '살아야 한다'라는 욕구인데 오죽했으면 너 스스로가 건널 수 없는 강을 건넜겠니...

그때, 나 또한 삶이 버거워 극심한 우울증과 공황발작으로 응급실에
갔었어...
네가 생을 포기한 그 날...

얼마나 힘들고 괴로웠을까...
얼마나 힘들고 두려웠을까...
얼마나 외롭고 외로웠을까...

한 달 전 네가 한 말이 생각나네. "강아지 한 마리 키워보세요, 사람이
참 개만도 못해요, 개는 적어도 사람을 이용하거나, 무시하거나, 짓
밟거나, 망가뜨리거나, 떠나거나, 배신하지는 않으니깐요. 그리고 선
배... 선배는 반드시 훌륭한 목회자가 되어 어둠에서 고통받고 있는
이들에게 빛이 되어 주세요, 꼭!"

네 약속을 지키려고 애를 쓰는데... 하늘도 세상도 도와주지 않는구나...
이 마음 다 꺼내어 신께 간청해도... 아직은 아주 많이 부족한가 봐.
그렇지만 눈물을 머금고 노력하고 또 노력할 거야.

사랑하는 봉섭아! 많이 많이 그립고, 많이 많이 보고 싶다. 너 참치 좋
아하잖아, 내가 하늘나라로 가게 된다면 아주 좋은 최상의 부위로 포
장해서 가져갈게.

이 땅에서의 서러움, 아픔, 고통 모두 모두 잊고
부디 하늘나라에서 최고의 안식과 행복을 누리렴... 사랑한다.

-김소현, 〈故 심봉섭 군을 추모하며...〉 전문

§

거룩함에 이르는 길

슬픔이 담긴 아름다운 곳, 소록도의 한 작은 예배당에서 새벽을 깨우며, 눈물로써 기도하는 한센병을 앓고 있는 어느 한 여인에게 무슨 기도를 했는지 물어보았다. 주된 내용은 이 나라 이 민족의 안녕과 번영 그리고 세계의 평화라 한다.

어느 교회 유년부 예배, 한 아이에게 무슨 기도를 했는지 물어보았다.

세월호에 희생된 언니, 오빠들... 천국에서 행복하기를... 다시는 이런 슬픔이 없게 해달라고 기도했다고 한다.

어느 한 대형교회의 예배시간...

일요일에만 만석이 되는... 기도시간이다... 반 이상은 졸고 있는 듯...

어느 집사의 대표기도시간...

마음속 기도가 아닌 기도문을 낭독하고 있는 것 같다. 오늘도 변함없이 바리새인 화 된 지도자는 피폐해져 가는 세상과 사람들을 위한 눈물의 기도가 아닌 성전건축헌금에 대하여 운운한다. 예배가 끝난 뒤 각 파트별로 나뉘어 Bible study가 이루어지고, 그 모임 대표가 성도들의 기도 내용을 모아서 중보기도는 해주는 시간이었다. 그들의 기도 내용에 귀 기울여 본다. 딸이 명문대에 입학을 신청했는데 꼭 합격시켜 달라고, 유학이나 군대 간 아들을 위해, 추진 중인 사업 번창케 해달라고, 집이나 상가계약 건 잘 성사될 수 있기를, 자신의 유익이나 가족이라는 boundary에서 크게 벗어나지 않는다.

타 종교도 마찬가지인 듯, 신에 대한 경외심과 인류에 대한 사랑과 관심은 오간 데 없고, 자기 유익이나 불평만을 늘어놓는 기도만이 난무하는 듯...

어떤 이는 신이 아닌 사람에 의해 정해진 직책이 마치 대단한 위치인 양,
겸손보다는 위선이 앞서고...
　점점 더 세속화되고 부패하여가는 종교계의 현실...
　종교는 위선이 아닌 진리의 실천일 것을...

"누군가는 진정 세상의 리더가 아닌 하늘의 통로가 되어야 한다."

"내가 진정으로 따르는 신앙은 모든 살아있는 것들을 사랑하는 것이다." -톨스토이

"겉으로만 신을 충실하게 섬기는 사람은 부정을 행하는 것이고, 자신을 치욕스럽게
만드는 일이며, 나아가 큰 거짓을 행하는 것이고, 신에게 그릇된 봉사를 하는 것이
다." -임마누엘 칸트

§

Moon light

겸손한 달은 온화한 빛으로
다른 별들도 빛나게 하지만,
작렬한 태양은 마치 세상의 왕인 양 거만을 떨며
만물을 피폐하게 만들고,
갓 태어난 생명체마저도 말려버린다.

달의 수줍은 광채는 우리로 하여금
항상 우러러볼 수 있게 하지만,
태양의 눈 부신 광채는 우리로 하여금

감히 쳐다볼 수도 없게 만든다.
달을 보면 평온해지지만,
태양을 보면 강퍅해진다.

달 주위엔 수많은 별이 맴돌지만,
태양 주위엔 태양밖에 없으며
그 강렬함으로 이 세상의 모든 빛을 빼앗아 간다.

드러나지 않는 달빛의 겸손함과 온화함...
신께서 그렇듯,
인간도 그리되기를 원하실 것이다.

-김소현, 〈Moon light〉 전문

§

분노에 대한 고찰

분노가 100% 감정임을 알고 있는가?

그렇다면 어쩔 수 없다. 감정이라면 '의지'로 다스려야 할 뿐...

아무리 노력해도 안 되는가?

그렇다면 이 괴물이 당신을 얼마나 망치고 있는지 보라.

우선 육체적 건강을 해친다. 만성질환의 주범... 폭발하면 심장, 혈압의 수치가 올라가고, 위·소화기능에 장애가 생긴다. 억제하면 내적 스트레스가 쌓여 암, 궤양, 심장질환, 뇌졸중, 우울증 등을 초래할 수 있다. 외적 결과로는 집중력과 창의성이 떨어지고, 다른 이들과의 관계 또한 파괴할 위험성이 높아 고립감, 소외감, 거절감이 증가될 수 있다. 분노를 품으면 마음이 나뉘기 때문이다.

랄프 에머슨은 말한다.

"만약 당신이 한순간의 화를 참는다면, 100일간의 슬픔에서 벗어날 수 있다."

만일 분노가 합당하다면, 왜 분노를 일으킨 자들에게 쾌재(快哉)하게 하는가? 이는 당신을 두 번 죽이는 것이다.

아리스토텔레스는

"화는 누구나 낼 수 있다. 그건 쉬운 일이다. 그러나 어려운 일은 그럴만한 사람에게 적당한 정도로, 적절한 때, 적절한 목적으로, 적절한 방식으로 화를 내는 것이다."

라고 말했다.

의분(義憤)이면 분노를 일으킨 당사자에게 그 즉시 제대로 강력하고 확실하게 표현하라. 지체하면 초점을 놓치게 되어 우왕좌왕하게 되고, 뜨겁고 격정적인 상태에서의 행동은 굉장히 해로운 결과를 초래할 수 있다. 더 구체적으로 언급한다면 의분일 경우 과거 일부터 들먹이지 말고, 현재 일어난 발단의 원인만을 최대한으로 구체적이고 단순화시켜 즉시 행동으로 옮겨라. 단 분노를 일으킨 그들의 목적은 당신에게 화를 돋우는 것이니, 여기에 휩쓸려 언성을 높여 에너지를 분산시켜 할 말을 놓치게 하지 말고, 냉철하고 조리 있게 그리고 아주아주 날카롭고 강하게 대응하라. 그럼에도 불구하고 반성은커녕 상대가 계속해서 분노를 일으키게 자극을 주고, 그릇된 것을 알면서도 끝까지 자기 합리화를 한다면 단 2가지만 행하면 된다.

첫째, 통째로 거부할 것! 마음에 담지 말고 잊어버릴 것!

되풀이하고 기억하고 음미하는 것을 반추(反芻)라고 한다. 상대가 자신의 잘못을 알고도 용서를 구하지 않고, '그래서 어쩌라고?'라는 식으로 자신의 잘못을 무마시키거나, '나로서는 어쩔 수 없었어.'라는 식으로 합리화시킨다면 더 이상 분노를 품지 말고, 통째로 거부하거나 잊어버려야 한다. 만일 반추(反芻)하게 되면 그에 대한 시나리오를 강박적으로 재생하여 자신의 불행을 더욱 심화시킨다. **"분노하고 미워하는 것은 독약을 자신이 마시고, 상대가 죽기를 바라는 것이다."**라는 말이 있듯이, 분노만 자아내는 **반추(反芻)**는 문제의 일부가 될 수는 있어도, 해결의 일부가 될 수는 없으므로, 당신의 귀한 시간을 그럴만한 가치 없는 인간들로 인하여 쓸데없이 낭비하지 말라.

둘째, 용서할 것!

용서할 것??? 의아해할 수도 있다. 그 개념을 모르면...

용서란 상대의 잘못을 눈감아 주고, 계속 당하라는 것이 아니라, 그 사람을 내 마음에서 삭제시키고 가해자가 가했던 모든 것과 그에 따른 처벌을 신께 맡기라는 것이다. 이는 어떠한 절차도 필요 없고 기도 하나면 된다.

그렇다면 인생이 계획대로 안 되고 계속 실패할 때, 아무리 애를 써도 상황은 변하지 않고 오히려 악순환의 연속일 때, 내면 깊숙이 좌절감이 자라나 분노로 자리 잡을 때... 분노는 어떻게 해야 하는가?

크게 2가지이다. 자학하든가. 신에게 전적으로 매달리던가.

그러나 방법은 한 가지일 뿐, 당신의 창조주인 신에게 전적으로 매달려라. 사람이 아닌 신에게 당신의 속마음을 쓴 물이 나올 때까지 모두 토해내라. 이러한 고통과 절망 그리고 사망의 늪에서 건질 수 있는 분은 오직 신한 분뿐이기 때문이다.

"그분이 나를 죽이신다 해도 나는 그분을 신뢰할 것이네... 그러나 그분 앞에서 내 사정을 밝힐 것이네" -성경

어떤 이는 자기 의가 너무 불타서 빨리빨리 얻기를 원한다. 하지만 신께서 계획하신 일을 신의 때가 아닐 때 추구하여 좌절하고 포기하는 일이 있다. 결과가 더디다고 신과 벽을 쌓지 말고 그분의 음성에 세심히 귀를 기울여라.

"하나님의 뜻과 계획과 목적은 우리가 바라거나 상상할 수 있는 그 어떤 것보다 낫다." -성경

고통 중에 있는 이에게 인간은 최대한으로 그들이 할 수 있는 일을 할 뿐, 완벽한 해답을 가지고 있는 것이 아니다. 치유와 회복은 오직 한 분, 신만이 할 수 있다.

"오직 신만이 모든 삶에 대한 해결책을 가지고 있고,
우리에게는 그것을 발견할 책임과 그 뜻을 겸허히 받아들일
태도만이 있을 뿐이다."

§

자기암시

우리는 기도 한다.

신이 아닌 우리 자신한테...

기도한 후에도 폭풍전야에 먹구름의 행로가

분주하듯 늘 조급해한다.

신께서 들어올 수도 없게...

그리고 원망한다.

왜 응답 안 하시냐고 날 버리셨냐고...

자기암시에 빠져 해답을 보지 못한 채

불행을 자초하면서...

-김소현, 자기암시 〈청야〉중에서... 2013. 11. 30

§

자살하려는 이를 살리는 방법

누군가가 삶을 포기하려는 위기의 순간에 당신을 찾는다면, 조심스럽게 그들을 도울 수 있는 구체적인 방법들을 아래와 같이 제시하고자 한다.

아래에 열거된 사항들은 그들을 위해 당신이 조심하고 삼가야 할 언행 그리고 그들에게 접근하는 방법들로 진행된다.

첫째, 그들의 말이 끝나기도 전에 그리고 그들이 당신으로부터 어떠한 조언을 원하기 전까지는 아무 말도 하지 말고, 깊이 경청하고 최대한으로 그들의 입장에 서서 공감대를 형성하라.

둘째, 상대가 최대한으로 편하게 당신을 대할 수 있게 하라.

당신의 존재를 인식하기보다는 온기를 느낄 수 있게 또한 그늘진 나무가 되어 그들을 위한 쉼터가 될 수 있게 하라. 문제의 해결자인 양 나서서 당신의 말만 무성하지 않도록 조심하고, 고함을 지르든 울부짖든 그들 안에 내재하여있는 모든 고통을 밖으로 표출시켜 마음속 응어리들을 제거할 수 있게 최대한으로 노력하라.

셋째, 백 마디의 말보다 한 번의 뜨거운 포옹이 더 효과적이다.

괴로워하는 그들을 부둥켜안고 함께 울라.

넷째, 지쳐있는 상대는 공복일 가능성이 크다. 배고프면 더욱더 서러운 법... 가급적 그들이 먹고 마실 수 있는 약간의 음식을 준비하라.
마음을 진정시켜 줄 수 있는 따뜻한 우유나 차 한 잔, 부드러운 케이크...

끝으로 그들에게 기도할 수 있는 힘을 최대한으로 부여하고, 이제는 살짝 자리를 비켜서 그들 스스로가 직접 신께 다가갈 수 있도록 영의 통로가 되어라.

인간의 영은 인간이 다스릴 수 있는 영역이 아니다.

인간이 다스릴 수 있다는 교만과 착각이 오히려 죽어가는 영혼들을 더욱 더 파멸로 몰고 갈 뿐이다.

그들에게 느끼게 하라... 함께 할 우리가 있고, 치유할 신이 있다는 것을...

"가장 위대한 일은 훌륭한 업적이나 공로가 아닌 생명을 살리는 것이고, 가장 훌륭한 사람은 세상을 위해 눈물을 아끼지 않는 자이다."

"즐거워하는 자들과 함께 즐거워하고, 우는 자들과 함께 울라.

서로 마음을 같이 하여 높은데 마음을 두지 말고, 도리어 낮은데 처하며, 스스로 지혜 있는 체하지 말라." -성경

"추위에 떨어 본 사람이라야 태양의 따스함을 진실로 느낀다.

굶주림에 시달린 사람이라야 쌀 한 톨의 귀중함을 절실히 느낀다.

그리고 인생의 고민을 겪어 본 사람이라야 생명의 존귀함을 알 수 있다." -월트 휘트먼

"분노의 표출은 상대의 계략에 동의하는 것이다.
하지만 당신이 이에 동의하지 않는다면
상대가 오히려 분노할 것이다."

"어떠한 좋지 않은 결과가 나타났을 때
그 원인이 자신과 무관하더라도
'내 탓이요'라 간주해 버린다면,
당신 안의 모든 분노는 사라질 것이다."

"상처는 과거이고 감정은 현재이다.
과거는 극복해야 하고 현재는 조절해야 한다."

"정신질환은 자기 자신과의 불협화음(不協和音)에서 기인하며,
긍정의 자아가 부정의 자아를 이기고,
이를 감싸고 위로하면서 치유될 수 있다.
이러한 뼈를 깎는 듯한 노력이 바로 의지이다."

"누군가는 진정 세상의 리더가 아닌 하늘의 통로가 되어야 한다."

"분노하고 미워하는 것은
독약을 자신이 마시고,
상대가 죽기를 바라는 것이다."

"반추(反芻)는 문제의 일부가 될 수 있어도,
해결의 일부가 될 수는 없다."

"가장 위대한 일은
훌륭한 업적이나 공로가 아닌 생명을 살리는 것이고,
가장 훌륭한 사람은
세상을 위해 눈물을 아끼지 않는 자이다."

Chaos
of
Life

"완벽주의는
불완전한 자신을 학대하여 완벽함을 추구하려는
불가능한 노력이다."

Art 14. Winter in my life

청야(淸夜) 김소현 / 91x116.8 (LxH,50F) 혼합매체 acrylic on canvas 2017

어느 누구에게든 삶은 늘 봄기운처럼 온화하지는 않다.
삶이란 고통과 시련 그리고 인내의 연속이라 해도 과언이 아니다.
본 작품은 Blue, White, Red의 원색 계열로 조합하여 인생의 시련기를 묘사하였고,
splatter brush art 기법으로 휘몰아치는 눈보라를 묘사하여 고통의 시기를
더욱더 강하게 묘사하였다. 반대되는 해석으로는 이러한 고통의 날들이
강한 눈보라와 함께 사라지기를 바라는 염원도 담고 있다.

Art 15. 이방인의 도시

청야(清夜) 김소현
116.8x91 (LxH,50F) 혼합매체 acrylic on canvas 2017

본 작품에서 이방인이란 동시대를 살아가는 일반적인 대중들과 다른 가치관과 세계관을 갖고 살아
가는 자기 신념과 목표의식이 뚜렷한 사람들을 뜻한다.
그러한 그들이 생각하는 도시란 일상의 틀에 갇혀 같은 사고방식과 시선으로 얼룩진 대상이 아니라
다양한 가능성과 창조의 기회가 펼쳐져 있는 무한한 가치의 세계이다.
이와 관련하여 본 작품에서는 잠재되어 있는 의식의 흐름을 표출시켰고,
억제된 자아의 이상을 맘껏 펼치려는 강한 신념들을 다양한 색으로 연출하였다.

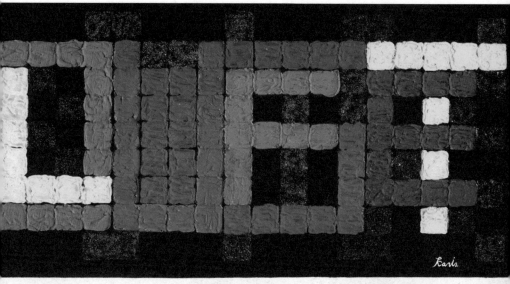

Art 16. Life · Dust · Pain

청아(清夜) 김소현
72.7x60.6 (LxH,20F) 혼합매체 acrylic on canvas 2016

본 작품은 '인생(Life)이란 고해(苦海, Pain)요, 먼지(Dust)처럼 허무하다.'라는 뜻을 담고 있다.
작품 상단부를 보면 파란만장한 인생이지만 결국 인간이란 죽음이라는 피할 수 없는
운명을 지닌 허무한 존재라는 뜻으로 DUST를 표기하여 LIFE라는 글자 위에 덮어 표기하였고,
하단부에서는 거친 풍랑을 맞은 배와 혼합된
다양한 색들로 채색된 각양각색의 고통을 표현하였으며,
흰색 선으로 PAIN이라는 글자를 표기하여 인생은 고해(苦海), 즉 고통의 세계라는 뜻을 나타내었다.

Art 17. My Life

청야(清夜) 김소현 / 72.7x60.6 (LxH,20F) 혼합매체 acrylic on canvas 2016

한 번뿐인 인생... 누구나 모든 것을 누리고 만끽하고 싶을 것이다.
하지만 인생은 그리 평탄하지 않다. 사람을 바라보면 상처와 실망뿐이고, 야망을 좇노라면 좌절뿐이
며, 간절히 희망을 품노라면 돌아오는 건 고통과 번뇌뿐이다.
혼돈으로 뒤섞인 세상사... 역경과 고난의 회오리바람은 마치 삶과 삶을 연결하는 고리인 양
끊임없이 자신을 짓누른다.
본 작품은 번뇌의 인생사를 다양한 형태의 선과 획 그리고 점등으로 묘사하여 표현하였고,
모델링 페이스트를 사용한 스크래치 기법으로 거친 세상사를 더욱더 역동적으로 표현하였다.

Art 18. 인지적 몰락(Cognitive Deconstruction)

청야(淸夜) 김소현 / 53x45.5 (LxH,10F) 혼합매체 acrylic on canvas 2016

자기 도피 성향이란 자기와 관련된 고통스러운 감정과 생각으로부터 도피하기 위해
자살과 같은 극단적인 자기 파괴적 행동을 선택하는 과정을 말한다.
Roy F. Baumeister (1991 심리학자)는 정신적 도피 과정을 다음과 같이 6단계로 설명하였다.
자기 불일치 단계→내부귀인 단계→자기 혐오 상태→부정적 정서 유발→ 자기 혐오와 부정적인
정서의 괴로움으로 탈출하고 싶은 욕구인 '인지적 몰락' 단계 그리고 마지막인 자살과 같은
극단적인 선택이다. 본 작품은 자살이라는 극단적인 선택 바로 직전의 단계인
'인지적 몰락'의 심리상태를 묘사하였다..

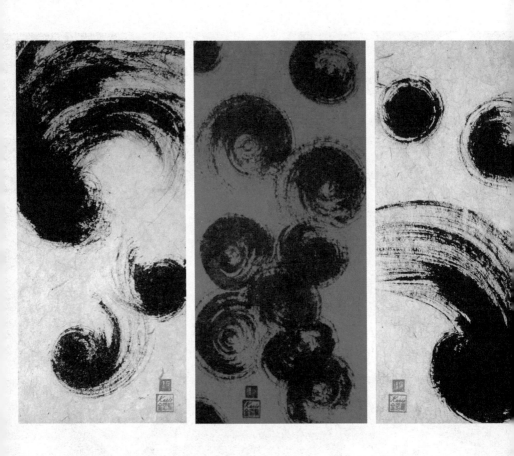

동양추상 7. 공존(共存)

청야(淸夜) 김소현
(30x64)x3sets (LxH) 한지(마)에 먹 2017

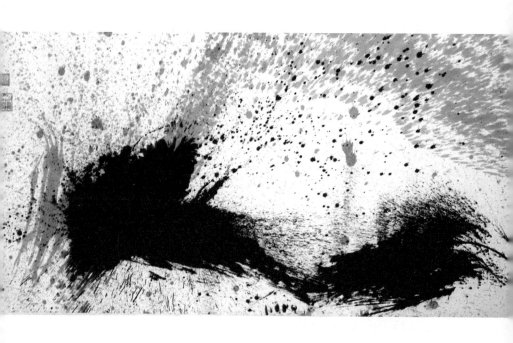

동양추상 8. 분별력(分別力)

청야(淸夜) 김소현
100x49 (LxH) 한지(옥당지)에 먹 2017

자전거와 인생

인생을 살면서 이외로 사람이 아닌 사물들이 나에게 많은 위로와 힘과 깨달음을 주었다. 부정적인 생각이 밀려오면 하던 일을 멈추고 자전거를 끌고 어디론가 향한다. 이 친구와 내 손, 이 친구의 페달과 내 발은 혼연일체(渾然一體)가 되어 덧없이 떠도는 상념(想念)들을 떨치자는 공통된 목표 하에 힘껏 달리고 또 달린다.

평지를 달리고 있을 때쯤 친구가 속삭인다.

한 곳만 바라보지 말고 주변을 봐. 가을인지 코스모스도 고개를 들고 강바람에 맞추어 춤을 추네. 풀잎 향기 맡으며 네 머릿속을 숲으로 채워보고, 강어귀에서 꽥꽥거리며 소리치는 오리들이 무엇을 말하려 하는지도 들어보렴. 청천(靑天)을 바라보며 내 눈도 내 마음도 푸르게 만들어 보고...

앗... 오르막길이다.

마음이라는 기어를 1-2단 내려. 흔들리지 말고, 힘들다 포기하지도 말고, 온몸과 마음을 한 곳으로 '집중'시켜. 할 수 있다... 지금의 고통에 비하면 까짓것 한 번에 오르자고. 다시 평지... 수고했어. 쉬듯이 달려. 주변도 다시 돌아보고, 웃음도 감사도 잊지 말고...

앗... 내리막길...

기어를 6-7단까지 올려. 이번엔 '균형'에 초점을 맞춰. 중심이 흔들리면 넘어질 수 있으니 '균형'을 잃지 마. 머뭇거리지도 말고, 더 빨리 달리려고도 하지 마. 페달을 밟아 보았자 헛돌기만 할 거야. 때가 되면 톱니와 맞물려 달릴 수 있으니 기다려야 할 때는 기다려. 때로는 내 의지가 아니라 삶을 그냥 흘러가게 놓아두렴.

이번엔 울퉁불퉁한 길...

기어를 중간으로 해. 너무 내리면 자만하다 넘어질 수도 있고, 너무 올리면 힘이 빠져 무기력해질 수 있으니 mind control 하도록... 장거리 운행(運行)으로 다리에 마비가 올 수도 있어. 그때는 그 지체를 좀 쉬게 하고 상체 근육으로 움직여. 하나의 길이 막히면 억지로 가려다 실족하지 말고 다른 길도 찾아봐. 삶은 무엇인가 한 가지만을 위해 너에게 다가온 것이 아니라, 너도 미처 몰랐던 많은 것들을 공유하기 원해. 때로는 거세게 불어오는 바람으로 인해 그 바람마저도 안고 달려야 하므로 엄청난 중압감과 함께 체력도 바닥이 날 거야. 억지로 안고 가려하지 마. 견딜 수 없을 만큼의 고통들이 밀려오고 또 밀려온다면, 우선 자세를 낮추고 모든 걸 내려놓고 그냥 지나가. 내 의지만을 믿다가 그 의지가 결국에는 너에게 감당할 수 없는 절망이 될 수도 있으니...

다시 현실이네...

횡단보도에 초록색 신호등이 보이지 않게 대형트럭이 가로막고, 초록색 등이 켜져도 무시하고 그냥 달리는 차들, 엄청난 소음으로 도로를 가로지르는 오토바이들, 여기저기 다투는 소리, 말 한마디 걸면 바로 싸울 것 같은 사람들의 일그러진 표정들, 쓰레기통이 되어버린 길, 불황의 늪에서 머리를 쥐어짜며 한숨만 내뱉는 상가들, 끝이 안 보이는 스트레스로 위가 편한 날 없는 빌딩 안 사람들, 시기하고, 미워하고, 원망하고, 다투고, 더 가지려 하고...

무질서와 혼돈... 그 안에서 부정적인 생각들과 감정들이 활화산처럼 타오르는데... 현실로 돌아가야겠지. 시간도 촉박하고 하지만 내 앞에는 그 마저도 가로막는 수많은 장애물이 존재를 묵살시키는 것 같아 분노가 극에 달하고... 순간 '에라'... 차들이 고속 질주하는 도로 한복판을 가로지르려는 순간... 자전거가 멈춘다. 그리고 굳어진 표정으로 비장(悲壯)하게 말한다.

세상은 흐르는 강물과도 같아. 자신이 잡을 수 있는 것은 아무것도 없어...

흐르는 것은 그냥 흘려보내야지... 분노해서 일이 해결된다면 종일 분노하겠지. 싸워서 모든 일이 해결된다면 미친 듯이 싸울 거야. 하지만 그렇게 되지는 않아... 통제되지 않는 감정들... 이것이 가장 위험하면서도 조절하기 힘든 것 일수도... 이는 곧 자기파멸의 씨앗이니... 네 의지와는 무관할 거야. 그래서 신이 존재하잖아. 네 고통, 네 슬픔, 네 아픔 모두 모두 신께 내려놓으렴.

그가 너를 만들었으니 그가 너를 책임질 거야...

"두려워 말라 나는 너의 방패요 상급이니라."
"내가 너를 모태에 짓기 전에 너를 알았고 네가 배에서 나오기 전에 너를 성별하였고..."
"환난 날에 나를 부르라 내가 너를 건지리니 네가 나를 영화롭게 하리로다." -성경

§

빵점 인생

마음에서 요동치는 모든 감정들은
외부로 잘 표현할 수 있다.
하지만 머리를 짜내 이해하고 암기하는 것은
해야 할 이유를 찾지 못해서인지
나에게서만은 그냥 지나갔으면 한다.
국어, 영어, 수학... 특히 수학...

원하는 학과와 대학이라는 곳을 가려면
이 세 과목은 필수인데...
열심히 해 본다.
이해하려고 노력했고,
벽지가 안 보일 정도로
암기할 부분을 온갖 필기도구들로 도배를 했지만,

해도 빵점. 포기하지 않았다. 더 열심히...

그래도 빵점, 절대로 포기할 수 없다.
잠을 반납하고 매달려 본다.

지성(至性)이면 감천(感天)인지 30점. 희망이 보인다.
필사적으로 노력하고 한계를 초월해 본다.

조금만 더.........
....
....

다시 빵점이 되었다.

-김소현, 〈빵점 인생〉 전문

평안을 주소서

움직이지 않으면 너무너무 졸리다.
졸리면 자면 되는데
현실에서 꿈으로 가는 시간들이
너무나 슬프고 괴로워 잠을 청하기도 두렵다.

반쯤 눈이 잠긴 상태에서
움직이고 또 움직이고
달리고 또 달리어
이제 그만이라는 육신의 신호로
페달을 미친 듯 밟아 집으로 향한다.

비로소 꿈이 없는 까만 잠에 빠지는데...
아마도 이건...

잠이 아닌 기절일 것이다.

-김소현, 〈평안을 주소서〉 전문

젊은 페달의 열정

칠흑 같은 어둠,
바람 샤워하며 도시의 야경을 가로지르는 젊은 페달은

오늘도 못다 이룬 열정들을
페달에 쏟아부어 달리고 또 달린다.

마비된 다리는
바람에 이끌려 어디론가 달리고 있다.
머릿속에 박혀있는 슬픔의 고통들...
행여나 이내 몸 지치게 하면 잠이라도 청할 수 있을 런지,
부질없는 믿음이지만 믿어 보련다.

살아있는 자의 고통보다는
꺼져 있는 육신이 나을 수도 있으니...

-김소현, 〈젊은 페달의 열정〉 전문

Kardia

신이시여...
당신이 만드신 인간이라는 위대한 창조에 경의를 표합니다.
하지만 지체 중 하나는 뼈로 만들었어야 합니다.
심장...

신이시여...
심장이 찢어지는 고통을 아십니까?

심장이 타는 듯한 느낌을 아십니까?
심장이 울고 있는 슬픔을 아십니까?

어찌하여 마음에 가시를 만드시어
그 느낌 그 고통을 생과 함께 동행하게 하는지요...

당신이 창조했기에 당신께 간절히 원합니다.

부디 이 가시들을 꺼내어
흔적조차 남지 않는 바람이 되게 하여 주소서...

-김소현, 〈Kardia〉 전문

✣

나와 심장

내 심장은 점점 오그라진다.
하늘도 사람도 세상도 아무런 원망 없이...

터질 것 같은데 어쩔 수 없이 내가 내 심장을 오그라트린다.

심장이 말한다.
"어찌하여 너한테 죄 없는 내가 붙어 나를 핍박하고 망가트리냐"고
분노하며 울분을 터트린다.

상처 준 만큼 쥐어짜듯 두근거리며 나를 아주 많이 아프게 한다.

그래도 살아야 하기에 심장을 달래어 본다.
내가 잘못했노라... 내가 잘못했노라...
평안하자... 평안하자... 내가 잘못했노라.

-김소현, 〈나와 심장〉 전문

§

꿈을 이루는 건 상황과 무관하다

어느 노숙인 이야기

어느 40대 초반의 미혼여성...

수년간 다니던 회사의 경영 사정이 나빠졌다. 인원 감축이 발생하였고, 그 회사의 대표는 그녀에게 권고사직을 권유하였다. 다른 중견업체의 사정도 마찬가지라 경력자보다는 급여가 낮은 신입을 선호하는 입장이었다. 오로지 외길로만 가다 보니 다른 일을 시도하는 것이 엄두가 안 났던 그녀는 우선 생각도 정리하고 기분도 전환할 겸 12일간의 동유럽 여행을 결심하였다.

동반한 일행 중 만난 어느 한 중장년층의 남성...

그는 여행 내내 일행들과 거의 어울리지도 않고 아무런 말도 없이 혼자서 조용히 경치에만 몰입하였다. 그러던 어느 날 저녁 식사를 마치고 가이드와 일행 몇몇과 테라스에서 맥주 한잔하고 있을 무렵 그가 조용히 다가와 같이 한잔해도 되겠냐고 말을 건넨다. "그럼요, 이렇게 만난 것도 인연인데..." 일행들은 흔쾌히 그를 반기었고, 대화가 어느 정도 무르익을 무렵, 그는 자신에 대하여 살며시 얘기를 꺼내었다.

그는 산업기계 관련 부품 및 공구를 생산하던 중소기업의 대표였다.

슬하에는 군 복무 중인 아들 한 명이 있었고...

대기업들의 긴축재정으로 대부분의 물량 주문이 값싼 원자재와 인건비에 유리한 중국 현지 하청공장으로 넘어가게 되었고, 간신히 거래

관계를 유지하던 거래처들마저 부도를 맞거나 미수금 회수가 전혀 안 되어 결국 그의 공장도 문을 닫게 되었다. 회사의 주요 간부로 일하던 친구마저 회사 명의로 서류를 조작하여 각 은행으로부터 대출금을 받아 달아나 버리고 그나마 있던 집까지도 압류를 당하여 졸지에 거리로 나앉게 되었다. 엎친 데 덮친 격으로 평소 심장병을 앓고 있던 그의 아내마저도 충격을 받아 심장마비로 갑자기 세상을 떠나게 되었고, 이 소식을 듣고 이성을 잃은 그의 아들은 자기도 죽겠다고 그만 총기를 난사하다 다른 동료의 팔에 맞게 되었다. 다른 이들의 만류에도 불구하고 그의 행동이 더욱더 난폭해져 결국 그는 정신병동에 갇혀 치료를 받게 되었다. 아들을 찾아갔지만 "당신이 내 어머니를 죽였어."하며 오열과 분통을 터뜨려 주변을 아수라장으로 만들게 되자 그 아들의 주치의는 상황만 더 악화되니 아들을 만나지 말 것을 부탁하였다.

그는 눈시울을 적시며 하소연하듯 말했다.

"난 여태껏 가정과 일밖에 모르며 열심히 살았고, 휴가 한 번 제대로 가지도 못했고, 나를 위한 시간은 생각조차 하지 않았습니다. 그런 나에게 이런 어처구니없는 일들이 왜 일어났는지 하늘이 원망스럽기만 한데... 몇 번이고 삶을 포기하려 시도했지만, 그때마다 하늘나라로 먼저 간 아내를 생각하며 참고 또 참고... 차마 죽을 수는 없었기에 자포자기하며 노숙자의 길을 가게 되었습니다. 추위와 배고픔으로 고통받던 어느 날... 음식점에서 내다 버린 음식물들을 뒤적이고 있을 때 식당 안에 놓인 TV에 눈을 돌리게 되었고, 그 TV에서는 동유럽여행에 대한 여행지와 문화가 소개되었습니다. 동유럽 여행기에서 오스트리아 빈에 대하여 소개하던 중 요하네스 브람스의 헝가리 무곡 5번의 연주 소리가 들려왔을 때 전 그만 그 자리에서 주저앉고 말았습니다. 왜냐하면... 한 번은 아내가 저에게 CD 한 장을 가져와서 한다는 말이 '당신도 일에만 너무 몰두하지 말고 클래식 음악이 정신 건강에 좋다니 우리도 한번 클래식이라는 것 들어 봅시다' 하며 틀어 주었던 CD의 첫 곡이었기 때문입니다." 이 곡이 흐르면서 천국의 호수라 불리는 오스트리아의 할슈타트(Hallstatt), 헝가리의 부다페스트와 다뉴브 야경, 체코의 프라하, 크로아티아의 플리트비체가 파노라마처럼 그의 눈앞에서 흘러갔고 그는 두 주먹을 움켜쥐며 죽기 전에 저곳에 가리라 다짐했다. 이리저리 구걸도 하고, 폐기물도 줍고, 온갖 돈이 되는 것들은 뭐든 다 하여 모으고 또 모았다. '이 정도면 여행을 갈 수 있겠지...'하며 새벽에 지하철역 안 한 구석에서 모은 돈을 세다가 같은 노숙인에게 발각이 되어 모은 돈 전부를 빼앗겨 버리고 죽기 살기로 다시 빼앗아 보지만 짓밟히고 처참히 구타만 당하였다. '이대로 포기할 수 없어.'하며 다시 한번 힘을 내어 여행비를 모은 기간이 약 2년... 피같이 모은 돈을 신문지에 감고 담요로 감고 또 감고 몸에 밀착하여 또 감고 그리하여 여행사를 찾아갔지만, 들어갈 때마다 지저분한 그의 몰골에 매번 여행사 직원들은 그를 문전박대하였다. 침울해하며 거리를 배회하던 순간, 여행사 한 곳이 눈에 들어왔고 그 안에 한 남자가 통화를 하고 있었다. 그 틈을 타 그는 곧장 그 안으로 들어가 돈 꾸러미를 통화 중인 그 남자 앞에 던지며 무릎을 꿇고 여행을 보내달라고 사정하였다. 당황한 그 여행사 직원은 그의 손을 일으켜 세워 따뜻한 차 한 잔 대접하며 그의 얘기를 들어주었고, 이 상태로는 대중 사우나나 옷가게, 어디서든 쫓겨 날 테니 우선 자신의 거처로 가서 샤워를 한 후 입을 옷 몇 가지를 준비해 놓을 테니 그걸로 바꾸어 입으라고 하였다. 그 직원의 도움으로 지금 이 자리에 있게 되었고, 제 꿈이 이루어질 수 있게 도와주신 모든 분들께 감사하다고 거듭 인사를 하였다.

그 사연을 들은 일행들은 한결같이 눈시울을 적시며 박수를 쳤다.

여행 마지막 날쯤... 오스트리아 빈의 국립오페라 극장 내부를 관람하고 오케스트라 단원들의 연주 감상이 끝난 후 차량탑승 인원을 파악하려는 순간, 그 노숙인 아저씨가 사라졌음을 확인하였다. 담당 가이드는 다급히 그를 찾아보지만 허사였고, 여행객 모두를 숙소로 보낸 뒤 그 자리에 남아서 그를 계속 찾아보았지만 그래도 허사였다. 다음 날 여행을 다 마치고 비행기에 탑승할 동안에도 그는 여전히 보이지 않았다.

아마도 그의 슬픈 영혼을 음악과 예술의 도시인 '빈'에서 거두어 간 듯했다.

"길이 이끄는 곳을 가지 말라. 대신 길이 없는 곳을 가서 자취를 남겨라." -랄프 왈도 에머슨

"꿈들은 우리가 누구인지를 보여주는 기준이다." -헨리 데이비드 소로우

"당신이 할 수 있는 가장 큰 모험은 당신이 꿈꾸는 삶을 사는 것이다." -오프라 윈프리

광야 40년, 과연 가나안 땅으로 들어가는가?

내가 배운 인생 11가지

첫째, 인생은 공평하지 않다. 행복한 사람은 아무도 없다. '행복하다'라고 자신 있게 말할 수 있는 이는 그리하면 행복할 거라 믿기 때문이다. 그럼에도 불구하고 우리는 행복한 척이라도 해야 한다. 안 그러면 미쳐버리거나 불행이 내 주인이 되어 매사(每事)에 숨통을 조일 것이기 때문이다.

둘째, 인생은 짧다. 젊다고 건강하다고 자부하지 말라.
앞으로의 1초는 아무도 모른다.

인간관계, 일, 사랑 모두 순탄(順坦)하다 자부하던 편집 관련 종사자였던 어느 30대 커리어 우먼

잔병치레 없이 늘 건강하던 그녀가 어느 날 한 번은 감기가 쉽게 낫지 않아 병원에 갔는데 백혈병 말기라는 진단을 받았다. 어처구니가 없었던 그녀는 오진이 아닌가 하며 이리저리 병원도 옮겨 다른 의료진들에게 재차 확인해 보았지만, 결과는 마찬가지였다. '내가 이렇게 건강한데, 난 단지 감기일 거야. 뭔가 잘못됐어. 의술도 사람이 만든 것이라 착오가 있을 거야...' 그녀는 몇 번이나 이 사실을 부인하고 자연 치유법이나 다른 방법들을 찾아보았지만 허사였고, 무균실로 옮겨 치료를 받는 중에도 자신이 위독하다는 사실을 망각한 채 평소와 다름없이 일도 진행하고 사람들과 연락도 하고, 미래도 계획했지만, 결국 몇 개월을 넘기지 못했다.

폐암 말기로 6개월 시한부 판정을 받은 고3 수험생

아이러니하게도 젊다는 것은 암세포도 그만큼 젊다는 것이라서 힘도 세고 진행속도도 빨라지는데, 그래도 젊기에 그 학생은 힘든 치료를 견디며 희망이라는 몸이 암을 이기기를 바라며 눈물겨운 사투를 벌인다.

10년 동안의 연애 끝에 결혼에 골인!

남자는 사랑하는 여인을 위하여 열심히 일해 집도 장만하고 자본도 축적하였다. 결혼식 이후 신혼여행을 위하여 차를 타고 달리던 중, 형형색색으로 장식된 풍선 중 몇 개가 바람에 날려 마주 오던 트럭 운전사의 창문에 부딪히는 순간, 상대방의 차가 차선에서 이탈되면서 그만 신혼부부가 탄 차를 들이박고 그 뒤로 온 차들이 급하게 멈추려다가 연이어 충돌하게 되었다. 그 부부는 그 자리에서 즉사(卽死)하게 되었고, 신혼여행의 목적지가 이 땅이 아닌 하늘나라로 되어버렸다.

새벽을 깨우며 주야로 열심히 공부하고 연구하고 노력하여 마침내 서울의 한 명문대 미대 교수가 된 한 남자

술, 담배 전혀 한 적도 없고 늘 음식도 몸에 좋은 것으로 가려서 먹던 그가 어느 날 급격한 체중감소와 복통, 황달 증상으로 병원에 간 결과 췌장암 말기라는 진단을 받았다. 참조로 췌장암은 이름만으로도 절망적인 단어이다. 국가암정보센터의 통계에 따르면 췌장암의 5년 생존율이 고작 8%밖에 안 되고, 췌장암 환자 10명 중 9명이 발병 후 5년 이내에 사망한다고 한다. 췌장암은 다른 암중에 비해 절제 수술

케이스가 매우 적고, 그나마 수술이 가능한 케이스라 해도 주변 장기들 4~5개를 같이 광범위하게 절제해야 하는 매우 어려운 수술이다. 게다가 수술 후 재발률이 무려 80%에 달하기 때문에 대부분의 사람은 수술을 포기하고 인생을 정리하는 시간을 갖는다고 한다. 그는 30년 동안 심혈을 기울여 창작한 작품들을 테마로 전시회를 계획하고 있었지만, 모든 걸 포기하고 남은 인생을 사랑하는 아내와 함께 있고자 자연으로 돌아갔다.

어려운 가정형편으로 스스로 학비를 마련해야 하는 어느 한 대학생

장학금을 받지 않으면 학업을 이어갈 수 없기 때문에 낮에는 도서관에서 공부하고, 밤에는 오토바이 배달업으로 아르바이트를 했는데 이유인즉, 여분의 시간에서 이 일이 최고의 급여를 받을 수 있는 일이었기 때문이다. 그러던 어느 날 주문한 메뉴가 전달 착오로 늦게 나오고 고객은 화를 내며 재촉하여 어쩔 수 없이 오토바이로 주문한 장소를 향해 급하게 속도를 내어 달리다가 그만 도로 한복판에서 미끄러져 다리가 부러지게 되었고, 달려오던 차를 미처 피할 수 없어 그만 차에 치이고 말았다. 엠브란스에 실려 병원에 갔지만 심한 뇌출혈로 손을 쓸 수 없게 되어 그 청년은 끝내 숨을 거두고 말았다.

인간의 생명은 우리의 노력과 의지와는 무관하다.

생사의 문제는 선인도 없고 악인도 없으며 정해진 규칙이나 순리도 없다. 아무리 유능해도 언젠가는 죽고, 아무리 건강해도 병에 걸릴 수 있으며 병약해도 오래 살 수 있다. 생명을 다루는 건 신의 범위라 우리가 바라고 원하는 대로 살 수도 죽을 수도 없는 법, 따라서 내일 죽는다는 생각으로 오늘을 산다면, 그런 오늘이 악순환에서 빠져나올 수 없는 절망의 늪이라 할지라도 애써 웃을 수 있는 것들을 찾을 것이다. **과거는 이미 흘러갔고, 미래는**

알 수가 없으며, 오늘은 그 자체가 실제이기 때문에 우리가 자신을 행복하게 만드는 것을 포함한 모든 것에 최선을 다할 수 있는 것은 오늘뿐이다.

따라서 해결되지 않는 일로 괜한 걱정을 하지 말고, 멀쩡한 심장을 쳐서 멍들게 하지도 말며, 살아보려는 자기 몸에 자학하지도 말라. 고함치고 싶으면 고함치고 울고 싶으면 울어라. **걱정은 고양이도 죽인다**는 말처럼, 걱정을 만들어 걱정하느니 생각 없는 바보의 삶이 더 현명할 수도 있다. 물론 자기 의지로 떨쳐 버리기 힘들다. 하지만 어쩌겠나? 방법이 없는데... 없다면 굳이 걱정할 필요가 있는가? 인생은 짧다. 알 수 없는 우리의 인생... 오늘 하루 무사함에 감사하며 살자.

"진실로 삶은 죽음으로 끝난다." -불경

§

무의미(無意味)

내가 너무 깊으면 슬픔이 많고
사람과 너무 깊으면 아픔이 많고
신과 너무 깊으면 시련이 많다.
하늘과 너무 깊으면 실망이 크고
바다와 너무 깊으면 풍랑이 큰 법...

흙에서 나온 존재
흙으로 사라지기에

존재에 의미를 부여할수록
공허함만이 밀려올뿐...

떨어지는 낙엽도
바람에 뒹구는 잎새들도
영원히 화려할 것 같은 나비들도
철 따라 움직이는 새들도
때가 되면 다 사라질 것을...

그렇게 그렇게 사라질 존재들...
화폭으로나마 이 땅에서 영원하기를...

−김소현, 〈무의미(無意味)〉 전문

§

셋째, 신에게 화가 나 있는데 그것을 참고 억지로 감사한 듯 가면을 쓰는 것도 교만이다. 화가 나면 울부짖어라. 신에게 직접...
단, 인간에게 신에 대한 원망을 한다면 신께서도 인격체이기 때문에 험담 밖에 안 된다. 당신의 격분을 신에게 직접 토하라.
신은 그것을 받아줄 수 있기 때문이다.

O God,
당신께서 제게 들려주신 말씀이 있습니다.
"누가 아들이 떡과 생선을 달라는데 돌과 뱀을 주겠느냐? 너희가 악한 자일 지라도 좋은 것을 자식에게 줄줄 아는데 하물며 하늘 아버지가 구하는 자에게 좋은 것으로 제가 구한 것은 떡이지 되풀이되는 강퍅함이 아니었고, 제가 구한 것은 생선이지 하늘의 냉정함이 아니요, 좌절의 늪에 빠진 저에게 아예 견딜 수 없이 굳게 만들 용암을 부어 달라 하지는 않았습니다. 뿌리치고 싶고, 외면하고 싶어도, 미워도, 못나도, 많이 부족해도 전 엄연한 당신의 핏줄이고 칠흑 같은 절망 속에서 죽음을 맞게 될지라도 그리고 죽음 그 이후에도 전 당신을 아버지라 부르겠나이다. 사랑받은 아이가 사랑하며 산다던데 당신의 냉정함 속에 사랑을 구걸하는 저 자신이 벼락 맞은 나무처럼 속은 시커멓게 타버리고 마음은 두 갈래로 찢겨 비참하지만 사랑도 축복도 없는 빈자리에 오직 역사하심만을 믿기에 힘을 내어 다시 한번 기도드립니다. 광야 40년 고통과 슬픔과 번뇌의 길..., 부디 가나안 땅으로 인도하시어 당신의 무한하신 축복과 사랑이 차마 눈을 뜰 수조차 없는 광명이 되어 부어주소서.

넷째, 훌쩍 떠나고 싶은가? 소리쳐 울고 싶은가?
쇠사슬처럼 묶인 원치 않은 책임감들에서 벗어나고 싶은가?
세상이 아닌 내가 진실로 원하는 것을 하고 싶은가?
지금 당장 하라. 참으려고 애쓰지도 말고...
스트레스가 쌓이면 어차피 파멸이나 죽음뿐이다.
아무리 참고 노력해도 악조건의 상황들이 변하지 않는다면 오히려 박차고 일어나 하고 싶은 일을 하라. 인내는 시간에 맡겨 버리고...

다섯째, 솔직하지 않은 인간들은 맺어보았자 더 큰 실망과 상처로 다가온다. 이 실망이 지나치면 그들은 악의 바이러스로 돌변하여 내 영을 파멸로 이끌지도 모른다. 애당초 내 영역 밖으로 쫓아버려라.

여섯째, 다른 인간들 부러워 말라. 당신이 부러워하는 타인들의 삶이 실제로 어떠한지는 알 수가 없기 때문이다.

일곱째, 좋은 것이나 계획이 있다면 미루지 말고 당장 시도하라.

특별한 날에만 입을 좋은 옷, 신발, 가방...
고이 간직하고 있는 명품시계, 액세서리...
특별한 날을 위한 고급 와인, 양초, 아로마 향수...
배우고 싶은 것들... 악기, 댄스, 연극, 뮤지컬, 미술, 외국어, 스포츠...
서랍 안에 있는 유럽여행 가이드북과 지도...
사랑한다는 말...
감사하다는 것...
그런 것들을 특정한 날짜에 부여하지 말고, 미루지도 말며, 당장 하라.
오늘이 바로 특별한 날이기 때문이다.

　여덟째, 틈나는 대로 밖으로 나가라.
미지의 영역이라도 영감을 받으면 바로 삶에 적용하라.
변화와 시도는 죽은 나무에도 생기를 불러일으킨다.

　아홉째, 당신의 기분이 어떻든 간에 그 기분이 당신을 지배하지 않게 하라.
그것으로 인해 피해 보는 일인자는 당신 자신이요, 이인자는 당신을 사랑하는 사람들이다. 세상과 타인으로 인하여 붉어진 불쾌한 감정들은 쓴웃음과 당당함으로 제압시켜버리고, 나를 강하게 단련시킬 연마의 도구로 만들어 그것들이 감히 쳐다볼 수 없을 정도로 내 위치를 높이도록 노력하라.

　열째, 당신의 문제부터 해결하라.
자신의 문제도 해결하지 않고 쌓여 있는데 타인이나 다른 일에 눈을 돌려 참견하고 간섭하고 신경 쓴다면 역효과로 당신 자신만 더 피폐해질 뿐이다.
학생이 교수를 가르친다고 듣겠는가?
채무자가 채권자에게 돈을 벌 수 있는 방법을 알려준다면?
노숙자가 부동산 컨설팅을 한다면?

환자가 의사에게 의료지식을 가르친다면?

이는 처녀가 산모의 고통을 얘기하는 것과 같다.

우선 자신에게 처해 있는 문제들을 풀어서 기도하든지, 경청하든지, 책을 읽든지, 상담하든지, 그것부터 해결하도록 노력하라. 사랑도 사랑을 받아 본 자만이 베풀 수 있는 것처럼...

열한째, 인간에게는 절대로 굽실거리거나 의지하지 말라.

하지만 신 앞에선 밑바닥까지 고개를 숙이고 모든 걸 맡겨라.

인생의 해답은 오직 신에게만 있기 때문이다.

다시 한번 말하노니 답 없는 인간들도 모호한 나 자신도 모두 모두 던져버리고 신 앞에 모든 걸 내려놓아라.

§

Emptiness(공허함)

우주의 은하계에서 거대한 행성들에 가리어
존재조차 알 수 없고 소행성의 파편 같은 원초적 공허함...

우주는 아무 말이 없고 간혹 들려오는 굉음만이
텅 빈 마음을 더욱더 인지하게 한다.

무엇인가 채우려고 안간힘을 써보아도
타인들에 의지하여 내가 아닌 내가 되어도
모두 모두 부질없는 것...

버릴 수 없다면 겸허히 수용할 수밖에...

이렇듯 마음을 비우고 또 비우니 삶의 본질적인 의미에 대한
내면의 소리가 무언의 기도로 신께 전달된 듯...

그가 내리신 한 마디...

인간인 우리는 실존적인 자기모순의 돌들이 깨지어
얼음 먼지가 되고 아주 작은 입자가 되어
행성 주위를 공전하는 고리가 되어야 한다.

공허함은 자기 의지로 극복할 수 있는 시간이 아닌
신이 인간에게 부여한 우주의 시간이요
그 속에서 우리는 불완전한 방전이 아닌
완벽한 신의 고리가 되어야 한다.

-김소현, 〈Emptiness(공허함)〉 전문

§

죽음으로의 과정들... '인지적 몰락'의 중요성

반 고흐... 그에게는 심한 정신질환이 있었다고 한다.

그의 자살 원인에 대하여 여러 가지 추측들이 있었지만, 전반적인 의견들을 종합하여 요약하면 '현실과의 괴리감' 그로 인한 '자기로부터의 도피'로써 자살을 선택했다는 것이다. 수많은 자살의 원인이 있었지만, 저자는 특히 이 부분에 중점을 두어 고민하고자 한다. 이는 저자도 직면했었던 그리고 사랑하는 후배의 죽음 안에 결정적인 계기가 되었던 부분이기 때문이다. 또한, 심리학자인 바우마이스더(Baumeister)가 정의한 내용을 토대로 그 과정들을 설명하고 특히 '인지적 몰락'(Cognitive Deconstruction)에 대한 중요성을 강조하고자 한다.

자기 도피 성향은 자기와 관련된 고통스러운 감정과 생각으로부터 도피하기 위해 자살과 같은 극단적인 자기 파괴적 행동을 선택하는 과정이다.

Baumeister(1991)는 정신적 도피 과정을 다음과 같이 6단계로 설명하였다.

첫 번째 자기 불일치의 단계.

개인이 이루고자 하는 기대 수준과 현실 상황의 큰 괴리감으로 자기 불일치가 일어난다. 괴리가 클수록 좌절감도 크고, 다음 단계로 이행되기 쉽다.

두 번째 내부 귀인 단계.

자기 불일치(기대와 현실 간의 괴리)의 원인을 자기 내부로 기인한다. 귀인 양식이 안정적(앞으로도 늘 이렇게 엉망일 거야), 전반적(매사가 왜 이 모양이지)일수록 더 비관적이며, 자기 비난을 하게 되고 부정적인 자아상을 갖게 된다.

세 번째 높은 자의식으로 인한 자기 혐오 상태.

자의식이 높으면 기대 수준도 높기 때문에 현실과의 괴리감을 더욱 견디지 못한다. 따라서 자신에 대해 더 부정적으로 평가하게 되고, 고통스러운 자기 지각이 더욱 첨예화된다.

네 번째 부정적 정서.

자기 혐오로 인해 슬픔, 우울, 불안 등 부정적 정서가 유발된다.

다섯 번째 '인지적 몰락'(Cognitive Deconstruction) 단계.

자기 혐오와 부정적인 정서의 괴로움으로 탈출하고 싶은 욕구가 생긴다.

시간적 조망의 축소... 과거에 대해 부정적으로 생각하고 미래에 대한 계획을 세우지 못한다. 현재의 고통스러운 상황, 정서에만 관심을 갖게 된다.

구체성... 즉각적으로 닥친 현재에만 구체적이고 협소하게 관심을 갖는다.

의미 있고 통합적인 사고를 회피한다.

장기적인 목표의 결여... 현재의 감각적인 경험과 단순하고 기계적인 일에만 주의 집중함으로써 장기적인 계획능력이 결여되고 충동적인 성향을 보인다.

의미의 거부... 자기에게 부여된 여러 가지 생각이나 의미를 제거하여 모든 것을 피상적이고 무가치하게 생각하고, 극단적이고 흑백 논리적인 인지적 경직성을 보인다.

탈억제... 자살 충동을 억제하는 규범과 책임과 같은 높은 수준의 의미들을 무가치하게 여겨 행동에 대한 내재화된 억제력이 약화한다.

수동성 및 무책임성... 자신이 하는 사고와 행동에 대해 자신을 관여시키지 않음으로써 자신이 하는 행동의 책임을 부정하고 자기에 대한 평가를 회피한다.

정서의 결여... 의미에 대한 거부로 그 의미와 결합된 고통스러운 정서를 회피하려한다. 예를 들면, 삶은 의미 있다 → 내 삶은 그렇지 못하다 → 고통스러운 정서 → 의미를 거부 → 고통스러운 정서 회피

환상이나 비합리적인 사고... 사람들과 합리적이고 실제적인 관계를 맺기보다는 환상이나 가상에 빠지고 자기가 처한 삶의 환경에 대하여 비합리적이고 비현실적인 사고를 하는 경향이 있다.

그리고 마지막 단계인 억제력 약화 단계, 자살 충동에 대한 억제력이 약화되고 극단적인 선택을 한다.

인생이란 끊임없는 영적 전쟁이라 해도 과언이 아니다. 특히 영적 전쟁의 대상은 자기 자신과의 싸움이 전반적이다. 20세기 프랑스의 소설가이자 평론가인 앙드레 모루아는 "자기 자신에 대해 곰곰이 생각하는 사람은 불행해질 수 있는 수많은 이유를 항상 발견한다."라고 말했다.

즉 '불행의 책임은 바로 나 자신'이라는 것이다. 살아있는 한 불행을 찾을 수 있는 요소들은 너무나도 많다. 인생 자체가 고해(苦海)이기 때문이다.

하지만 **고통의 바다라 할지라도 그 안에서 우린 진주를 찾을 수도 있고 보석을 찾을 수도 있다.** 행복도 마찬가지인 듯, 물론 이 고통 속에서 행복을 찾는다는 것은 바닷속에 숨겨진 보물을 찾는 것과 같이 매우 어렵고 힘들다. 하지만 찾고자 하는 의지만 확고하다면 보물을 찾지 못했어도 찾은 것이나 다름없다. 이러한 과정들이 하나하나 모여 인생이라는 것이 만들어지기 때문이다.

"행복하다고 믿어야 한다.
그렇지 않으면 행복은 결코 오지 않는다." -맬러크

"태양은 잠들지만 불행은 잠들지 않는다." -볼테르

"어느 날 마주치게 될 불행은
우리가 소홀히 보내버린 지난 시간에 대한 보복이다." -나폴레옹

최악의 상황들을 최고를 위한 도구로...

지방의 어느 한 초등학교

키도 작고 유난히 왜소한 한 소년이 있었다.

그 아이는 늘 일찍 등교하여 주변을 깨끗이 정리하고 시키지도 않았는데 청소든 어떠한 궂은일이든 열심히 했다. 수업시간에는 선생이 긴장할 정도로 매우 열정적이고 진지했다. 주변의 교우들도 잘 보살펴주고 정도 사랑도 많은 아이 같았다. 그 아이는 특히 과학 분야에서 뛰어난 능력을 갖추고 있었고, 과학 시간에 제출한 발명품들을 보면 초등학생이 만든 것이라 믿기지 않을 정도였다.

'전국학생 과학발명대회'에 대한 공고가 나던 어느 날, 그 학교 교장선생은 그 아이가 이번 대회에 출전할 것을 담임선생에게 당부하였고, 선생은 그 아이를 불러 대회전까지 방과 후 2시간씩 자신이 직접 지도할 테니 대회에 출전할 것을 권유하였다.

그 아이는 한동안 머뭇거리더니 말하기를 "수업이 끝나면 어머니의 일도 도와야 하고 동생들도 돌봐야 하는데 어머니에게 우선 여쭤보고 말씀드리겠습니다."라고 하자, 선생은 "매사에 이렇게 성실하고 착한 성품을 보면 부모님은 분명 훌륭하신 분이시고 흔쾌히 대회 출전을 허락할 거야."하며 자신 있게 말했다.

그 아이는 "저... 드릴 말씀이 있는데..."하며 살며시 얘기를 꺼낸다.

"저희 아버지는 전혀 훌륭한 분이 아닙니다. 어머니께서는 작은 밭에 배추, 고구마, 감자 등을 심어 그것들이 자라면 장에 팔고, 새벽이면 산에 올라가 나물을 캐어 팔며, 틈나는 대로 일을 하세요. 그러나 아버지는 전혀 일을 하신 적이 없고 오히려 어머니로부터 강제로 돈을 빼앗아 술을 마셨으며, 만취되어 집으로 돌아오면 온갖 욕설과 함께 닥치는 대로 주변의 물건들을 부수고 던지며 심지어 어머니와 저희를 사정없이 때리기도 했습니다. 눈이라도 마주치면 반항한다고 때리고 말리시는 어머니에게도... 늘 입에는 욕 아니면 불평불만이었고 툭하면 시비를 걸어 가족뿐만 아니라 주변의 모든 이들과 싸울 일들만 만듭니다. 사랑도 정도 전혀 없으며 대화라는 것이 통하지 않아요. 그런 아버지라는 사람을 보며 전 결심했습니다. **그와 반대로 살리라...** 남들보다 더 많이 배우고 노력하여 가족도 남들도 도와주고, 좋은 말들로 사람들과 함께하며, 서로 사랑하고 아껴주며 기쁨과 감사함으로 살겠노라고...”

그 아이는 커서 컴퓨터, 전자 관련 기업 대표이자 농·어촌 청소년 장학재단 이사장이 되었다.

이 세상이 공평하지 않은 건 누구나 다 알고 있는 사실이다. 삶에 있어서 선택할 수 없는 것이 많다는 것도... 특히 어린 시절에 겪었던 가난하고 비참했던 환경과 상황들... 하지만 과거에 얽매이거나 현재의 나쁜 상황들을 자포자기식으로 수용한다면 최악의 조건들로 생을 마감할 것이다.

“내 인생은 한 번뿐이고, 나 자신도 한 명뿐이다.
 있는 그대로 수용할 것인가 아니면 나답게 바꿀 것인가
 여기에 인생의 성패가 달려 있다.”

“수소와 산소로 물이 만들어지듯,
 최악의 상황들에 대한 거절과 불도저 같은 의지가 곧 운명을 만든다.”

§

꿈이 되어 질 현실에서

어젯밤 꿈에 고래가 되어 드넓은 바다를 헤엄치며 다녔어.
깨어보니 꿈이더군...

고래도 인간인 내가 되어 꿈꾸고 있는 건 아닐까...

우리는 인생의 여정을 끝이 안 보이는 듯 항해하지...

하지만 천국에서 가끔씩 꿈을 꾸게 될 거야...
우리가 겪던 삶들을...

이것이 부디 악몽이 아니기를 ...

-김소현, 〈꿈이 되어질 현실에서〉 전문

§

자학의 시초... 완벽주의가 가져오는 자기 파괴의 과정들

"자넨 뭘 해도 완벽해, 빈틈이 없어." 이런 말이 듣기 좋은가?

만일 당신의 완벽함이 타인의 평가나 인정을 위한 것이라면, 이러한 노력들은 결국 강박증으로 이어져 숨조차 제대로 쉴 수 없는 조급함과 불안, 초조함 그리고 극도의 예민함이 되어 인생의 참다운 행복과 자유를 빼앗아 갈 것이다.

사회는 우리로 하여금 완벽함을 요구한다.

기초인 가정에서부터 학교, 직장, 사회 전반에 걸쳐서...

하지만 이러한 요구들로부터 자유롭지 못하고 그대로 자기 안에 수용하려 한다면 인간이기에 올 수 있는 실수, 한계, 불완전함을 용납하지 못해 스스로 분개하여 자기 혐오, 자기학대까지 이어질 수 있다. 이러한 자기비하의 과정들이 강박적으로 이어진다면 결국은 인생 자체를 포기하고자 하는 마음마저 생길 수 있다.

따라서 **완벽주의는 불완전한 자신을 학대하여 완벽함을 추구하려는 불가능한 노력**이요, 인생 자체를 무의미한 스트레스로 만드는 것이며, 불필요한 요구들을 과도히 받아들임으로써 본인 스스로에게 치명적인 질병들을 발생시키는 원인이 된다. 또한, 타인의 평가나 인정을 위한 완벽함의 추구는 자기 자신의 창조적 능력과 주체성을 소멸시키고, 자기 성장과 발전을 저해하며, 인생에서의 참다운 행복과 자유 그리고 자기만족을 얻을 수 없게 만든다.

그렇다면 완벽주의라는 강박적 습관을 없애기 위해 우리가 노력해야 할 것은 무엇인지 이에 저자는 이러한 방법들에 대하여 아래와 같이 몇 가지를 제시하고자 한다.

첫째, 인간은 불완전한 존재임을 인식하고 완벽함보다는 최선을 다하는 데 초점을 두어라.

둘째, 비현실적인 이상을 품어 인생 전반을 좌절과 어둠으로 물들이지 말고, 자신의 능력에 맞는 실현 가능한 이상을 품어라. 만일 자신의 꿈과 이상이 현실과 비교하여 괴리감이 너무 크다면 실패의 연속에 좌절하지 않겠다는 각오를 확실히 하라. 즉 **실패에 대해 두려워하지 말고 계속해서 도전한다면 비현실적인 이상도 현실이 될 수 있다.**

셋째, 타인을 만족시키려는 욕구에서 벗어나 자신을 만족시키는 삶으로 초점을 맞춰라. 주변에서는 지나치게 무모하고 무리한 것들을 요구하며 당신을 압박할 수 있다. 그들이 직접 고심하고 수고하는 것이 아니기에 이러한 무리수를 당신에게 전가시켜 완벽하게 처리할 것을 요구할 것이다.

당신이 슈퍼맨이 되기를 바라는 타인들에게서 벗어나 당신에게 맞는, 당신이 최선을 다하고 잠재력을 발휘할 수 있는, 당신이 최상으로 만족할 수 있는 그러한 것들을 계획하고 추구하라.

넷째, 자신이 원했어도 일이 계획대로 되지 않았다면, 억지로 그 일을 완벽하게 처리하려 하지 말고, 한발 물러나 깊이 생각하고 마음을 가다듬으며 기분을 전환할 수 있는 시간과 여유를 가져라. '급할수록 돌아가라.(욕속부달(欲速不達)'이라는 말처럼 쉽게 해결될 수 있는 일들을 조급하고 완벽하게 처리함으로써 도리어 모든 것을 무모하고 무분별하게 만들지 말고, 가장 쉬운 것부터 찾아내어 하나하나 매듭을 풀어가라. 삶도 마찬가지... 모든 것을 완벽하게 마침표로만 끝내려 하지 말고, 때로는 쉼표로, 때로는 느낌표로, 때로는 여유로움과 내려놓음을 적절히 적용하여 삶의 무게를 줄이고, 하는 일과 삶 자체를 기쁨으로 만들어라.

고여 있는 물은 썩기 마련이다. 아무리 깨끗한 물로 채운다 해도 흐르지 않으면 썩게 되는 법, 완벽주의가 이처럼 고여 있는 물과 같이 우리의 몸과 마음을 썩게 만들 수 있다.

"완벽함이 아닌 몸과 마음을 순리(順理)대로 움직인다면
흐르는 물처럼 인생도 유유히 흐를 것이다."

물 만난 물고기

어느 드넓은 바닷가...

한 무리의 물고기 떼를 발견하였다.

혼탁하고 더러운 물 안에는 착한 물고기, 사악한 물고기, 이기적인 물고기, 어리석은 물고기, 매정한 물고기, 욕심 많은 물고기, 분노에 찬 물고기 등 제각기 다른 성향의 물고기들이 살고 있었다.

착한 물고기의 몸은 늘 상처투성이였다.

크고 사나운 물고기들이 그 무리를 공격하면 다른 물고기들의 강압으로 늘 죽음을 각오한 희생을 해야 했고, 착한 물고기 또한 신념과 책임감이 강하여 이리저리 뜯기고 찢겨도 무리를 지키기 위해 온몸을 내던져 싸웠다. 착한 물고기의 끈질긴 대항에 지쳐서 매번 크고 사나운 물고기들은 혀를 차고 물러나곤 하였다.

기진맥진하여 다시 무리 안으로 들어오면 이번에는 같은 무리의 다른 물고기들로부터 공격을 받는다.

사악한 물고기로부터 속임을 당하고, 이기적인 물고기로부터 상처를 받으며, 어리석은 물고기로부터 놀림을 당하고, 매정한 물고기로부터 버림을 받으며, 욕심 많은 물고기로부터 이용을 당하고, 분노에 찬 물고기로부터 늘 스트레스를 받는다.

그러한 고통의 삶들이 패턴으로 고정되려던 찰나에 엄청난 큰 소용돌이가 왔고, 착한 물고기를 포함한 모든 무리가 그 속에 빨려들게 되었다.

그 속에서 가까스로 빠져나온 착한 물고기... 이번에는 큰 파도에 휩쓸리고 밀리어 어디론가 떠내려가게 되는데... 한참 정신을 잃고 깨어 보니 그 주위에는 다른 새로운 무리의 물고기들이 착한 물고기 주변을 맴돌며 간호하고 기도하는 것이었다.

깨어난 물고기를 보고는 모두 한결같이 기뻐하고 환한 웃음을 지었다.

착한 물고기는 난생처음으로 정(情)과 행복을 느꼈다.

수면 위에 비친 파란 하늘, 더럽고 혼탁한 물에서 어두운 무리와 함께 있다가 이곳에서 처음으로 맑은 하늘을 보게 된 것이다.

서로 사랑하고 서로 아껴주는 그 새로운 무리 위에는 맑은 물이 있었고, 그 위에는 맑은 하늘이 있었다.

제대로 물을 만난 착한 물고기는 맑은 물은 휘저어 다니며 자유와 행복을 맘껏 누린다.

"전화번호부를 뒤져 전화를 걸고 차로 공항까지 데려다 달라고 부탁하라. 데려다주는 사람이 당신의 진정한 친구이다. 나머지는 나쁜 사람이 아니라 그저 지인일 뿐이다." -제이 레노

"여러분과 리무진을 타고 싶어 하는 사람은 많겠지만, 정작 여러분이 원하는 사람은 리무진이 고장 났을 때 같이 버스를 타 줄 사람입니다." -오프라 윈프리

"별을 볼 수 있는 건 어둠 때문이다.
태양 빛에 가려진 별들은 존재조차 알 수 없다.
절망과 좌절의 연속은
당신을 별로 만들기 위한 어둠일 뿐이다."

"독설은 잊어버리고, 상처는 씻어 버리며, 분노는 잠재워라.
절제는 고통을 해결하기 위한 최선책이고,
침묵은 다툼을 해결하기 위한 최선책이며,
포용은 한계를 뛰어넘을 수 있는 최선책이다."

"꿈을 향해 달리는 길은
깊은 낭떠러지에서 외줄을 타는 듯한 외로움과 번뇌의 연속이다.
그 길에 다다르면 타고 왔던 외줄은 보이지 않지만,
앞에 또 다른 외줄이 기다리고 있다.
거침없이 올라타면 이루어질 것이고,
안주한다면 낭떠러지로 떨어질 것이다."

"지나친 자기비하는 죽음의 지름길로 인도하고,
지나친 자부심은 인간관계의 파괴를 초래한다."

"과거는 이미 흘러갔고, 미래는 알 수가 없으며,
오늘은 그 자체가 실제이다."

"방법이 있다면 걱정하고,
방법이 없다면 걱정하지 마라."

"타인들을 부러워 말라.
당신이 부러워하는 이들의 삶이 실제로 어떠한지는
결코 알 수 없기 때문이다."

"당신의 기분이 어떻든 간에 그 기분이 당신을 지배하지 않게 하라.
그것으로 인해 피해 보는 일인자는 당신 자신이요,
이인자는 당신을 사랑하는 사람들이다."

"사랑도 사랑을 받아 본 자만이 베풀 수 있다."

"불행의 책임은 바로 나 자신이다."

"과거에 얽매이거나 현재의 나쁜 상황들을 자포자기식으로 수용한다면
최악의 조건들로 생을 마감할 것이다."

"내 인생은 한 번뿐이고, 나 자신도 한 명뿐이다.
있는 그대로 수용할 것인가 아니면 나답게 바꿀 것인가
여기에 인생의 성패가 달려 있다."

"수소와 산소로 물이 만들어지듯,
최악의 상황들에 대한 거절과 불도저 같은 의지가
곧 운명을 만든다."

"완벽주의는
불완전한 자신을 학대하여 완벽함을 추구하려는

불가능한 노력이다."

"당신이 슈퍼맨이 되기를 바라는 타인들에게서 벗어나라."

"실패에 대해 두려워하지 말고 계속해서 도전한다면
비현실적인 이상도 현실이 될 수 있다."

"모든 것을 완벽하게 마침표로만 끝내려 하지 말고,
때로는 쉼표로, 때로는 느낌표로,
때로는 여유로움과 내려놓음을 적절히 적용하여
삶의 무게를 줄이고, 하는 일과 삶 자체를 기쁨으로 만들어라.

"완벽함이 아닌 몸과 마음을 순리(順理)대로 움직인다면
흐르는 물처럼 인생도 유유히 흐를 것이다."

Chaos
of
Thinking

"여럿은 생각을 분산시키고, 혼자는 생각을 왜곡하며,
독서는 생각을 정화시키고, 기도는 생각을 이루게 한다."

Art 19. Thinking deeply

청야(淸夜) 김소현
116.8x91 (LxH,50F) 혼합매체 acrylic on canvas 2017

우리는 무언가 필요한 해답을 얻기 위해 자신의 머리가 아닌 다른 매체나 정보 등에 의지하거나
일반적인 대중의 의견에 동참한다. 하지만 현시대의 사람들에게 절실히 필요한 것은
모든 외적인 요소들을 차단하고 스스로 생각하는 연습을 하는 것이다.
그러한 의미에서 본 작품은 생각의 중요성을 표현하였고, 블루 계열의 통로들을 복잡하게 얽히어
묘사함으로써 깊은 생각들의 흐름과 논리적이고 합당한 사고를 지향하려는 움직임들을 표현하였다.

Art 20. 유레카(Eureka)

청야(淸夜) 김소현 / 90.9x72.7 (LxH,30F) acrylic on canvas 2017

유레카란 그리스어로 "알았다", "발견했다"라는 뜻이다.
유레카의 어원은 고대 그리스의 아르키메데스가 목욕할 때 물이 넘친 것을 보고
무엇인가를 깨닫고 외친 것을 기원을 보고 있다.
본 작품에서는 이 물을 솟구쳐 오르는 거센 물결로 비유하였고,
깨달음까지의 복잡하고 미묘한 시간을 강렬한 푸른색과 대비되는 온화한 색으로 처리함으로써
깨달음의 환희를 더욱더 강렬히 표현하고자 하였다.

Art 21. 청춘의 벽

청야(淸夜) 김소현
90.9x72.7 (LxH,30F) 혼합매체 acrylic on canvas 2017

본 작품은 청춘의 꿈과 현실의 벽 사이에서의 갈등을 표현한 것이다.
끓어오르는 열정과 주체할 수 없는 패기는 젊음의 특권이다.
하지만 현실이라는 벽은 청춘의 꿈을 막아 버린다. 여기서 벽은 현실을 의미하고
벽 속에 새겨진 낙서와도 같은 거칠고 역동적인 선과 획, 점 그리고 추상적인 형태들은
벽 너머의 세계로 탈출하려는 청춘들의 몸부림을 묘사한 것이다.

Art 22. Burnout

청야(淸夜) 김소현 / 53x45.5 (LxH,10F) 혼합매체 acrylic on canvas 2016

바쁘게 살아가는 현대인에게 스트레스는 피할 수 없는 것이 되었다.
현대인의 고질병이라 불리는 번아웃 증후군이란 어떤 일에 지나치게 몰두한 나머지
신체적, 정신적 피로감이 극대화되고, 그로 인해 무기력증, 자기 혐오 등에 빠지는 현상이다.
본 작품은 이러한 심리학적 이론을 토대로 스트레스가 극에 달한
현대인들의 고통스러운 모습을 표현한 것이다.

동양추상 9. 여명(黎明)

청야(清夜) 김소현
47x64 (LxH) 한지(마)에 먹 2017

Workaholic

보이지 않는 두뇌와의 싸움... 경쟁(競爭)
치열한 입시와 입사경쟁...
그 이후 승진까지 순조롭게 진행되었던 어느 대기업 중견간부...

지옥 같은 경쟁들을 몸소 겪어 그 치열함과 냉혹함을 알기에 그 위치
를 유지하고자 그가 인생에서 최우선으로 선택한 것은 '일'이었다.
그에게는 자기의 삶보다 직장이 우선이었고, 친구들보다는 직장에서
의 인간관계를 더 중요시했으며, 자신의 욕구보다는 일을 더 중요시
했다.
사랑하는 이에게 향해야 할 그의 열정적인 눈과 뜨거운 손은 이미
PC 화면과 휴대폰이 접수하였고, 정이 쌓여야 할 곳엔 담배꽁초만이
쌓여갔으며, 건강은 뒷전, 그의 몸 99%는 인스턴트커피와 카페인으
로 구성된 듯하였다.
그의 발걸음은 늘 일을 향해 달려갔고, 그의 머리는 온통 일에 대한
생각 뿐이었다.

'Workaholic'

사회적 병폐가 낳은 희생양인 줄 모르고 그것이 마치 자신이 능력자
이고 자신을 지켜 줄 수 있는 유일한 방법이라고 착각한 결과가 곧
그에게 엄청난 사건으로 다가왔다.

목 디스크가 있음에도 불구하고 적절한 운동이나 치료는커녕, 의사
의 조언을 무시한 채 일을 더 강행하여 결국 디스크가 하반신으로 내

려가 신경 다발을 압박하게 되어 보행장애와 함께 하반신 마비까지 오게 되었고, 위의 통증을 느낄 때마다 겔 타입의 위장약으로 대충 넘기다가 이 증상이 더욱 심해져 상복부 통증, 소화불량, 쓴 물이 위까지 올라오면서 복통이 심해진 구토까지 이르러, 결국 구급차에 실려 병원까지 가게 되었다. 진단 결과 위암 말기에 암세포가 간까지 전이되었는데... 급기야는 손을 쓸 수도 없는 상태까지 이르게 되었다.

공적인 대인관계 외에 사적인 모든 관계를 근절한 상태라 직계가족 몇몇 빼고는 찾아오는 사람들도 없어 그의 병실은 쓸쓸하기만 한데...
그렇다면 그가 끔찍하게 여겨왔던 직장에서는...
그의 상사들은 병문안 대신 계좌로 위로금이나 전달하였고,
그의 동료들은 바쁘다는 핑계로 전화 몇 통뿐,
그의 직장 후배들은 그가 없는 공석을 서로 차지하려고 혈안이 되었다.

그가 지금 어떤 생각을 하고 있을까?
만약에 내가 그라면 이렇게 말했을 것이다.

**"죽음 그 자체도 슬픔이지만,
제대로 살아보지도 않은 채
죽어야 한다는 것은 더욱더 슬픈 일이다."**

일과 조직에 대한 충성을 맹세하는 것은 당신 스스로가 만들어 낸 의무일 뿐이다. 조직은 당신을 통해 최소의 투자로 최대의 효과를 거두는 것에만 목적이 있다. 그리고 조직에 속한 당신의 일들은 일생을 바쳐 충성할 만큼 중요하지 않으며, 조직 역시 당신을 그리 중요하게 생각하지 않는다.

일반적인 이익 사회의 원리상 언제든지 당신보다 더 실력 있는 자가 나타나면 당신의 위치는 사라지기 마련이다.

직장 일이나 사업이 개인적인 삶보다 중요하다는 그릇된 가치관을 버려라.

일에 빠져 있기 전에 이 일이 그럴만한 가치가 있는지를 확인하고, 무엇이 인생의 우선순위인지도 생각하라.

일의 시간을 정하고 그 외의 시간에는 그 날 있었던 일에 대하여 생각하지 말고, **내일의 일을 걱정하여 현재의 시간을 낭비하지 말라.**

과도한 긴장, 스트레스, 조바심, 시간에 쫓기는 행위들을 일체 중지하고, 여유 있게 행동하며, 주어진 순간순간을 즐기고, 시간이나 계획에 노예가 되지 말라. 휴가 때에는 과감히 일을 잊고 철저히 즐겨라. 일과 성공을 유지하기 위한 가장 효과적인 방법은 일과 중 스트레스를 완전히 망각할 수 있는 자신만을 위한 시간을 가지는 것이다. 이러한 시간이 오히려 일에 대한 능률을 향상할 뿐만 아니라 개인적 행보도 같이 병행시킨다. 앞으로 자신에게 주어진 시간이 불과 몇 개월밖에 남지 않았다는 생각으로 인생을 산다면, 매 순간을 놓치지 않고 하고 싶은 것, 원했던 것들을 열정적으로 할 것이다.

"일... 물론 중요한 삶의 일부이다. 하지만 일이 삶의 전부가 된다면,
나무가 되어 우뚝 서서 세상의 아름다움을 만끽하는 것이 아니라,
뿌리로만 남게 되어 어둠 속으로 뻗어갈 뿐이다."

"바쁘게 살면 삶이 황폐해진다는 것을 명심하라" -소크라테스

"속도를 줄이고 인생을 즐겨라. 너무 빨리 가다 보면 놓치는 것은 주위 경관뿐만 아니라 어디로 왜 가는지도 모르게 된다." -Eddie Cantor

"아무것도 없는 것 속에 무진장하게 들어 있는 것이 우주이다." -화엄경

§

새끼 바다사자의 최후

어미 바다사자는 냄새로 그 새끼를 알아보는데
절대로 다른 새끼에게 모유를 주지 않는다
오히려 고함을 지르며 쫓아 버린다
어미 잃은 새끼는 울부짖으며 어미를 찾지만
굶주림보다 더 고통스러운 것은
살아있으되 빙하보다 더 차가운
그들의 매정함 속에서 최후를 맞는 것이다

−김소현, 새끼 바다사자의 최후 〈청야〉 중에서... 2013. 11. 30.

§

자영업을 하던 40대 초반의 한 남자

전반적인 경제적 불황은 그가 경영하던 외식사업에도 큰 영향을 주었다.

계속되는 사업 적자로 인건비를 줄이고 구매비도 줄여보지만, 침체의 늪은 좀처럼 벗어날 수 없게 되었고, 급기야 월세는커녕 공과금도 제대로 납부하지 못하여 전기, 수도, 가스도 끊어질 상황이었다. 부동산에 의뢰해 새로운 임차인을 찾아보지만, 불황의 늪은 중계업계에서도 마찬가지라 회복의 기미를 찾을 수가 없었다.

그러던 어느 날 OO 보험회사 지점장으로 있던 동창으로부터 언 1년 만에 연락이 왔다.

"친구 그동안 잘 지냈나? 요즘 근황은 어떤가? 가게는 잘 되고 있고?"
"오래간만이네, 요즘 사는 게 버겁네... 정신적으로 물질적으로 모두 모두 힘드네, 사실 내 상황은 지금..."
"힘내! 전화상으로만 그러지 말고, 바람 쐴 겸 나와서 술이나 한잔 하자고."

나름 사회적, 경제적으로 안정된 친구와 대화를 해보면, 무엇인가 해결점이 나올 거라고 생각한 그는 만나기로 한 장소에서 친구를 만나 술 한 잔 걸치면서 자신의 힘든 상황을 토로하였다.

"친구! 이런 때일수록 더욱 더 힘내야지, 인생 누가 대신 살아주는 것도 아니고, 그리고... 음... 행여 오해하지 말고 내 말 좀 들어보게. 물론 불황인 건 사실이지만, 자네한테도 문제가 있다고 생각하네. 학창 시절부터 지금까지 계속해서 느껴왔는데 자네는 너무너무 평범했어. 특별한 재능도 없었고, 늘 있는 듯 마는 듯 독특한 개성도 없었고, 그러니 주변에 따라다니는 여자 하나 없었잖아, 외식사업도 이제는 아이디어 시대인데, 자네 성격을 보아서는..."

참조로 그 친구는 그가 어떤 메뉴로 운영을 하는지도 잘 모르고, 단지 그의 성격 하나만으로 전체를 판단하여 위로랍시고 정죄를 하고 있었다.

계속해서 그 친구의 연설이 이어지고...

"아참, 이번에 새 차 뽑았어, 억대가 넘는 외제 차인데, 아는 지인을 통해 30%나 저렴하게 샀네. 형편 나아지면 연락하게. 딜하는 사람 소개해 줄 테니... 자네도 기회 좋을 때 차 좀 바꿔. 없다고 없이 보이면 오히려 더 무시하고 얕잡아 보는 것이 세상 아닌가? 그러니 생각 좀 해보고 연락 주게나. 그리고 말이야, 암보험 상품이 괜찮은 것이 나왔는데, 내 재량으로 기존 보험료에서 약 20% 정도 저렴하게 가입할 수 있다네. 상황도 어려운데 암이라도 걸려봐. 얼마나 비참하겠나. 특히 자네 가족들한테 말이야, 보탬은커녕 짐이 되어서는 안 되잖아. 좋은 상품이니 주변 지인들에게도 소개 좀 부탁하고, 불황일 때 나온 일시적인 기획 상품이니 중단되기 전에 빨리 결정하여 가입하게나."
"음... 미안하네 친구, 사실 기존의 보험들도 전부 해지된 상태야, 현 상황이 나아지면 그때 생각해 보겠네. 그리고 난 그만 일어나야겠어. 하던 일이 있어서..."
"그래, 어서 가봐, 일이 먼저니... 계산은 내가 할게. 어라, 내 지갑... 분명 코트 안 주머니에 넣었는데... 차 안에 두고 온 것 같아... 미안하지만 오늘은 자네가 계산하게. 나중에 만나면 근사한 곳 알고 있으니 내가 대접하겠네."

만남 그 이후, 세상이 싫었던 그는 사람도 싫어지게 되었고, 심지어 자기 자신도 싫어지게 되었다.

20대 중반의 젊은 남녀

카페에서 커피를 마시며 대화를 시작한다.

"전화상으로 얼핏 들었는데 이번에 들어간 회사에서 무슨 안 좋은 일 있었어?"라고 그가 말하자, 그녀는 "난 왜 들어가는 회사마다 이 모양이지, 남들은 좋은 상사 만나 업무 내용도 쉽게 배우고 회사생활도 잘 적응한다는데..."라며 자신의 힘든 상황을 얘기하였다.

"일부 상사들이 나를 직원으로 보지 않고 여자로 보는 것 같아 거북해.
대화할 때에도 위아래 음흉하게 쳐다보면서 말이야. 업무도 많은데 툭하면 잔심부름들을 시켜 업무도 제대로 못 하고, 퇴근 시간쯤 되면 술 한잔하자고 자꾸 재촉해. 약속이 있다고 거절이라도 하면 누구를 만나냐는 둥, 개인 사생활까지도 촘촘히 물어보고, 말을 섞으면 끝이 없을 것 같아 침묵으로 일관해 버리면 다음 날 괜한 업무로 트집 잡아 스트레스를 준다니깐."

그러자 그는 "너 이번이 세 번째 옮기는 거야. 물론 상사 운이 안 좋아 그럴 수도 있지만, 너한테도 문제가 있는 거 아닐까? 오해할만한 행동을 보였으니 그러겠지. 화장을 짙게 했다던가, 짧은 치마를 입었다던가, 남자들이 괜히 그러겠어. 그리고 그들이 너를 무시했다면, 네가 그만큼 노력도 열정도 없어서 그런 거 아니야? 넌 늘 업무보다는 월급에 관심이 많았잖아."라고 말했다.

그의 말을 듣고 잔뜩 화가 난 그녀는 "회사 유니폼 입고 근무했었고, 집에서 회사까지 약 2시간이나 소요되는데 내가 화장할 시간이 어디 있었겠어. 눈 뜨자마자 가기 바쁜데... 그리고 내 상황을 잘 알지도 못하면서 친하다는 네가 어떻게 그렇게 함부로 말해. 너는 회사 생활 짜증 나서 못하겠다는 둥, 과장이 자꾸만 괴롭힌다는 둥 나한테 얘기했잖아. 그럴 때마다 난 적어도 네 편에서 생각하려 했고 좋은 방법들을 모색해 보려 했었는데... 됐어! 친할수록 예의를 지켜야 하는데, 어떻게 남보다 더 못하게 함부로 나를 판단해, 그러는 너는 성격 좋은 거 같니? 늘 부정적이고 남자가 되어서 무슨 불평불만이 그리도 많은지..."라고 말했다.

아름다운 카페는 살벌한 격투기장으로 변했고, 단둘이 오붓하게 즐기려던 심야 영화 예매표는 휴짓조각이 되었으며, 함부로 내뱉은 말들로 인하여 두 사람 모두 마음에 상처만 받은 채 헤어지게 되었다.

서울 소재 IT 부품을 취급하는 한 중소기업에 근무하던 30대 초반의 남자

그의 부모는 시골에서 농사를 짓는 분이셨다. IT 관련 사업이 값싼 노동력과 자재비로 인하여 중국시장으로 몰리게 되면서 국내에서는 대부분의 기업이 수출을 중단하고 수입에 의존하게 되었다. 하지만 내수경기마저 위태로워 기업들의 잇따른 부도가 발생하였다. 그가 다녔던 첫 번째 회사에서 부도가 나서, 경력사원으로 두 번째 회사에 입사하게 되었는데, 입사한 지 5개월쯤 되던 때, 매달 25일에 지급되었던 급여가 회사의 경영악화로 한 달 후에나 지급이 되었고, 급기야는 4개월 동안 급여가 지급되지 않았다. 그 회사 대표는 직원들에게 사과는커녕 회사를 살려야 하니 자기 일처럼 좀 더 열심히 일하라며 매일같이 야근을 시켰고, 재정이 바닥이 난 그는 사장에게 밀린 월급 일부라도 지급해 달라고 부탁하지만, 매번 그 사장은 "내가 지금 좀 바쁘니 나중에 얘기하세."하며 자리를 피하였다. 우여곡절 끝에 소액으로 마이너스 대출을 받은 그는 간신히 생계를 이어나갔고, 시골에 계신 부모님께도 약간의 금액을 송금하였다.

그러던 어느 날, 회사에 채권업자들이 찾아와 사장의 출처를 물어보며 행패를 부렸고, 사장에게 계속해서 연락을 시도해 보지만, 이미 연락처는 두절된 상태였다. 결국, 사장은 엄청난 채무를 뒤로한 채 잠적해 버린 것이었다.

울적한 마음에 오갈 데가 없던 그는 시골에 계신 부모님을 찾아가기로 했다. 어머니는 몸져누워 계셨는데 아들을 보자 기운을 차리려 애쓰시며 힘들게 일어나셨고 "연락도 없이 웬일이니, 식사는 했니?"라며 물어보셨다.

"어머니 어디 아프세요?"
"풍년도 문제다. 수확량이 많아지니 배추 가격이 터무니없이 내려가더라. 작년보다 일은 몇 배로 많아졌고, 수입은 반 이상이나 떨어졌어. 입에 풀칠하기도 어려워 무리를 좀 했더니 허리 통증에 관절염까지... 근데 아들아, 회사에 무슨 일 있니? 네가 보낸 송금액이 점점 줄어든다. 네 아버지도 치통 때문에 식사도 제대로 못 하고 잠도 못 주무셔. 치과에서는 치료해야 한다는데 치료비용이 너무 많이 나와 엄두를 못 내고 있고."

"너무 걱정하지 마세요, 제가 좀 더 보내드릴게요. 병원비 걱정하지 마시고 두 분 다 치료나 잘 받으세요."

"옆집 살던 승철이 알지, 사업이 잘되어서 이번에 사무실 하나 더 오픈했대. 그리고 자기 부모에게 유럽여행을 보내 드렸다는데 두 노친네가 자랑이 이만저만이 아니더라... 그 애한테 한 번 찾아가 보렴. 혹시 아니 너한테 도움이 될지... 그리고 방앗간 집 첫째 딸 은주, 평소에 말도 없이 조용하던 아이가 아주 많이 변했더라. 부잣집으로 시집가더니 귀부인처럼 당당해져서 자기 부모 찾아왔었어. 운전기사도 쩔쩔매며 시중들고, 트렁크에 선물들을 한가득 싣고 와서 주변 어르신들께 나누어 주고 덕분에 나도 영양 크림 하나 받았다. 지관이는 어떻고, 그렇게 말썽만 피우던 아이가 특이한 차를 타고 왔는데 위에 덮개가 없더라고... 스포츠카라는데... 패션 디자이너로 일하는데 연봉도 억대가 넘는대... 난 무슨 영화배우가 온 줄 알았다. 확실히 돈이 사람을 변하게 하나 보다. 너무 실망하지 마라. 너도 언젠가는 풀릴 때가 있겠지."

아들을 위해 위로를 한다고 하지만 그의 부모 얼굴에는 근심뿐이었고 입가에는 한숨뿐이었다.

그는 "어머니 저 먼저 일어날게요. 사실 근처에 볼일이 있어서 잠깐 들린 거예요. 빨리 회사에 들어가야 해요."하며 곧장 일어나 기차역으로 향했고, 서울에 올라가자마자 닥치는 대로 일을 알아봐야겠다고 결심하였다.

그리고 기차에 앉아 하염없이 흐르는 눈물을 감추려고 해져가는 노을빛을 피하여 얼굴을 돌렸다.

괴로움 속에 빠져있다는 것은 정서적으로나 육체적으로 아주 많이 쇠약

한 상태라 무심히 흘려보낼 수 있는 말들이 상한 감정을 더욱 상하게 하거나 고통을 좌절로 이끌 수 있다.

누군가로부터 위로를 원한다면, 더 큰 실망을 얻게 될 수도 있는데, 이유인 즉, 위로 또한 인간의 말이라 상대의 상황에 전적으로 공감하여 조심스럽게 격려해주고 힘이 되어주는 것이 아닌 무심코 내뱉을 수 있는 상대가 기존에 가지고 있던 틀에 박힌 생각들의 일부일 수 있기 때문이다.

또한 대화라는 것은 서로 오고 가는 것이기에 대화중에 자신이 원하는 내용만을 선택할 수도 없고, 상대로 하여금 자신이 원하는 말만 하라고 강요할 수도 없는 것이다. 따라서 자신이 극심한 고통 중에 있다면, 사람들과 만남을 자제하고, 대신에 책을 접하거나 절대자에게 기도할 수 있는 혼자만의 시간을 가져라. 고난을 극복하는 방법, 행복을 위한 마음가짐, 자기계발서, 성공하는 사람들의 비결 등등... 자신에 처한 상황에 맞는 책을 접하게 된다면 저자들이 제시한 글 가운데에서 당신은 당신이 원하는 부분만을 선택하여 삶에 적용할 수 있다. 독서는 오직 당신의 선택에만 달려있기 때문에 불필요한 시간을 없애주고, 고통의 문제에 대한 여러 가지 해결책들을 찾게 해줄 것이다. 그리고 골방에서 조용히 절대자에게 기도하라. 기도는 독백이요, 나의 울부짖음이기 때문에 내 안의 모든 것들을 꺼내어 내가 하고 싶은 말만 할 수 있다.

"진리를 등불로 삼고, 진리에 의지하라. 다른 것에는 의지하지 말라." -불경

§

고독이 주는 의미

고독은 자기 자신의 감정이나 생각으로서
이 세상을 살아가야 한다는 피할 수 없는 진리이며,
그 누구도 느낄 수 없는 자신만의 감정이다.

따라서 고독을 외면한다는 것은
자기로부터의 도피인 것이다.

'피할 수 없다면 즐겨라'라는 말처럼
고독이라는 시간 속에서 진정한 자기의 모습을 발견하고
영혼의 자유함을 느껴라.

고독이라는 귀한 시간을 애써 거부한다면
이 자리는 세속적인 것들과 잡념,
타인을 위한 생각들로만 가득 채워질 것이다.

존재가치를 부여하고 싶다면
고독이 고통이 아닌
내적 성찰이 되어야 한다.

-김소현, 〈고독이 주는 의미〉 전문

평안을 얻기 위한 방법

대체로 우리는 남의 상황이나 입장에 대한 배려심은 많지만,
정작 자기 자신에 대한 예의나 배려는 드물거나 무시한다.

내적 자아의 목소리에 귀 기울여라.
내적 자아는 내 몸이 편하고 내 맘이 편한 것을 원한다.

하지만 늘 외적인 요인들로 인하여
분노하고 아파하고 스트레스를 받는다.

그렇다면 자신의 평안을 얻기 위한 방법들은 무엇인가?

여기에는 크게 2가지가 있다.
단호함과 절제…
자신이 이 두 가지 방법들을 지키고자 노력한다면
내적 자아는 물론 외적인 자아의 행복까지도 얻을 수 있다.

여기서 단호함이란
자신의 의사와는 무관한 외적인 고민거리들을
내 안까지 끌어들이지 않겠다는 거부의 능력도 포함된다.

늘 어떠한 상황이든 남들을 맞추려는 입장보다
내적 자아가 원하는 것을 먼저 파악하라.

-김소현, 〈평안을 얻기 위한 방법〉전문

§

인내와 성공의 새로운 관점

인내... 좋은 말들 무수히 많다.

그만큼 중요하고 지키면서 살아가기가 어렵다는 것이겠지만...

우산을 써도 막을 수 없는 바늘 같은 비를 맞는 듯한 고통의 괴로움들이 되풀이되고 쌓여도 인내하는 자만이 동트는 새벽을 맞이할 수 있다는데...

새로운 관점에서 인내란 어떤 것인지를 제안하고자 참조로 수많은 명언 중 인내에 관한 몇 가지를 나열해 본다.

가장 잘 인내하는 자가 무엇이든지 가장 잘할 수 있는 사람이다. -밀턴

성공한 사람과 실패한 사람 사이의 가장 큰 차이는 인내이다. -존 러스킨

인내는 모든 곤란에 적용되는 최상의 처방이다. -플라우투스

인내는 일을 해 나가기 위한 하나의 자본이다. -H.발자크

인내는 희망을 품는 기술이다. -슐라이엘마흐

인내할 수 있는 자는 그가 원하는 결과를 얻을 수 있다. -벤자민 프랭클린

그대의 마음 밭에 인내를 심어라. 그 뿌리는 써도 그 열매는 달리라. -H.오스틴

인내... 저자는 이를 좀 더 쉽게 접근해 보려 한다.

겨울 설산을 오를 때 강추위로 몸에 무리가 온다면 산행을 멈춰라.

산 정상에 오르면 당신의 모든 걱정이나 문제가 해결된다고 장담하지 않는 이상 억지로 오르려 하지 말고, 그 대신 따뜻한 차 한 잔의 여유로 당신의 몸을 녹일 수 있고 잠시라도 편히 쉴 수 있는 적합한 장소를 찾아라.

정상에 올라가야 한다는 고정관념에서 벗어나 차 한 잔의 여유로 산 전체를 감상하라. 정상에 오르면 산 아래는 볼 수 있겠지만, 그 위로는 하늘뿐...

하지만 중간 정도에서는 산 전체를 볼 수 있다. 그리고 만일 당신이 그 아름다운 경치에 미소를 지을 수 있다면, 정상에 오른 것보다 더 중요한 것을 얻은 것이다.

우리는 무엇인가를 이루고자 태어난 자들도 아니고, 성공하지 못하면 마치 인생의 낙오자로 전락한다는 세상적인 관점에서 놀아나는 장난감도 아니다.

우리는 자유인이고 문명이 만들어낸 성공, 업적, 명예, 성취 등에 우리의 가치를 비교시키지 않겠다는 노력만 한다면 그러한 노력의 과정들이 인내라고 생각한다.

"인내란 세상이 보는 내가 아닌
나 스스로가 내 영을 자유롭게 하려는 의지의 반복이다."

자유함으로 행복한가?
그렇다면 그 행복을 흘러넘치도록 쌓아라.
끝이 보이지 않을 정도로...
그리고 고통받고 있는 자들에게 행복의 전도사가 되어 나누어라.
이것이 **성공**이다.

§

인내(忍耐)

인내라는 한자를 보면

인내의 忍은 마음 심(心)에 칼날 인(刃)이 박힌 모습을 본뜬 글자다.

칼날로 마음을 찌르는 고통을 참아내는 것..
이것이 인내다.

험난한 세상을 사노라면
누구나 가슴에 칼날이 있기 마련이다.

그러한 쓰라림에도 불구하고
계속해서 참고 전진하느냐 아니면 포기하느냐...
거기서 삶이 결정된다.

-김소현, 〈인내(忍耐)〉 전문

❧

궁휼의 힘

처음부터 악을 품고
나온 자는 없으리라...
환경이, 사람이, 예측 불허한 사건들이
하얀 눈을 검은 비로 물들게 했을 뿐...

연약함을 감싸는 마음과 행위는

인간의 깊은 곳에
신이 존재한다는 증거이며
아침의 별처럼 드러나지 않는
겸손함으로 덕을 쌓아
하늘에서 가장 가까운 땅인
산이 되어간다는 것이다.

-김소현, 긍휼의 힘 〈청야〉중에서... 2013.11.30.

"아무리 악인이라 할지라도 긍휼의 마음으로 바라본다면,
어느새 그들은 눈물 맺힌 순한 양이 되어 당신을 따를 것이다."

"알이 부화가 안 된다고 답답해서 깨볼 수는 없다."

말과 행동에 대한 저자의 comment

"잘못을 인정했으면 솔직히 받아들이고 밝혀라.
변명이나 합리화는 퇴보의 지름길일 뿐이다."

"상대가 잘못을 저질렀거나 실수를 했다면
그리고 그것이 계속 되풀이되고 자기 합리화를 한다면
우선 대화를 중단하고 자리를 떠나는 것이
백 마디의 말보다 더 큰 효과를 가져온다."

"자신이 할 수 있는 데까지만 일을 제한하고 가급적 부탁이라는 것을
자제하라.
부탁이 습관화된다면 타인에게 의지하게 되어 나약함을 초래하고
자기발전에도 악영향을 준다."

"불평과 자기 의견을 명확히 구분하라.
당사자가 아닌 다른 이에게 말하는 것은 불평이고,
당사자에게 직접 말하는 것은 자기의 의견이다.
간혹 문제를 일으킨 당사자가 자기 편리 하에
당신의 의견을 불평으로 간주할 수 있다.
그렇다면 대화를 차단하고 다른 방법으로 단호히 대처하라."

"우리는 괴로울 때 그 감정과 상황을 누군가에게 토로하려 한다.
문제는 상대의 말이 들어올 수 없게
자기연민에 빠져 자신의 말만 하게 되는데,
순간적으로 풀릴 수는 있겠지만,
그 괴로움은 계속해서 사라지지 않고
내재하여 있다는 것이다.
괴로움의 고통에서 벗어나기를 바란다면
주의 깊은 경청부터 시도하라."

"두려움이란 자기가 만들어 낸 허상을 합리화시켜
하려는 일을 피하기 위한 변명이다.
이것이 습관화된다면 '패배 근성'에 사로잡힐 것이고,
이것에서 벗어나려면 행동으로 실천해야 한다."

"나약함이란 도전하려는 의지조차 없는 얄팍한 자기 안일이다."

나를 잊고 살아가는 이 시대, 그것이 마치 사회적 윤리이며 도덕적 가치인 것처럼 몰아붙이는 세상의 잣대 그리고 그 속에서 암암리에 희생당하는 우리들의 자화상...

가족에 대한, 타인에 대한, 사회에 대한, 더 나아가 세상에 대한 사랑, 관심, 책임은 있어도 그 속에 '나'는 없다. 그들의 스쳐 지나가는 말 한마디조차 세심히 귀 기울이고 되씹어도 나 자신이 말하는 속 깊은 얘기는 들으려고도 하지 않는다. 그들의 기분에 내 기분까지도 좌우되게 하고, 그들의 상한 감정 때문에 자신의 감정도 상하게 만든다. 그들의 마음을 헤아리고 이해하고자 부단히 노력하지만, 정작 자신의 심정을 헤아리려는 마음은 안중에도 없다. 그들을 만족시키기 위해 원하지 않아도 애를 쓰지만, 나를 위한 만족은 사치라고 여긴다. 그들의 쓸데없는 말과 비위를 맞추느라 자신을 꼭꼭 숨기고, 행여 자신의 말과 행동이 그들로부터 오해나 불만족의 소지가 있을까 봐 내뱉지도 못한다.

에머슨은 「자존감」을 통해 "위대해진다는 것은 오해받는 것이다."라고 말했다. 구태여 남들을 이해시키거나 인정받으려 하지 말고 자기 뜻대로 행하라. 자신의 인격은 세상 그 무엇보다도 가치 있고 소중하다. 고정된 윤리관이나 타인들의 지배적인 생각으로 자신을 무가치하게 전락시키지 말라. 어떠한 경우라도 당신은 자신에게 먼저 충실해야 한다. 이러한 다짐은 **남들의 충실한 개가 되는 불행을 막을 수 있다.** 다시 한번 이 세상에서 가장 중요한 것은 타인이 아닌 바로 자신임을 명심하라.

"자기 자신 이외의 어떤 것도 당신에게 평화를 가져다줄 수 없다." -에머슨 자신에게 물어보아라. 오늘 자신에게 최대한으로 충실했는지...

그렇지 못했다면 하루가 그냥 지나가지 않도록 시계추를 붙잡아라.

그리고 오직 자신의 만족을 위하여 최선을 다하라. 만족했다면 쥐고 있던 오늘을 풀어 버리고 머릿속의 상념들을 모두 없앤 후 깊은 숙면으로 하루를 마감시켜라.

"자신을 돌볼 줄 아는 지혜만 터득한다면
불행, 우울증, 슬픔, 외로움
그리고 최악의 상황인 자살까지도 막을 수 있다."

"스스로를 존경하라. 그러면 남들도 당신을 존경할 것이다." –공자

"하루해가 짧다고 하여 그것을 헛되이 하지 말라.
하루를 버리는 것은 그대 생명을 멸하는 것과 같다." –화엄경

§

행동이 태도를 변화시킨다

머리는 똑바로
눈빛은 강렬하게
입가엔 미소
어깨를 펴고
당당히 걸으며

꼿꼿이 서고 앉아라

이러한 자세는 세상과 자기 자신에게
힘과 자신감을 준다.

부정적인 시각
어두운 얼굴
위축된 자세는
세상과 자기 자신으로부터
버림받을 수 있는 요인이 된다.

이유인 즉, 타인들의 삶도 복잡하고 어둡기 때문에
이런 자세를 가진 이들을 피하기 때문이다.

-김소현, 〈행동이 태도를 변화시킨다〉 전문

⚜

위대한 창조

자신을 최고의 위치에 놓이게 하려면,
필요 하에 대중의 의견을 부분적으로 받아들일 수는 있지만,
전적으로 따르지는 말라.
그들의 의견에 좌우되는 인생이라면,
당신 또한 평범한 그들 중에 하나로만 남게 되기 때문이다.

사람들은 자신들의 방식대로 당신이 행동하기를 바라지만,
그런 그들을 단호히 거부하고, 자기 뜻에 따라 소신 있게 행동하라.

위대한 창조는 타인이 아닌 자기 스스로가 만들어야 하는 것이다.
"어디를 가든 그곳에 내가 있다."라는 말처럼,
자신의 유일성을 확립하라.

이 세상 그 누구도 당신과 똑같은 생각, 마음, 감정들을 가질 수 없기에
자신만이 지닌 강점을 최대한으로 발휘하여
삶이라는 신께서 내리신 고귀한 선물을 직접 꾸미고 다듬어라.

그 과정에는 타인의 평가, 비교, 모방 따위는 전부 필요 없다.
"높이 있는 것을 우러러볼 필요도 없고,
많이 있는 것을 부러워할 필요도 없다."

자신의 삶은 오직 자신의 것이므로,
신께서 하늘과 땅과 바다, 해와 달과 별, 생물과 동물
그리고 사람과 같이 천지를 하나씩 하나씩
아름답고 가치 있게 창조하신 것처럼,
자신의 삶을 최고로 가치 있게 창조하라.

-김소현, 〈위대한 창조〉 전문

§

하고 있는 일에 대한 고찰(考察)

살면서 단 한 번도 법을 어긴 적이 없고, 언제 어디서나 최선을 다했던 한 남자가 퇴근길 버스정거장에서 체포된다.

그가 유죄인 이유...

1961년 이스라엘 예루살렘
온 세계가 지켜보는 법정에 선 50대 중반의 평범한 남자...
그가 말한다.

"도대체 무엇을 인정하란 말입니까? 저는 남을 해치는 것에는 아무런 관심이 없습니다. 제가 관심이 있는 것은 맡은 일을 잘하는 것뿐입니다.
죽음을 향해 달리던 열차...
그 열차를 만든 건 지시받은 업무를 잘 처리하기 위해서였습니다.
저의 열차 덕분에 많은 이들에게 일자리가 제공되었고, 그들의 생계에 도움을 주었으며, 세금도 잘 내었고, 가족도 풍족히 부양할 수 있었습니다."

하지만 그가 고안해 낸 가스실이 설치된 열차, 달리는 기차의 가스실, 죽을 수밖에 없었던 유대인들 그리고 수백만 명의 죽음, 그 죽음의 중심에 있었던 아돌프 아이히만...

법정은 말한다. "당신의 죄를 인정합니까?"
그가 다시 말한다. "나는 잘못이 없습니다. 단 한 사람도 내 손으로 죽이지 않았고 죽이라고 명령하지도 않았습니다. 내 권한이 아니었으니까. 나는 시키는 것을 그대로 실천한 하나의 인간이며 관리였을 뿐입니다."

재판을 지켜본 여섯 명의 정신과 의사들의 판정... "그는 지극히 정상이며, 심지어 준법정신이 투철한 국민이었다."

8개월간 계속된 지루한 재판, 하나둘씩 자리를 떠나는 방청객들, 그러나 재판을 끝까지 지켜본 한 사람인 한나 아렌트는 반박한다.

"그는 아주 근면한 인간이다. 그리고 이런 근면성 자체는 결코 범죄가 아니다. 그러나 그가 유죄인 명백한 이유는, 아무 생각이 없었기 때문이다.
다른 사람의 처지를 생각할 줄 모르는 생각의 무능은 말하기의 무능을 낳고 행동의 무능을 낳는다. 양심의 가책을 느낀 적은 없었나?"

아돌프 아이히만은 말한다. "월급을 받으면서도 주어진 일을 열심히 하지 않으면 양심의 가책을 받았을 것이라고..."
많은 것을 생각하게 하는 사건이다.

저자의 견해는 이렇다.
인간(人間)이란 언어(言語)를 가지고 사고(思考)할 줄 알고 사회(社會)를 이루며 사는 지구 상의 고등동물인 사람이다.
양심(良心)이란 사람으로서 마땅히 가져야 할 바르고 착한 마음이고 자기의 행위에 대하여 옳고 그름, 선악을 판단하고 명령하는 도덕의식이다.
질병으로 인하여 생각할 수 없고, 양심을 느낄 수 없는 것 이외에 인간이라면 사고(思考)할 줄 알고, 양심을 느낄 수 있어야 한다.
월급을 받았으니 시험 삼아 그에게 아니면 그의 가족이나 자식에게 가스 밸브를 open 한 상태에서 열차를 직접 타보라고 지시했다면 그가 과연 그 지시에 따랐을까? 어느 누구도 자기 생명보다 월급을 중요시하지는 않을 것이다.

생명과 연관된 것이 아니더라도 주어진 일이 어떤 것이냐...

그것에는 별다른 관심이 없는 우리의 모습일 수도...

"생각 없이 행함은 결국 무의미함으로 흘러간다.

10 곱하기 0은 0인 것처럼..."

"쇠 녹은 쇠에서 생긴 것이지만 차차 쇠를 먹어 버린다.

이와 마찬가지로 그 마음이 옳지 못하면 무엇보다도 그 옳지 못한 마음은

그 사람 자신을 먹어 버리게 된다." -법화경

"악이란 뿔 달린 악마처럼 별스럽고 괴이한 존재가 아니며

사랑과 마찬가지로 언제나 우리 가운데 있다." -한나 아렌트

§

현실이라는 어둠 속에서 사라져 가는 꿈들

절실히 거부 하고 싶은 것이 있다.

자유로이 비상하려는 새의 발목을 잡는 것이 있다.

폭풍전야의 온화한 바람은 감추고 있던 깊은 내면의 감성들을 표출시키지

만, 무책임하게 스쳐 지나갈 뿐, 감고 있던 두 눈을 무겁게 들어 올리면,

반갑지도 않은데 어김없이 찾아오는 것이 있다.

현실(現實)이라는 것...
꿈꾸는 자에게는 수백 번 울리는 알람 타이머,
사랑에 빠진 자를 더욱 비참히 만들고,
진리를 향한 펜을 바꿔 버리고, 붓을 꺾어 버리는,
인간의 마음을 검은 먹구름으로 뒤덮은 문명의 창살...

꿈을 위한 현실이 아닌 현실을 위한 현실이 되어가는 것은
어릴 적부터 경쟁에서 밀리면 형제들에게 죽임을 당할 수 있는 하이에나의
독기 어린 눈빛과 같이 살벌하기만 한데...

하지만...
현실에도 아랑곳하지 않고 유유히 흐르는 강물과
지구촌 인간들이 마치 신이 된 양 만들어 낸 형형색색의 불빛들을 순식간에
꺼버리는 태양과 그럼에도 불구하고 타협하지 않는 그들이 부러울 뿐이다.

⚜

"천천히 서두르면 곧 목적지에 도착한다." -밀라레파

"희망은 절대로 당신을 버리지 않는다. 다만 당신이 희망을 버릴 뿐이다." -리처드 브리
크너

⚜

사람이 사는 무인도

육(肉)은 있으되 혼(魂)이 없는 무인도에는
하늘도 있고 부자도 있고
땅도 있고 가난한 자도 있고
바다도 있고 지배하는 자도 있고
나무도 있고 순종하는 자도 있고
꽃도 있고 잘난 사람도 있고
잡초도 있고 못난 사람도 있다.

태양은 있으되 온기(溫氣)가 없는 무인도에는
아이들의 웃음소리가 작아지고
가장들의 한숨 소리가 커져가며
청년들의 술병만 늘어간다.

먹을 것은 넘쳐나는데
인간의 정(情)에 왜 이리 굶주린 지...
겨울이 시작되는 밤공기가 차가우면서도 서럽다.

-김소연, 사람이 사는 무인도 〈청야〉중에서... 2013.11.30.

§

상처... 유무에 대한 결단력은 오직 자신뿐!

"상처를 계속해서 되씹고 그로 인한 분노에 사로잡힌다면,
상처는 절대로 지워지지 않고
어디를 가든 따라다니며 당신을 괴롭힐 것이다."

30대 초반의 어느 직장여성

그녀에게는 신체에 대한 콤플렉스가 있었는데, 그것은 자신이 못생겼고 뚱뚱하다는 것이었다.

어느 날, 그녀의 상사가 그녀에게 다가와 화를 내며 말했다.
"일을 도대체 어떻게 한 거야? 사업계획서 초안을 작성하라고 했는데, 초등학생 글짓기도 아니고 프로젝트에 대한 details가 전혀 없잖아. 매사가 다 그 모양이니 자기 몸 하나도 제대로 관리 못 하지."
이윽고 스트레스로 쌓인 그녀의 콤플렉스는 걷잡을 수 없는 상처가 되어 터지고 말았다. 울분을 참지 못한 그녀는 다급히 친구에게 연락하여 만나자고 한다. 상사에 대한 증오, 비난, 원망, 분노가 퍼레이드와 같이 이어지고, 반복되는 그녀의 말에 견디다 못한 친구는 핑계를 대며 자리에서 일어났다. 버스를 타고 집으로 오면서도 계속해서 그녀는 상사의 발언에 분을 참지 못했고, 집에 돌아온 후에도 그 생각 때문에 잠조차 제대로 청할 수가 없었다. 아침이 되자 토끼 눈이 되어버린 그녀는 다시 회사로 향했고, 그만 차 안에서 깜빡 졸다가 정거장을 놓치게 되었다. 서둘러 택시를 잡아 회사로 향하지만, 가는 길마다 신호에 걸려 출근 시간에서 한 시간이나 늦게 회사에 도착하였다.

이번엔 다른 상사가 그녀에게 고함을 지른다.

"자네 정신이 있나? 지금 어느 때인데 1시간이나 지각을 해. 자네가 할 일 신입인 OO 씨가 하잖아. 후배한테 좀 배워. 그 사원은 남들보다 20분 정도 일찍 출근하여 주변정리도 하고 매사에 빈틈도 없고 말이야." 이번에 입사한 신입사원은 날씬하고 예뻤을 뿐만 아니라 똑똑하기까지 했다. 그 상사 또한 외모 때문에 자신을 무시한 것이라고 생각한 그녀는 퇴근 후 이번에는 다른 친구를 불러 울분을 토해낸다. "너희 회사 왜 그러니? 남자들은 다 속물이라니깐... 그렇게 외모로 사람을 차별하는 회사라면 당장 그만둬."라고 친구가 말하자, 그녀는 "그래 이런 직장에서 스트레스 받으며 병나느니 기분 전환할 겸 여행이나 다녀와야겠어."라고 답한다.

다음 날 아침, 그녀는 상사에게 사직서를 제출하였고, 퇴사 이유를 묻자 "내가 뚱뚱하고 못 생겨서 당신들이 나를 무시했고 함부로 대했잖아."라고 말하고 싶었지만, 수치심이 더 드러나는 것 같아 차마 그렇게 말은 못하고 "말 못 할 개인 사정이 있고, 몸도 안 좋아 쉬어야겠다."며 말을 돌렸다.

"사정이 있다니 할 수 없군, 참조로 회사에서 강요한 것도 아닌 자발적인 퇴사이기 때문에 고용보험은 적용이 안 되네."라고 그녀의 상사는 말했다.

그녀는 계획대로 여행을 떠났다.

그녀의 계획은 양평에 사는 이모한테 찾아가 하루, 홍천에서 리조트에 근무하는 친구를 만나 그곳에서 하루, 부산에 내려가 태종대를 보며 안 좋았던 기억들을 거센 파도에 흘려보내고, 해운대에서 아침 해를 맞이하며 미래를 계획하고, 부산에서 제주행 유람선을 탄 후 제주도에 있는 사촌 언니, 오빠들을 만나 2~3일 정도 머물렀다가 서울로 올라오는 것이었다.

문제는 사람과 장소만 바뀌었지 대화의 내용은 동일하게 상사에 대한 분노, 원망뿐이었다. 좋은 경치도 그냥 지나쳐 버렸고, 산을 보아도 바다를 보아도 계속 그 생각뿐이었으며, 기분전환은커녕 상처의 골만 더욱더 깊어지게 되었다.

악순환은 계속되었고, 급기야 그녀의 남자 친구와도 헤어지게 되었다.

이유인즉, 되풀이되는 그녀의 말에 참다못한 그녀의 남자 친구가 "야! 이제 그만해, 지겹다. 그렇게 화가 나면 다이어트도 하고 성형도 생각해봐. 너무 자신을 가꾸지 않아도 남들 보기에는 초라하고 게을러 보여."라고 말한 것이고, 이에 그녀는 "그래 남자들은 다 똑같아, 너라고 별수 있겠어. 너도 언젠가는 내 곁을 떠날 텐데, 괜한 시간 허비하지 말고 그래 헤어져."라고 말한 것이다.

배르벨 바르데츠키의 「너는 나에게 상처를 줄 수 없다」라는 책 중에 이런 내용이 있다. "누군가 나의 마음을 상하게 하는 것을 그냥 덮고 지나가지 마라. 그리고 다른 사람들의 칭찬과 인정에서 나의 가치를 찾으려고 해서도 안 된다. 나는 누구보다 소중한 사람이다. 열등감도 있고 단점도 많지만 좋은 사람을 만나고 좋은 관계를 만들어 갈 수 있는 충분히 괜찮은 사람이다. 그러니까 내가 허락하지 않는 이상, 너는 나에게 함부로 상처를 줄 수 없다는 단단한 마음을 갖고, 삶을 헤쳐 나가길 바란다."

자신을 남과 비교하여 남보다 못하다고 생각하는 순간, 행복은 저만치 멀어진다. 자기 자신에 대한 확신과 자신감이 없기 때문에 행복을 향해 과감하게 달려가지 못하고, 타인들의 말과 행동에 휩쓸려 되풀이되는 상처로 자기를 더욱더 비하하며, 인생 자체를 불행하게 만든다. **운명을 바꾸는 열쇠는 바로 자신에게 있다.** 그렇기 때문에 다른 이들의 말과 행동에 자신을 희생시키지 말고, 그들을 향해 당당히 맞서라.

예를 들면 첫 번째 상사나 남자 친구에게는 "공개 사과를 하지 않으면 타인의 신체에 대한 비판도 엄연히 성희롱에 해당하니 강경하게 조치하겠다."라고, 두 번째 상사의 경우 "지각에 대한 충고는 받아들이지만, 타인과 비교하여 섣부르게 판단하는 것은 분명 잘못되었고, 앞으로 이러한 일이 또 있게 된다면 회사에 정식으로 이의를 제기하겠다."라고...

**"상대방으로부터 화가 났다면 그 즉시 화가 난 이유를 강하게 전달하되, 절대로 화를 내지는 말라.
감정이 섞이게 되면 해야 할 말들을 놓칠 수 있고,
그 화에 자기 자신만 희생될 뿐이다."**

그럼에도 불구하고 직장을 그만두게 되는 상황이 오더라도, 비단 이 일뿐만 아니라 다른 어떠한 과거의 일이라도, 배우고 깨달아서 실생활에 도움이 되는 것 이외에 모든 불필요한 과거는 지워버려라. 만약 누군가가 당신에게 잘못을 저질렀다 하더라도 미워하지도 말고, 회상하지도 말며, 애써 용서하지도 말라. 쓰레기를 뒤져 보았자 악취뿐이기 때문이다.

가족… 우유부단함을 초래하는 희생의 덫

정신과 치료를 받은 대부분의 환자들은 가족들과의 문제가 많았다고 한다.

일반적인 지식을 통하여 세상사에 대처하는 법이나 자기관리는 어느 정도 연마할 수 있겠지만 가족과 관련된 일에 대해서는 대부분이 무기력해질 수밖에 없다. 가족이란 우리의 인생에 기쁨과 안락과 희망을 줄 수도 있지만, 억압, 가중한 책임감으로 인한 자유의지의 상실, 원하지 않는 일, 꿈을 포기하는 것 등 불행의 씨앗이 될 수도 있다.

가족들은 또한 서로를 소유물처럼 생각하므로 그 속에서 자신의 주체성을 지키기가 어렵게 될 수 있고, 자기가 하고 싶은 일을 망각할 수 있게 된다. 그렇다고 가족의 연을 끊으라는 것은 아니다. 단지 혈연에 휩쓸리거나 가정을 지켜야 한다는 이유로 자신의 신념이나 행복까지 포기하지는 말라는 것이다.

아래의 글은 가족이라는 이유로 우유부단함을 초래한 희생의 예를 든 내용이다.

30대 초반의 직장여성

음악과 무용에 재능이 많던 그녀의 꿈은 뮤지컬 배우나 현대 무용가였다.

하지만 1남 2녀의 장녀인 그녀는 가정형편이 안 좋아 꿈을 포기해야 했고, 고등학교를 졸업하자마자 취업을 하여 가족 생계에 보탬이 되어야 했다. 중소기업에 취업한 후, 그녀는 적성과는 무관한 경리, 회계 업무를 맡게 되었고, 대졸 출신의 사원들과 비교하여 급여도 상당히 적었으며, 승진도 거의 불가능했다. 입사한 지 5년, 그녀의 평균 급여는 약 150만 원 정도였다. 직장에서 집까지 출퇴근 시간만 약 3시간이 소요되어 할 수 없이 회사 근처의 작은 고시원에서 숙식을 해결하였고, 매월 말일 급여를 받게 되면 약 80~100만 원 정도를 한 번도 거르지 않고 집에 송금 하였으며, 고시원 월세 30만 원을 빼면 약 20만 원 정도로 빠듯하게 생활을 해야 했다. 그러니 먹고 싶은 것 제대로 먹지도 못했고, 사고 싶은 것 제대로 사지도 못했다. 심지어 친구들을 만나 영화 한 편이라도 제대로 못 보는 상황이었다. 과중한 업무, 직장에서의 스트레스, 책임에 대한 강박증, 결핍된 영양 상태로 인한 건강 악화, 학력 및 사회적 위치로 인한 열등감 등... 한 마디로 '왜 태어났는지' 존재감마저도 혐오스럽게 여겼다. 이는 참으로 그녀에게 아주 심각한 문제였다. 우울증이라도 생기면 자신의 삶을 비관할 수도 있고, 가족에 대한 원망이 증폭되어 분노와 증오로 인생을 망칠 수 있다.

예를 들면 5년 동안 가족을 위해 지출한 금액만 환산해 보아도 약 5천만 원 정도이고, 이 자본이면 원하지 않은 직장 일을 그만두고 새로운 사업을 시작하거나 포기했던 자신의 꿈을 다시 찾기 위해 공부를 시작할 수 있었다. 과거는 이미 지나간 것이므로 할 수 없지만, 지금부터라도 지출에 대한 계획을 새롭게 설계하여 적어도 수입 일부는 자신을 위해 투자하는 것으로 과감히 결정해야 한다. **자신을 망각한 무조건적 희생은 아무런 의미가 없다.** 자신이 건재(健在)해야 다른 이들도 돌볼 수 있는 법, 자신의 상황에 맞게 계획하고 지출하라.

자영업을 하는 50대 후반의 한 남자

그에게는 2명의 아들이 있다.

무책임하고 무능력했던 아버지로 인하여 배움도 포기하고 생활고에 시달려야 했던 그는 그 고통을 알기에 자식에게는 이런 불행을 절대로 물려주지 않으리라 결심했다. 대학을 졸업한 두 아들 모두에게 유학을 권고하였고, 유학자금을 아낌없이 지원할 테니 어떤 일도 하지 말고 오직 학업에만 전념하라고 하였다. 두 아들 모두 영국에 있는 OO 명문대에 입학을 하였고, 영국은 특히 학위를 받는 과정이 다른 국가의 대학보다 엄격하고 꽤 까다로워서 일반적으로 2년 걸리는 석사과정을 장남은 4년 만에 마쳤고, 차남은 아직 마치지 못한 상태였다. 하지만 경제적 불황은 그에게도 예외는 아니었다. 주야로 일을 하고, 휴일도 없이 일을 하여 자금을 모으고 또 모았지만, 이도 부족하여 다른 일에 다른 일까지 겸업하면서 오로지 자금 축적에만 전념하였다. 고혈압이 있어 식이요법뿐만 아니라 운동도 병행해야 했는데, 운동은 자기의 현 상황에 사치라고 생각했고, 그 시간조차 두 아들을 위하여 일하는 것이 더 낫다고 생각하였다. 그렇게 방치한 고혈압이 원인이 되어 당뇨, 심근경색의 합병증까지 유발되었고, 아내에게 자신의 건강 악화에 대하여 상의를 하자, 아내는 "아무리 상황이 그래도 애들을 위하여 최선을 다해 책임져야 하지 않겠냐."라고 말하였다. 상황이 더욱 심각해지자 그는 아들에게 그 사실을 알렸지만, 장남인 아들은 "전 이 공부를 포기할 수 없고, 박사과정까지 마칠 겁니다."라고 대답했고, 차남 역시 계속 공부하기를 원하니 힘들더라도 지원해 달라고 부탁하였다.

세상을 살아가는 데 있어 중요한 것은 머릿속에만 축적되어 있는 지식이 아니라 마음가짐이다. 그는 아들들에게 지식 쌓는 일 이전에 인성과 인격 그리고 됨됨이를 가르쳐야 했다. 지금부터라도 그는 아들들에게 다시 훈계

해야 한다. 학업을 보류하거나 병행하면서 유학자금을 그들 또한 모을 수 있게 하고, 또는 장학금을 받을 수 있게 더욱 열심히 공부하여 그들 스스로가 학업을 이어나갈 수 있게 가르쳐야 한다. 그의 이러한 행동들은 가족을 위함이 아니라 가족을 더욱더 이기적으로 만들고 죄인으로 몰고 갈 뿐이다.

"타인의 슬픔을 같이 해주기엔 우리네 인생이 너무도 짧다. 우리 인간은 자기 자신에게 주어진 인생을 살아가기에도 급급하다. 더군다나 실수할 때마다 그에 대한 대가를 치러야 한다는 사실은 매우 유감스러운 일이 아닐 수 없다. 실제로 우리는 끊임없이 희생을 치르고 또 치러야 하는 경우가 많다. 그러나 수많은 인간과 관계하는 운명은 이를 감안해 주지 않는다." -오스카 와일드

"양초는 남을 밝게 해주며 자신은 소멸한다." -H.G.보운

"진정한 사랑은 일방적인 희생이 아니라,
서로가 서로에게 진심 어린 마음을 나누는 것이다."

말에 대한 분별력을 통해 자신을 지키는 법

다음과 같은 사람들의 말에 현혹되지 마라.

그들은 마치 자신이 사회를 건립하고 규범을 정해 놓은 것처럼 또는 신의 계시를 직접 받은 것처럼 당신에게 말하여 암암리에 자신의 말을 따르게 함으로써 당신에게 자기 혐오 및 자기비하를 부추기게 하고, 희생할 것을 은근히 강요한다.

남들처럼 평범하게 살아, 너만 피곤할 뿐이야...

너 이외에는 아무도 그렇게 말하지 않아...

배부른 소리 하고 있네, 지금의 처지에 만족해...

너만 조용히 있으면 아무 일도 없잖아...

모두들 이런 식으로 생각하고 행동해, 너처럼 하는 사람은 아무도 없어...

그것은 다만 신이 주신 시련에 불과해, 달게 받으렴...

가족이니깐 잘못을 했어도 눈감아주고, 도와주어야 하는 것은 당연하잖아...

네 아버지(어머니, 형제, 자매, 배우자, 친구..)잖아, 그러니 네가 참아라, 어쩔 수 없잖니... 자기가 좀 손해 보고 살면, 신이 다 알아서 갚아 줄 거다...

조상 때부터 이어온 관습인데, 종교를 떠나서 제사는 지내야지, 다 너 잘 되라고 그러는 거다...

어디서 윗사람에게 말대꾸야, 잔말 말고 시키는 대로 하기나 해...

남들은 취업도 안 되어 걱정들인데, 월급 제때 나오면 하기 싫고 부당하더라도 '나 죽었소'하고 붙어있어...

상황이 어렵더라도 도리는 해야지...

(결혼식, 장례식, 회갑연, 생일, 명절 등등의 각종 경조사...)

어느 누구든 이런 말들 한마디씩은 들었을 것이다.

이제는 다른 이들의 말에 이끌리지 말고 당당히 자신의 의사를 밝혀라.

하고 싶지 않은 일을 할 필요도 없고, 남들이 그렇다 하더라도 내가 굳이 그럴 필요도 없으며, 원치 않은 희생을 할 필요도 없는 것이다.

제가 그들(일)과 무슨 상관이 있죠...

남들이 어떻게 했는지 저로서는 전혀 관심이 없습니다.

전 그들과 다릅니다. 비교하지 마십시오. 그들은 그들이고 저는 저입니다.

신의 말인 양, 함부로 얘기하지 마십시오...

당신은 남들처럼 사세요, 저는 제 인생을 살 것이니...

일방적인 당신의 말이 저로서는 전혀 이해가 안 갑니다. 납득할 수 있는 설명이나 근거가 없다면, 더 이상 대화를 이어갈 필요가 없습니다...

하지만 그렇게 자신의 의사를 표현했음에도 불구하고, 상대가 명확하지도 않게 고집을 부리고 자기의 주장을 관철하려 한다면, 아무리 가족이라 할지라도 즉시 그들과의 대화를 중지하고, 아무런 반응도 보이지 말며, 계속 침묵을 지키든가 그 자리를 피하라. 이러한 방법이 발생할 수 있는 의견 충돌이나 상한 감정을 없애주는 최선책이고, 당신의 의사를 더욱더 밝힐 수 있는 방법이다.

또한 과거형으로 대화를 이끄는 말에도 주의가 필요하다.

예를 들면 "이렇게 했어야 했는데", "나한테 먼저 물어보지", "왜 그런 실수를 했니?"라는 표현은 당신 혹은 상대가 과거를 돌이킬 수 있는 능력자일 때 가능하다. 이러한 말들을 현실에 맞추어 본다면 "그렇게 해서 무엇을 배웠니?", "앞으론 나와 미리 의논해 주렴.", "잘못을 알았으니 다시는 그런 실수를 되풀이하지 않기를 바라."와 같은 표현이 적당할 것이다.

"오는 말이 고와야 가는 말이 곱다는 속담처럼,
말에 대한 사소한 배려와 신중함 그리고 확실한 자기의 의사표시들이
대화의 진척(進陟)뿐만 아니라
각박한 세상에서 서로에게 빛과 소금이 되어 줄 수 있다."

현실을 직시하라

"현실을 직시하라."라는 뜻은 "현실 그 자체를 그대로 받아들여라."라는 뜻인데 대부분 사람들은 현실이라는 것을 자신의 상황이나 감정 상태에 맞추려 한다.

시간은 어김없이 흐르건만, 어제 있었던 가족 간의 작은 불화가 현재까지 이어지고, 오래전에 있었던 갈등까지도 꺼내어 되씹고 원망하며 분노한다. 하지만 이미 지나간 일은 지나간 일로 끝내라. 돌이켜 보았자 마음의 상처만 가중될 뿐이다. 지금부터라도 자신이 분개할 수 있는 소지가 되는 것들을 과감히 차단하라.

현재 나에게 주어진 일이 보잘것없을지라도 그 일이 현실이다.

"그 길로 가야 했었는데…"

"남들은 다 잘 나가는데, 나만 왜 이 모양이지…"

"이 지긋지긋한 일들을 언제쯤이나 벗어날 수 있을까…"라며 푸념해 보았자 현재의 시간조차 무의미하게 흐를 뿐이다. 하지만 "이것이 현실이고 나로서는 원하지 않는 일이지만 내가 할 수 있는 데까지 최선을 다해 보리라. 비록 남들이 보기엔 보잘것없겠지만, 이 일로 내 생계문제가 해결되고 더나아가 내가 원하는 것을 할 수 있게 자금을 조달한다."라고 마음을 바꾼다면, 현실 속의 작고 사소한 일에도 열정을 품을 수 있다.

겨울이니 추운 건 당연한 것을 "오늘 날씨 왜 이리 추워, 가뜩이나 되는 일도 없는데, 모습은 왜 이리 초라한지… 아… 살기 싫다."하며 **자신의 상황과 기분으로 현실을 불행으로 이끈다.** 그렇게 한들 추운 겨울이 더운 겨울로 될 수는 없다. 추운 겨울이 일부러 당신의 일을 꼬이게 만든 것도 아니고, 당신을 초라하게 만든 것도 아니다. 마음을 바꿔 추우면 추운 대로, 더

우면 더운 대로, 비가 오면 비가 오는 대로 그 어떤 상황이든 현실 그 자체를 자신의 기분에 좌우되게 하지 말고, 즐길 수 있는 한 최대한으로 삶을 즐겨라. "아 춥다. 오래간만에 친구 놈 불러 감자탕에 소주 한잔해야겠다. 그 놈 안 본 지도 오래되었는데 만나서 회포나 풀어야지.", "겨울 바다 보러 가자, 여름에 바다는 사람들이 너무 많아 제대로 감상할 수도 없는데, 겨울 바다는 한적해 나름 운치가 있어...", "아우~비 오네, 일에 쫓기느라 시간이 어떻게 흘렀는지도 몰랐는데... 좋았어... 오늘은 OO 불러서 창 넓은 카페에서 커피 한 잔 마시면서 비 오는 것도 감상하고, 영화도 보며 데이트나 해야겠다."

이런 경우도 있다.

"뭐야, 인사도 안 받고 날 무시하나."

"저 사람 왜 저래, 아침부터 기분 나쁘게."

"전화도 안 받고, 문자도 안 보고, 내가 그리도 하찮게 보이나."

하지만 상대의 반응에 불쾌해하지 말라. 그 불쾌함의 희생은 원인을 제공한 상대가 아닌 당신이기 때문이다. "저 사람 뭐 안 좋은 일 있나 보네.", "바쁜가 봐."하고 그냥 무시해 버려라.

성경에 이런 말씀이 있다.

"범사에 감사하라.", "항상 기뻐하라."

이 말씀은 현재형이다. 과거도 미래도 아닌 현재...

강퍅해져 가는 현실에서 불평 거리를 찾으려면 셀 수 없이 많을 것이다. 하지만 그 속에서도 감사함과 기쁨이 될 수 있는 것을 찾으려 노력하고 또 노력한다면 반드시 찾게 될 것이고, 이러한 작은 발견들이 모이고 또 모여서 결국 행복을 만들게 된다.

푸시킨의 시처럼 "삶이 그대를 속일지라도 슬퍼하거나 노여워하지 말라."를 마음에 새겨둔다면 외적인 상황들로 인해 자기 내면까지도 우울해지는 현실을 막을 수 있을 것이다.

"기억하라!
당신에게 닥친 현실의 대부분은 스스로 선택한 결과이다.
따라서 현실 그 자체는 불변이겠지만,
그것을 어떻게 받아들이느냐는 마음가짐은
자기 자신의 의지에 따라서 변화될 수 있다."

공룡시대의 사랑과 선사시대의 부자들

가끔 이런 생각을 한다.

사람보다 공룡의 수가 더 많았던 시대에 태어났더라면, 그때 당시에는 살아남기 위해서 공동체가 단합하지 않으면 안 되는 상황이었을 것이다. 서로가 살기 위해 서로의 영양과 건강을 챙겼을 것이고, 인류가 극히 적을 때라 개개인에 대한 관심과 사랑이 컸을 것이다.

선사시대에 태어났더라면?

부(富)라는 척도가 100% 자기 노력에 있지 않았을까?

남들보다 더욱더 성실히 노력하면, 나무와 짚으로 보다 튼튼한 집을 지었을 것이고, 열매도 더 많이 땄을 것이며, 물고기도 더 많이 잡았을 것이고, 사냥도 더 많이 하여 고기도 충분히 비축했을 것이다. 하지만 현실에서의 부(富)는 인간의 노력만으로는 안 되니 그것이 안타까울 뿐이다.

신이시여!

세상이 말합니다.

성실히 노력하면 밥은 먹고살 수 있지만,

재복(財福)은 타고난 것이라고...

하지만 부디 그들의 넋두리가 진리가 아님을

밝혀 주기를 기도드립니다.

"정신이 명료함은 열정도 명료함을 뜻한다. 때문에 위대하고 명료한 정신을 지닌 자는 열정적으로 사랑하고 자신이 사랑하는 대상을 분명히 안다." -블레이즈 파스칼

"세상에는 빵 한 조각 때문에 죽어가는 사람도 많지만, 작은 사랑도 받지 못하여 죽

어가는 사람은 더 많다." -마더 테레사

"믿음과 소망과 사랑 중에 그중에 제 일은 사랑이라." -성경

§

남극의 펭귄

살을 에는 아니 살을 찢는 듯한...
춥다고 감히 입조차 열 수 없고,
한 발짝이라도 움직이면 추위가 틈을 타
금방이라도 얼어붙을 것 같은 남극에서의 청야...

그 열악한 환경에도 불구하고 품위를 지키며
서로서로 밀착하여 온기를 주고받는 남극의 펭귄들...

평생 주어진 악조건이라는 불공평한 고난에도 불구하고
단합된 순종들이 결국은 생명을 연장하는 끈이 되는데...

너도 나도 돋보이려고 하는 세상에서
겸허히 자연에 순종하는 그들의 모습이 더 돋보인다.

-김소현, 〈남극의 펭귄〉 전문

§

무엇을 물려줄 것인가?

2015년 1월 초에 개봉된 '아메리칸 셰프'라는 영화가 있었다.

간단히 줄거리를 요약하면 일류 레스토랑 셰프였던 칼은 레스토랑 오너에게 메뉴 결정권을 뺏긴 후 유명 음식평론가들로부터 비난과 혹평을 받는다.

결국 레스토랑까지도 그만두게 되고… 아무것도 남지 않게 된 그는 오래되고 낡은 쿠바 샌드위치 푸드트럭을 구입하여 8살 정도 된 아들과 함께 미국 전역을 돌며 재기를 꿈꾸는데… 낡은 푸드트럭 안에는 부패하고 낡은 오래된 주방 기물들이 가득했고, 오븐 안에 있던 팬에는 썩은 음식물들이 그대로 방치되어 있었다.

칼은 주방기기 청소, 먼지 묻은 그릇들과 심지어 오물처리까지도 아들에게 과감히 시키는데… 화가 난 그의 아들은 "나한테 왜 이런 일들을 시키냐."며 뛰쳐나간다.

아들을 달래며 다시 일을 시작하였고, 처음으로 메뉴를 손님들께 대접하던 중, 자신을 도와주던 아들이 메뉴를 실수로 태우게 된다. 탄 음식에 대하여 아무런 뉘우침이 없이 "이 메뉴는 free service로 그냥 제공하면 되잖아요."라는 아들의 말에 칼은 조용히 아들에게 충고한다.

"그래, 난 이 일을 사랑한단다. 이 일 때문에 내 인생에 좋은 일들이 생긴 거야, 다른 모든 것들은 잘 못 하고 있겠지… 하지만 이 건 잘해, 이것을 너와도 공유하고 싶고 가르쳐 주고 싶어, 내가 하는 일로 사람들의 마음을 건드린단 말이야, 그게 '내 힘의 원천'이기도 하고…"

그의 말을 들은 아들은 다시 마음을 고쳐 일을 돕기 시작한다.

자기 자식이 제일인 줄 알고 온실의 화초처럼 곱게만 키우려는 지금의 부모들에게 무엇이 잘못되었는지를 그리고 자식에게 물려줄 좋은 것이 어떤 것인지를 알게 해주는 의미심장한 영화였다.

잘못된 행동을 보고도 그냥 넘어가고, 인성보다는 1등 만을 강요하며, 원만한 교우관계보다는 가정형편에 따라 아이들 사이를 갈라놓고, 어릴 때부터 인간을 차별하는 법을 은밀하게 가르치는 현시대의 부모들...

위아래도 없고, 무례함과 이기심이 습관처럼 굳어지는데도 훈계보다는 자식들 감싸기 바쁜 현시대의 젊은 부모들에게 이 영화는 자식에 대한 올바른 교육방법이 무엇인지를 넌지시 제시하는 듯하였다.

"교육의 목적은 기계를 만드는 것이 아니라 인간을 만드는 데 있다"라는 루소의 말처럼, **자녀에 대한 진정한 교육은 인성을 기초로 하여 이루어져야 한다.** 이에 관련 페스탈로치도 "가정은 도덕상의 학교다. 가정에서의 인성교육은 중요하다"라고 강조하였고, 탈무드에서도 "가르침도 없고 스스로 배우는 것도 없으면 자기의 결점도 보이지 않는다."라고 언급하며 인성교육과 함께 가르침의 중요성을 강조하였다.

"만일 자녀에게 인성이 잘못되었거나,
 성격적 결함 등의 문제가 생겼다면
 부모 그들 자신부터 무엇이 잘못되었는지를
 신중히 생각하고 고쳐나가야 한다."

우선순위를 정하라

인생은 선택의 과정이다. 선택에는 우선순위가 있다.

우선순위를 잘 결정하고 실천해야 인생 자체를 후회 없는 행복으로 만들 수 있다.

질병을 앓고 있는 자의 우선순위는 병을 회복하기 위하여 최선을 다하여 치료에 임하고 본인 스스로가 건강해질 수 있게 노력하는 것이다.

하지만 아프다는 사실을 망각한 채, 현실의 문제들을 극복하기 위하여 건강을 등한시한다면 문제는 문제대로 건강은 건강대로 모두 악화될 것이다.

과도한 스트레스와 중압감으로 정신적, 육체적 피로가 극에 달한 이들의 우선순위는 지금 진행되고 있는 것들에 대한 재검토와 시간의 재분배 그리고 한정된 신체적 에너지를 효율적으로 관리하는 것이다.

하루의 마감을 술로 끝내는 40대 모기업의 과장이 있었다

근무시간에는 매출실적과 과중한 업무에 시달렸고, 업무가 끝나는 시간에는 거래처, 직장상사나 동료, 후배들과의 회식이 기다리고 있었으며, 그 사이사이에 동창 모임과 친구, 지인들과의 술자리도 만들어갔다. 그의 입장에서는 이러한 모임들이 인맥과 관계 유지를 통한 경제적 기반의 안정화를 위한 것이어서 어쩔 수 없이 참석해야 하는 것이 대부분이었다.

스트레스와 과로의 누적은 결국 그에게 건강 적신호를 가져왔다. 지방간 수치가 위험 경계선까지 올라왔고, 콜레스테롤 수치도 매우 높아져 합병증인 동맥경화와 심근경색까지 이어졌으며, 만성피로증후

군으로 모든 업무와 사회적 활동들이 마비되는 상황까지 이르게 되었다. 발병 전부터 의사에게서 여러 차례 이러한 증세들이 악화되고 있으니 과로는 금물이고, 규칙적인 식습관과 운동 그리고 절주에 대하여 처방을 받았지만, 그는 그가 우선시해야 할 것들을 무시한 채 스트레스와 과음을 계속 이어갔다.

결국, 그의 무모한 고집으로 일도 인맥도 건강도 모두 잃게 되었다.

"일과 건강 중에 우선순위를 정한다면 일보다는 건강이 먼저다.
 일은 또다시 시작할 수 있지만, 건강을 잃으면 모든 것을 잃는다."

"여러분은 차를 운전해 줄 사람을 고용하고,
돈을 벌어 줄 사람을 고용할 수는 있지만,
여러분 대신 아파해 줄 사람을 고용할 수는 없다." -스티브 잡스

"현명한 자는 건강을 인간의 가장 큰 축복으로 여기고,
아플 땐 병으로부터 혜택을 얻어낼 방법을 스스로 생각하여 배워야한다." -히포크라테스

아버지를 일찍 여의고, 홀어머니 밑에서 자수성가한 OO 대학교수 이야기

유년시절에 겪었던 가난과 과부의 아들이라는 서러움...

그 모든 고통을 탈피할 수 있는 유일한 방법은 열심히 공부하여 보란 듯이 성공하는 것으로 생각했던 그는 하루 24시간이 모자라리만큼 학업에 전념하였다. 반드시 성공하여 불쌍한 어머니를 호강시켜 드릴 것이라 다짐했던 그는 대학 전 학년을 우수한 성적으로 졸업했

고, 석박사 과정도 무사히 마쳤으며 그가 꿈꿔왔던 교수라는 타이틀
이 바로 눈앞에 있었다. 교수가 될 수 있는 절호의 기회인 학술 심포
지엄을 몇 주 앞두고, 그는 세미나 발표 준비를 위하여 막바지 전력
투구를 다 한다.

어느 날 갑자기 지인으로부터 걸려 온 한 통의 전화...
어머니가 위독하시다는 것이었다.
평소 허혈성 심질환을 앓고 있었던 그의 어머니는 병세가 악화되어
심근경색, 심부전까지 질병이 확대되어 중환자실로 옮기게 되었다는
내용이었다.
한참을 망설인 그는 자기 현 상황을 지인에게 얘기하며 심포지엄이
끝나면 고향으로 바로 내려갈 테니 그동안 어머니를 잘 보살펴 달라
고 신신당부하였다.

심포지엄이 있던 당일, 그의 프레젠테이션은 성황리(盛況裏)에 마쳤
고, 그와 동시에 걸려 온 또 한 통의 전화... 어머니가 임종(臨終)하셨
다는 것이었다.
그는 주저앉아 땅을 치고 통곡하며 하늘에 대고 외친다.

"어머니 이 불효자식을 용서해 주소서..."

그의 우선순위는 다시는 볼 수 없을 어머니 곁에 잠시라도 함께 있는
것이었다.

**가는 세월은 그 누구도 막을 수 없다. 이처럼 우리가 간절히 원해도 부모
님은 우리를 영원히 기다려줄 수는 없다.**
성공이나 목표 달성은 우리의 의지와 노력에 따라 또다시 도전하고 또다
시 이룰 수 있지만, 어느 누구든 생사의 문제에 대해서는 아무런 조치를 취
할 수 없다.

"부모님에 대한 간절한 그리움으로
아마존의 밀림을 뚫고, 사하라의 사막을 횡단하며,
장가계의 수많은 산봉우리들을 수만 번 오르고,
이 세상 모든 바다를 횡단하며, 이 세상 모든 곳을 다 뒤져도,
돌아가신 그분들을 찾을 수는 없다."

"부모님 살아계실 동안, 우리가 할 수 있는 최상의 것은
형통하든 그렇지 못하든 늘 그분들 곁에서 웃음을 잃지 않는 것이다."

"부모의 나이는 반드시 기억하고 있어야 한다.
한편으로는 오래 사신 것을 기뻐하고 또 한편으로는 나이 많은 것을 걱정해야 한다."
　　－논어

학위과정만 10년째, 결국 학업을 포기한 채, 직업의 전선으로 뛰어든 40대 여성의 이야기

그녀의 꿈은 괴테, 헤르만 헤세, 니체, 카프카 등 위대한 작가들이 배출된 독일에서 그녀 또한 역사에 길이 빛낼 훌륭한 책을 출간하고, 인문학 교수가 되어 훌륭한 작가들을 양성하는 것이었다.

고되고 힘든 유학 생활, 배고픔과 외로움, 주기적으로 찾아오는 슬럼프...
6개월로 준비되었던 어학코스는 2년이 되어서야 통과되었고, 일반적으로 2년을 예상했던 석사과정은 4년이 되어서야 간신히 이수했지만, 박사과정은 그 끝이 보이지 않았다.

재정은 이미 바닥난 상태, 도움의 손길들은 이미 끊어진 지 오래되었고, 몸도 마음도 지친 그녀는 학업 이수 과정을 잠시 미루고 우선은 돈이 되는 일을 해야겠다고 결심하였다. 가난과 궁핍함으로 괴로웠

던 그녀는 돈이 가져다주는 편안함과 여유로움에 빠져 계속해서 돈이 되는 일을 하게 되었고, 심지어 유흥업소에도 들락거리며 쉽게 돈을 벌어들일 궁리만 하였다.

돈과 동시에 술집 접대부로서의 모멸감과 수치심도 그녀에게 따라왔고, 주변에서는 돈만 밝히는 더러운 여자로 낙인 되어 타지에서 그녀의 괴로움과 외로움을 달래줄 이 하나 없이 그녀는 그렇게 시간과 세월을 만신창이로 낭비하고 있었다.

정신을 차리고 학업에 복귀해야겠다고 다짐한 그녀는 과정들을 이수하려 온갖 노력을 기울여 보지만, 수년 동안 학업을 놓친 터라 다시 시작하기에는 역부족이었다. 본국으로 돌아가고 싶지만, 가족이나 주변인들을 뵐 낯이 없었고, 그렇다고 살아갈 뾰족한 방법도 없어서 그나마 그렇게 시선을 의식하지 않아도 될 타국에서 인생을 마쳐야겠다고 생각하였다.

그녀의 우선순위는 당연히 학업에 전념하고 확고한 목표를 달성하기 위해 부단히 노력하는 것이었다. 하지만 주객이 전도되어 과도하고 무모한 일들과 돈에 대한 집착이 결국에는 그녀의 꿈과 이상을 모두 빼앗아 버렸다.

"현실과 이상 사이에서 오는 괴리감,
　그 사이에 인생의 성패를 좌우하는 요소는 인내와 좌절이다.
　인내하고 극복한다면 성공할 것이고,
　고난의 눈물에 굴복한다면 좌절하여 실패할 것이다."

"진실로 강한 자란 내적인 고통에 자신을 내던지지 않고,
　끝까지 싸워 이기려는 강한 의지와 인내를 가진 자이다."

"어려움의 한가운데에 기회가 놓여있다." -아인슈타인

"비관주의자는 모든 기회에서 어려움을 보고, 낙천주의자는 모든 어려움에서 기회를 본다." -윈스턴 처칠

자신에게 한정된 에너지를 적절히 사용하라

우리가 활용하고 발산할 수 있는 우리 몸의 에너지에는 한계가 있다.

문제는 적절한 시간 분배와 합리적이고 순차적인 일들에 맞추어 우리에게 주어진 에너지를 효율적이고 생산적으로 활용해야 하는데 부차적이고 쓸모없는 일들에 에너지를 소진하여 정작 중요한 것에 집중하지 못한다는 것이다.

마지막 기말고사를 앞둔 대학교 졸업예정자인 A 군

미국 MBA 과정을 준비 중인 A 군에게는 어학성적과 전 학년 학업성적이 입학 여부를 결정하는 필수요건이었다. 게다가 이번 기말고사에는 D 학점을 받았던 재수강 과목의 시험도 2번이나 있었다. 그는 결심했다. 수면의 양도 줄이고, 어떠한 연락도 만남도 자제하여 오직 시험 준비에만 모든 에너지를 집중하겠노라고…

그러던 어느 날, 그의 여자 친구에게 연락이 왔다. 핸드폰이 진동으로 전환되어 확인을 못 했던 그는 늦은 밤이 되어서야 그녀로부터 온 수십 통의 문자들을 확인할 수 있었다. 오늘이 그녀의 생일이었던 것이다.

"시험 기간 중에는 연락이 안 될 수도 있다는 말은 들었지만, 어떻게 생일인데 축하한다는 문자 하나도 없니, 너는 나보다 너의 꿈과 야망이 먼저잖아, 늘 그랬듯이 너는 너의 계획만 중요하지 나는 이미 안중에도 없었고, 이런 만남은 서로에게 부질없는 것 같아, 헤어지자, 나는 나를 가장 소중히 여기는 사람을 만날 거고, 너는 너의 꿈과 이상을 찾아 잘 살아. 다시는 연락하지 말고..."라며 문자를 통해 이별을 통고했던 것이다.

급하게 연락을 해보지만 핸드폰은 이미 꺼져 있었고, 그녀의 집까지 찾아가 서성이지만 도저히 초인종을 누를 자신이 없었다. 그렇게 뜬 눈으로 그녀의 집 앞에서 아침까지 맞이한 그는 용기를 내어 초인종을 누른다.

"누구시오?"라는 그녀의 아버지 목소리가 들려왔고 정중히 자기소개를 한 후 "그녀를 잠시 만나서 얘기를 하고 싶다."라는 말을 건네자, 말이 끝나기도 무섭게 그녀의 아버지는 "아침부터 예의 없게 무슨 짓이야, 당장 내 집 앞에서 나가!"라며 호통을 쳤다. 그로부터 계속해서 그녀에게 연락해 보지만, 수신차단을 한 상태였다.

할 수 없이 그녀의 집 앞을 서성이며 간신히 그녀를 만나지만, 냉담해질 대로 냉담해진 그녀는 그에게 눈길 한번 안 주고 "자꾸 귀찮게 하면 경찰에 신고할 거야."라며 그의 마음에 비수를 꽂는다.

그 이후... 당연히 그는 시험을 망치게 되었고, 전 학년 평점 평균이 B 학점 이상이 되어야 입학이 가능했던 MBA 과정도 포기해야 했으며, 5년 넘게 쌓아왔던 그녀와의 사랑도 무너지게 되었다. 그런 그에게 오후의 햇살은 잔인한 빛이 되어 그의 가슴을 송두리째 태운다.

상황이 어찌 되었건 그는 그가 결심했던 계획들을 밀고 나갔어야 했고, 모든 에너지를 집중해도 모자를 시험에 최선을 다해야 했다. 선택은 각자의 몫이기 때문에 그녀의 선택에 자신을 희생해서도 안 됐고, 자신의 선택에 그녀를 희생시켜도 안 됐다. 몇 번이나 A 군은 자신의 상황을 그녀에게 전하였고, 사과까지 했음에도 불구하고 그녀가 냉담하게 반응했다면 그녀를 설득시키느라 모든 에너지를 소진하는 것이 아닌 그녀에게 재고할 시간을 주었어야 했다. 그녀에게 생각할 여지도 주지 않고 맹목적으로 다가갔던 행위들은 오히려 집착이 되어, 급기야는 관계를 더욱더 악화시켰던 원인이 되고 말았다.

작가 지망생인 B 군의 이야기

그의 꿈은 소설가이다. 그는 상상력이 풍부했고 창작능력도 뛰어났다.

지인을 통해 유명 출판사의 편집장을 소개받았고, 편집장은 그에게 2달의 시간을 줄 테니 그동안 집필 중인 글들을 완벽하게 정리하고 마무리하여 원고를 보내달라고 하였다.
재능을 인정받을 수 있는 절호의 기회라 생각했던 그는 모든 에너지를 집필에만 집중하리라 결심했다.

그러던 어느 날 그가 오래전부터 파트타임 업무로 구직 신청했었던 택배업체로부터 연락이 왔다. 그 자리가 지금 공석이 되어 급히 사람을 모집 중인데, B 군이 이 일에 가장 적합하니 내일이라도 당장 와서 근무해달라는 제안이었다. 그 업무는 파트타임이라 시간 활용도 괜찮았고, 근무시간에 대비하여 Pay 또한 괜찮아서 오래전부터 근무를 희망했던 업체였다. 그 자리는 또한 경쟁도 치열하여 B 군은 서슴없이 그 일을 수락하였다. 원고 투고까지는 2달이라는 기간도 있었고, 당장 생계문제도 해결해야 하는 상황이었기에 B군은 자신의 결정을 합리화하며 근무를 시작했다. 생각했던 것보다 일은 무척 고되고 힘들었다. 약속된 근무시간은 할당량을 빈틈없이 마무리해야 한다는 조건이 입사 후에나 거론되어서 매번 오버되기 일수였다. 또한, 과도한 체력소모를 요하는 일이라 잠은 거의 기절한 듯 자게 되었고, 엄청난 피로가 쌓이고 쌓여 집필은커녕, 집에 오면 아무것도 하지 못하고 거의 쓰러져 누웠다.

그러던 어느 날, 5층에 위치한 점포에 택배 물건을 전달하게 되었다.

엘리베이터가 없어 계단을 올라가야 했는데, 전달할 물건 또한 무게가 꽤 나가는 것이었다. 헉헉거리며 해당 장소에 도착했건만 그 점포의 여직원은 미안하다며 다시 2층에 있는 점포로 이 짐을 옮겨달라고 요청을 한다. 물건을 가지고 2층으로 내려가던 순간, 발을 헛디디어 B군은 그만 물건과 함께 계단에서 구르고 말았다. 발목에는 금이 갔고 허리는 크게 다쳤다. 게다가 박스 안의 물건들은 고가의 장식품들이었는데 거의 깨지고 부서져 버렸다. 급여도 받지 못한 상황에서 물건에 대한 변상까지 했어야 했고, 몇 주 동안 병원에 입원하여 치료까지 받아야 했다. 결국, 그는 제날짜에 원고를 투고하지 못했고, 기간을 좀 더 연장해 달라고 간청해 보지만, 교정 기간도 여유 있게 주었고, 게다가 처음부터 약속도 제대로 지키지 못하는 관계라면 끝은 뻔한 결과라며 편집장은 냉정하게 그의 제안을 거절하였다.

그가 계획했던 에너지의 초점은 집필이었다.

불가피하게 일을 병행해야 했다면 집필에 차질이 없을 정도로 일의 양과 체력을 조절했어야 했다. 인간의 몸은 하나의 에너지원이라 집중하면 강력한 힘을 발휘하지만 불균형적으로 분산시키면 그 힘들은 뭐 하나 제대로 발휘 못 하고 피로로만 쌓여갈 뿐이다.

"에너지의 효율적인 관리에는
확고한 목표 설정을 기본으로 절제와 균형 그리고 조화를 필요로 하며,
지속적인 힘을 발휘하기 위해서는 욕심은 금물이고
합리적인 자기조절 능력이 필요하다."

"목표의 핵심을 쫓아라.
사소한 문제에 매달리면
사소한 문제도 해결하지 못하고
목표의 핵심도 놓치게 된다."

"비록 사용할 수 있는 시간이 10분밖에 안 되더라도 우선순위를 설정하라" -로타르 J.자
이브레드

"먼저 당신이 원하는 것을 결정하라. 그리고 그것을 이루기 위해 당신이 기꺼이 바꿀
수 있는 것이 무엇인지를 결정하라. 그다음에는 그 일들의 우선순위를 정하고 곧바
로 그 일에 착수하라." -H.L.린트

나 자신에게 솔직하지 않으면 나와 내 주변 모두를 파괴시킨다

50대 가장 이야기

나에게는 슬하에 1남 2녀의 자녀들이 있다. 교육과 양육비로 몸이 여럿이라도 모자를 만큼 생계비 모으기가 급급하다. 아내는 갱년기 이후 우울증으로 계속 약을 복용 중이다. 살림은 뒷전으로 하고 외출도 안 하며 이불 속에 누워 계속 잠만 청한다. 90세를 바라보는 어머니는 여기저기 아프신 곳이 많다. 이 병 고치면 저 병이... 밑 빠진 독에 물 붓기로 병원비가 계속해서 빠져나간다. 하나뿐인 누나는 매형과의 이혼 후 생계문제에 시달린다. 혼자서 2명의 자녀를 양육해야 하는 상황이니 고생하는 누이를 보면 너무나도 안쓰럽다. 40대인 여동생은 백수 생활이 인생의 반이다.

결혼도 포기하고 인생도 포기한 듯, 하루하루를 눈물과 한숨으로 이어간다.

그리고 막내인 남동생... 오늘도 또 사고 쳤다. 형사합의금만 모았어도 작은 점포 하나 차렸을 것이다. 외동딸인 아내에게는 장인, 장모 두 분 모두 살아계시는데 장인어른은 위암으로 투병 중이고, 장모님은 관절과 허리 통증으로 매일같이 고통을 호소한다. 나의 사업은 계속해서 불황의 연속이다. 지출할 곳과 책임져야 할 것들은 태산처럼 쌓여 가는데 수입은 점점 줄어들고 은행 대출의 폭도 좁아져 하루하루를 살얼음 걷는 것처럼 불안, 초조하여 잠조차 제대로 못 이룬다. 나 자신의 짐 자체만으로도 사는 것이 마냥 버겁기만 한데, 홀가분하

게 내려놓고 자유롭게 날고 싶어도 나의 모든 것을 붙잡고 있는 주변의 상황들 때문에 그러지도 못하고... 지인들은 말한다. 그러다가는 폐인 될 수 있으니, 지금이라도 짐들을 하나하나 내려놓고 자신에게 솔직한 인생을 살도록 노력하라고. 어떻게??? 지금의 내 처지와 동일하다면...

당신이라면 과연 그리 살 수 있는가???

내 안의 나는 짐들을 하나하나 내려놓기를 간절히 원하지만 표면적인 나는 이러한 솔직함이 마치 이기적이고 파렴치한 것으로 생각하게 하여 오늘도 변함없이 주어진 지옥의 불길을 마냥 걷고 있다.

마지막 101번째의 화살이 나에게 관통하였다.

믿었던 친구의 배신... 마지막 밥숟가락마저 빼앗아간...

동업을 하던 가장 절친했던 친구에게 자금 대출 때문에 인감증명서와 도장을 맡겼건만 나의 개인정보를 악용하고 회사까지 이용하여 엄청난 은행 자금을 빼돌린 후 사라진 것이다. 고스란히 그 부채들이 내 명의로 이전되었다.

이 악연의 끈들과 원치 않는 짐들을 내려놓으리라 그리고 자유를 향하여 날아가리라, 이세상에서는 도저히 불가능하니 저세상에서 나의 못 다 이룬 자유를 찾으리라......

몇 날 며칠의 고민 끝에 그는 외딴곳으로 차를 몰고 가 조용히 그 안에서 생을 마감한다. 남아있는 가족들... 자기 때문에 그를 죽음으로 몰고 갔다는 죄책감 때문에 평생을 괴로움과 고통으로 이어간다.

"완벽한 책임감은 신에게만 가능한 것이다.
이것을 인간인 우리가 대신하여 행하려 한다는 그 자체가
자기파멸의 시초일 수 있다.
타인의 운명은 자신의 완벽한 희생으로 이루어지는 것이 아니다.
우리가 할 수 있는 일은
우선적으로 자신을 돌보고 난 후 주변을 살피는 것이다."

"타인을 위한 완벽한 책임감이 아닌
나와 주변 모두에 최선을 다하는 삶,
자신의 솔직함을 인생에 적용하는 용기,
각박한 인생이라도 나 자신을 위해 여유로움과 평안을 찾으려는 의지
등…
이러한 노력이 결국은
나와 나를 둘러싸고 있는 주변 모두를 만족시키는 최상의 방법일 것이
다."

내 안의 나

　냉장고의 냉동 칸을 청소할 때의 일이다.

　언 1년을 서리 제거를 안 해서 그런지 냉동 칸의 절반은 얼음 덩어리들이 차지하고 있었다. 그러다 보니 공간이 좁아 제대로 재료들을 넣을 수 없었다.

　냉동 칸이니 그 안은 저온이고 서리 제거를 안 했으니 얼음덩어리로 잔뜩 끼어 있는 것이 당연한데, 문제는 수단(냉동)에 의해 본질적인 목적(재료보관)이 제구실을 하지 못했다는 것이다.

　우리의 몸도 마찬가지인 듯, 내 몸이 나의 고집과 욕심으로 가득 차 있고 이것이 얼음처럼 굳어져 있다면, 진실을 바라보는 능력과 깨달음 그리고 삶의 진정성이라는 실체가 내 안에 들어올 수 없게 된다. 또한, 내가 너무 강하여 내 몸 전체를 나로만 가득 채우게 된다면, 이는 내가 만든 세상이 아니라 내가 만든 감옥 안에 나 자신을 집어넣는 꼴이 된다.

　이러한 결과는 자기발전과 성장을 저해시키고, 타인과의 관계 형성을 차단하며, 생각과 시야의 폭도 좁게 만들어 우물 안 개구리처럼 삶을 만들 것이다.

"진정한 성공은 남이 아닌 나 자신과의 싸움에서 이기는 것이므로
　내 안을 무엇으로 채워갈 것인가가 승패의 요인이 될 것이다."

"내가 아직 살아있는 동안에는 나로 하여금 헛되이 살지 않게 하라." -에머슨

"노하기를 더디 하는 자는 용사보다 낫고, 자기의 마음을 다스리는 자는 성을 빼앗는
　자보다 나으리라." -성경

낙타의 선택

사막 횡단을 시작하기 전에 세 명의 사람들이 모여서 상의를 한다.

각자의 짐을 싣기 위해서는 3마리의 낙타가 필요한데 그러지 말고 돈도 아낄 겸 한 마리만 사서 모든 짐을 싣고 우리는 걸어서 사막을 횡단하자고 한다.

사납게 내리쬐는 태양 빛, 씨조차 뿌리지 못하는 불모의 땅, 가끔 몰아치는 거센 모래바람은 지친 이들의 육신을 더욱더 지치게 만들고, 끝이 보이지 않는 무더위와 갈증의 연속, 게다가 무거운 짐들까지... 그런 사막의 한복판에서 낙타는 주저앉고 만다. 채찍으로 아무리 내리쳐도 꼼짝도 안 하고 그러기를 몇 시간째... 일행 중 한 사람이 낙타에게 다가가 설득을 한다.

"조금만 더 가면 오아시스와 같은 마을이 나오고 그곳에 가면 물과 먹을 것을 풍부하게 줄 테니 어서 기운을 차려 일어나 걷게나."

하지만 여전히 낙타는 꼼짝도 안 한다.

이번엔 다른 사람이 다가와 설득을 한다.

"우리가 너를 여기에 남겨두고 가면 목적지도 제대로 알지 못해 결국은 이리저리 헤매다 사막의 사나운 포식자들의 먹이가 될 거야, 목적지를 아는 것은 우리뿐이니 우리를 믿고 빨리 따라오게나."

이번에는 일행 모두 마지막으로 낙타에게 설득을 한다.

"작열하는 태양 빛에 말라서 뼈만 앙상하게 드러내고 죽어있는 너의 비참한 모습을 상상해 봐... 조금만 기운을 차리고 가면 신세계가 펼쳐질 텐데 그곳에 가면 너와 같은 낙타들이 많이 있어 외롭지도 않을 거야, 그러니 마지막으로 부탁하건대 힘을 내봐."

낙타는 여전히 체념한 듯 두 눈을 감고 넌지시 그들에게 말을 건넨다.

"순간의 기쁨은 있겠지, 하지만 그것도 잠시뿐, 나를 기다리는 것은 다른 사람들의 다른 짐들과 고통의 행로뿐, 당신들과 같은 인간이 아니기에 나에게는 그것을 뿌리칠 수 있는 선택이라는 것이 없어, 무거운 짐들과 고통의 삶들이 뿌리칠 수 없는 나의 운명이라면, 그런 운명을 거부할 수 있는 유일한 길은 지금 이곳에서 삶을 포기하는 거야"

결국 세 사람은 낙타에 실려 있던 짐들을 풀어 각자의 어깨에 짊어지고 그곳을 떠났다.

눈물조차 메말라 흐를 수 없는 서러운 눈을 가까스로 뜨며 태양을 바라보는 낙타... 그리고 한 마디를 남긴다. "이제야 비로소 자유를 얻었다..."

인간은 동물과 달리 생각할 수 있고, 꿈과 희망을 찾아 나아갈 수 있다.

인간만이 상황과 환경을 바꿀 수 있고, 운명을 거부할 수 있다.

여기서 낙타가 주는 교훈은 '자신이 인간이 아니기에 운명을 거부할 수 있는 유일한 길은 죽음뿐이다'라는 것을 강조하며 인간으로 태어난 우리의 모습에 감사하고 살라는 것을 넌지시 밝힌다.

동물들이 바라보는 인간의 모습은 잔인함도 있겠지만 부러움도 있을 것이다.

인간의 특권...

선택할 수 있고, 운명을 거부할 수 있는...

이러한 특권을 놓고 자기 자신이 인간인지 동물인지를 판가름하기를 바란다.

§

난 결코 무너지지 않는다

하늘에서도 버림받고, 이 땅에서도 버림받아도
난 결코 무너지지 않는다.

화마가 휩쓸어도, 거친 폭풍이 모든 것을 삼킨다 해도
난 결코 무너지지 않는다.

지구의 종말이 와도, 이 몸이 죽어 흔적 없는 바람이 되어도
난 결코 무너지지 않는다.

-김소현, 〈난 결코 무너지지 않는다〉 전문

✤

사과에 관한 철학

가격에 따라 사과의 크기도 품질도 다르다.
난 내 형편에 맞는 사과를 사 먹는다.

어느 날 주변 지인이 찾아왔다.
접대 차 사과를 깎아 접시에 담아 드렸다.
내가 주로 사 먹는 보통 가격대의 사과를 드렸다.

여기서 주변을 의식하여 비싼 사과를 대접하는 것은 교만과 허영이요, 자신의 형편에 맞게 적당한 가격대의 사과를 대접하는 것은 겸손과 진실이며, 아무것도 주지 않음은 이기적인 인색함이다.

'아무것도 베풀지 않음'은 결국 자신에게 '아무것도 오지 않음'을 의미한다.

–김소현, 〈사과에 관한 철학〉 전문

§

불편한 진실... 옳다고 착각하는 어리석음에 대하여

전공 선택... 수능을 마친 학생들에게 전공과 진로에 대하여 질문을 하였다.

어떤 이는 전공보다는 명문대학 입학을 우선시하였고, 어떤 이는 아무 학과나 들어가서 나중에 생각해 본다고 하고, 어떤 이는 취업이 잘 되는 학과를 전공으로 할 계획이라 하고, 어떤 이는 안정된 수입과 사회적 위치가 그나마 보장될 수 있는 학과에 지원할 계획이라고 한다. 또 다른 특이한 답변으로 어떤 이는 연예인이나 방송인이 되기 위하여 전공과 상관없이 명문대학에 입학 신청할 계획이라고 한다. 이유인즉, '이러한 직종들도 학벌을 중시 여기기 때문이다'라고 한다. 추가적으로 연예인이나 방송인을 선호하는 이들이 말하기를 방송과 무관한 직종을 하더라도 방송을 타서 이름이 알려지면 유명세 때문에 모든 면에서 일이 훨씬 수월해진다고 한다.

대다수의견을 종합해 보면 전공 선택의 주요 요소는 경제적 안정과 사회적 위치를 보장받을 수 있는 것이다.

인간이 동물과 다른 것은 논리적으로 생각할 줄 알고, 자기 스스로 계발하고 발전하려는 욕구를 가졌으며, 자신의 무한한 잠재력을 응용하여 창조적이고 생산적인 일을 할 수 있다는 것이다.

하나뿐인 인생 그중에서도 청춘이라는 황금기...

다수의 의견에 휩쓸리지 말고, 주체성과 확신을 가지고 자신의 무한한 능력을 마음껏 펼칠 수 있고 존재가치를 확립할 수 있는 그러한 길로 나아가기를 바랄 뿐이다.

"모든 것은 우리가 부여한 만큼만 가치를 지닌다." -프랑스 극작가 몰리에르

"자기 자신을 능가하는 힘을 가진 자가 가장 강한 자이다." -세네카

인재 선택... 그 사람이 지닌 성품이나 인성 그리고 잠재적인 능력으로 인재를 선발하는 것이 아닌 학력이나 스펙을 기준으로 둔다면 경쟁심과 이기심으로 얼룩진 관계들을 형성시켜 조직 파괴를 이끄는 원동력이 되고 더나아가 사회발전을 저해하는 요소가 될 것이다.

물을 충분히 공급해야 살 수 있는 식물이 있는 반면, 물을 충분히 주면 오히려 죽는 식물이 있다.

인재 선택도 마찬가지이다. 다양한 기회 제공과 지원을 충분히 주어야 할 인재들에게 사회는 오히려 매정하게 등을 돌리고, 아무런 득이 되지 않고, 물의만 일으킬 수 있는 소위 준비되지 않는 자들에게는 인맥 때문에 또는 금수저로 태어나 저절로 스펙이 쌓인 것을 인정하며, 각종 특혜를 쓸데없이 남발한다.

"인재를 알아볼 수 있는 눈... 이는 곧 국가발전과 비례한다고 할 수 있다."

아래는 인재 등용에 대한 스티브 잡스의 comment이다.

A급 인재를 선택하기 위하여 그가 얼마나 세심하고 많은 절차를 밟고 노력했는지 깊이 생각해 보기를 바란다.

"채용한 이후에는 직원들이 자신과 동등한 재능을 가진 인재들과 함께 일하고 있다고 느끼도록 만들어야 합니다. 동시에 자기 일이 다른 사람들 것보다 더욱 중요하다는 기분이 들게 해야 합니다. 자기 일이 굉장히 영향력을 가지게 될 것이며, 강력하고 뚜렷한 비전의 일부라는 생각을 갖도록 하는 것입니다. 그것이 전부입니다. 채용은 대체로 당신이 혼자서 할 수 있는 것보다 더 많은 것들을 요구합니다. 따라서 나는 상호협력적 채용과 A급 인재가 최선의 방식으로 뽑힐 수 있는 문화를 가져야 한

다고 생각합니다. 최소한 예닐곱 개의 부서의 12명 이상의 사람들과 인터뷰를 해야 합니다. 이 방법은 당신의 많은 A급 인재가 회사 전체에 널리 알려지는 효과가 있습니다. 그리고 만약 현재 직원들이 이미 충분히 강하다고 생각하는 기업 문화가 존재한다면 후보자를 거부할 수 있습니다." -스티브 잡스

약함에도 분별력을 가져라

우리는 강자에 대해 경계심을 늦추지 않는다.

하지만 무분별하게 상대가 약자라는 이유로 모든 경계를 허물어트린다면, 약자를 가장한 음모와 열등의식에 사로잡힌 강퍅하고 삐뚤어진 마음에 도리어 화를 입을 수 있다.

"은혜를 원수로 갚는다."라는 말이 있듯, 약자에게도 정확한 분별력을 가지고 대해야 한다.

국제변호사로 있던 A 군은 경제적, 사회적으로 안정된 위치에 있었다

외국에서 오랫동안 생활하다가 고국으로 돌아온 그는 다양한 인맥을 형성하고자 고등학교 동창 모임에 참석을 하였다.

동창회 모임에서 A 군은 언 10년 만에 가장 절친한 사이였던 B 군을 만나게 되는데... 반면 B 군이 동창회에 참석하게 된 목적은 크게 2가지, 장기화된 불황으로 폐업 직전에 있는 점포를 살리고자 혹 누군가의 도움을 받을 수 있지 않을까라는 기대감과 A 군이 이번 동창회 모임에 참석할 거라는 정보를 미리 받고 의도적으로 그에게 다가가 친분관계를 쌓는 것이었다.

A 군을 보고 반갑게 얼싸안으며 기쁨의 눈물을 흘리는 B 군...
그동안 살아왔던 얘기들을 오가며 담소를 나누기 시작한다.
대화가 어느 정도 무르익을 무렵, B 군은 자신의 술잔을 A 군에게 건네며 현재의 비참한 상황들을 토로(吐露)하였다.

B 군의 슬픈 사정을 들은 A 군은 "도움이 필요하면 언제든지 얘기하게나, 자네와 내가 어떤 사이였는데, 가장 절친한 사이었잖아, 내가 최선을 다해 도와줄 테니"하며 B 군이 처해있는 고통을 적극적으로 해결하려고 나선다.

하지만 B 군의 속마음은 달랐다. A 군과 비교하여 모든 면에서 열등의식을 품고 있었다. 가정환경, 경제적 상황, 사회적 위치, 탄탄한 인맥 등 A 군은 소위 모든 것이 형통했지만, 반면 B 군은 가정형편도 어려워서 대학 진학도 포기하고 고등학교 졸업 후 바로 취업전선에 뛰어들었고, 늘 학력에 밀려서 승진도 안 되었으며, 생계를 책임질 가족들도 많아서 꿈과 희망을 품는다는 것은 엄두도 못 냈다. A 군과 비교하여 늘 상대적 빈곤감과 열등의식에 사로잡혔던 B 군은 학창 시절 각별한 사이였던 것을 이용하여 A 군에게 무리한 자금조달을 부탁한다.

그로부터 8년 후, A 군은 횡령, 비리 사건에 억울하게 연루되어 좌절과 침체의 늪으로 빠지게 되었고, 반면 B 군은 A 군의 도움을 받아 해당 점포도 살리고 더 나아가 새로운 사업들도 연이어 성공을 거두어 지금은 프랜차이즈 사업으로 전국에 수십 개의 매장들을 관리하고 있다.

이번에는 상황이 바뀌어 A 군이 B 군에게 도움을 요청한다.
하지만 B 군은 A 군을 도와주기는커녕, 거침없이 독설을 퍼붓는다.

"잘난 척하고 위세 떨더니, '원숭이도 나무에서 떨어질 때가 있다.'라는 것이 틀린 말이 아니네, 자네를 두고 한 말 같아, 부모 잘 만나 만사가 형통했겠지만 자네도 이제는 고통이 무엇인지를 느꼈으면 좋겠네."라며 연락을 끊는다.

미술대학원생인 C양의 이야기

C양의 꿈은 화가이자 미대 교수였다.

가정형편 때문에 자신의 재능과 야망을 결코 묻어 버릴 수 없다고 다짐한 그녀는 어느 누구를 이용해서라도 자신이 뜻한 바를 반드시 이루겠다고 결심했다.

대학 시절에는 돈 많은 갑부 아들을 이용하여 학비 및 생계비를 조달받았지만, 대학원 재학 시절에는 경제적인 지원뿐만 아니라 교수 임용 및 미술계에서도 역량을 행사할 수 있는 사람이 필요했다.

갑부 아들과의 인연을 끊고 C양의 레이더망에 걸린 이는 미술계에서도 영향력이 있고, 경제적으로도 탄탄하며, 활발히 작품 활동도 병행하고 있는 그녀의 담임 학과 교수였다. 그녀는 아버지뻘인 교수를 찾아가 면담을 요청한다며 유혹의 손길을 뻗치기 시작한다.

교수 앞에서 하염없이 눈물을 흘리는 C양...
어려운 가정형편과 자신의 힘든 상황들을 토로하며 계속해서 눈물을 흘린다.

그녀의 하소연을 듣게 된 교수는 학원 과외나 장학생 추천들을 제안해 보지만, 이것은 그녀가 원했던 답이 아니었다. 그녀는 더욱더 적극적으로 교수를 유혹한다. 거짓 눈물의 행진을 벌이던 그녀는 잠시 울음을 멈춘 후 "하루 종일 굶어서 힘이 없다."며 장소를 옮겨 식사를 하자고 말한다.

하지만 그녀가 향한 곳은 음식점이 아닌 술집이었다.
계속해서 그 교수에게 술잔을 건네 보지만, 그는 술을 잘 못 한다며 거절하였다. 술에 취한 그녀를 보고 교수는 이제 그만 마시라고 말려

보지만, 안하무인(眼下無人) 격으로 그녀는 계속해서 술잔을 들었다. 급기야는 교수를 앞에 두고 자리에서 쓰러지는데... "집이 어디냐"며 계속해서 그녀를 흔들어 깨어 보지만, 그녀는 일부러 일어날 생각조차 하지 않았다.

그리고는 교수에게 나지막한 목소리로 "내가 너무 많이 취했고, 이 상태로는 집에 들어갈 수가 없으니, 술이 깰 동안만 가까운 모텔에서 잠시 누워있겠어요."라고 말한다. 난감해진 교수는 주변의 시선 때문에 급히 그녀를 부축하며 고개를 푹 숙이고 모텔로 향한다. 모텔에 들어온 뒤 그녀는 머리가 너무 아프니 수건에 물을 적셔와 달라고 요청한 뒤, 교수가 욕실로 들어간 사이를 틈타 재빨리 휴대폰을 꺼내어 동영상으로 화면을 맞춘 후 옷을 벗기 시작했다. 물에 적신 수건을 가져온 교수는 옷을 벗고 있는 그녀의 행동에 당황해한다. 그녀는 또 눈물을 흘리며 아무 짓도 안 할 테니 외롭고 힘들어서 그러니 곁에서 그냥 안아만 달라고 요구한다. "악은 대항해서 싸울 수 있지만, 유혹은 피하는 게 상책이다."라는 말이 있듯, 결국 그 교수 또한 그녀의 유혹에 빠져들고 만다.

다음 날 오후, 그녀는 촬영한 동영상을 가지고 당당하게 교수를 찾아간다.
그리고는 노골적으로 교수에게 협박한다.

"교수님께서는 지금의 위치를 유지하고 가정의 평화를 위해서라면 어쩔 수 없이 제 제안들을 들어 주실 수밖에 없겠네요... 학비, 생계비는 물론이고 교수 임용 시 강력하게 힘을 써줄 것과 미술계에서도 영향력을 행사할 수 있게 저에게 권한을 부여할 것 등... 이 제안들이 거절되면 담당 학생을 성추행한 파렴치한 교수의 이중 행각으로 동영상이 유포되겠죠, 교수님이 여태껏 쌓아 놓은 공든 탑이 하루아침에 무너질 수도 있고요, 더 이상 잃을 것도 보잘것도 없는 저와 모든 것을 다 가진 교수님 사이에서 신경전을 벌이면 벌일수록 불리해지는 쪽이 어디인지를 잘 파악하셔서 현명하게 대처하기를 바라요."

○○개척교회 담임목사의 이야기

신학대학 졸업 후 목사 안수를 받고, 인적 드문 외딴 시골 마을로 내려와 폐허가 된 집을 개조하여 작은 교회를 개척하고자 했던 박 목사는 다른 목사들처럼 쉬운 길이 아닌 좁고 험한 길을 택하였고, 이러한 환난과 고난이 오히려 자신을 더욱더 성숙한 영적 지도자로 단련시켜 줄 것이라 믿었다.

교회 문을 열고 난 뒤 처음 몇 주 동안은 그의 아내와 함께 단둘이서만 예배를 보아야 했다. 하지만 그는 이러한 시련에도 동요하지 않고, 묵묵히 신앙생활에 전념했으며, 전도는 물론 매일같이 마을 곳곳을 누비며 도움을 주었고, 심신이 불편한 자들에게는 손이 되어 주고, 배고픈 자들에게는 자신의 것들을 서슴지 않고 내어 주었으며, 외롭고 지친 자들에게는 평화와 위로의 안식처가 되어 주었다.

그러한 박 목사의 노력과 열정에 감동을 받게 된 마을 주민들은 하나둘씩 예배에 참석하였고, 6개월이 되는 때에는 성도 수가 약 20여 명까지 늘어나게 되었다.

그러던 어느 날, 낯선 한 명의 남자가 박 목사를 찾아왔다.

그는 "이 마을에 온 지 며칠 안 되었고, 사업에 실패하고 얼마 안 되어 투병 중이었던 아내마저 잃게 되어, 괴로운 심정도 달래고 재개의 시간을 갖고자 이곳으로 왔습니다. 제 상황을 알게 된 마을 주민들이 목사님께로 가면 영적인 괴로움들을 많이 극복할 수 있을 것이라고 하여 목사님 댁에 거하면서 목사님이 하고 있는 일들을 같이 돕고 싶습니다."라고 말한다.

그의 딱한 사정을 들은 박 목사는 그의 제안을 흔쾌히 허락한다.

그는 박 목사의 일을 거들며 예배도 열심히 참석했고 나름 신앙생활도 굳건히 하는 것 같았다. 그러던 어느 날, 그는 박 목사에게 황급히 다가와서 도움을 요청한다.

"아버님은 이미 돌아가셨고, 서울에 어머님 한 분만 계시는데, 제가 외아들이라 주변에서 아무도 어머니를 돌봐줄 사람이 없습니다. 어머니가 세 들어 사는 집주인에게서 연락이 왔는데, 어머니가 뇌출혈로 의식을 잃고 쓰러져 중환자실에 입원했다고 합니다. 당장 수술을 안 하면 돌아가실 수 있다고 하는데, 우선 300만 원만 빌려주십시오, 나머지 비용은 제가 어떻게든 모아볼 테니..."

박 목사 또한 자금이 부족한 상태에서 그 누구의 도움 없이 자기 스스로가 직접 교회를 설립한 것이었고, 마을 주민들 대부분이 가난하고 소외된 자들이라 헌금 또한 넉넉하지 못한 상황이었다. 그는 다른 교회에서 목회를 하고 있는 친구에게 간곡히 부탁하였고, 입금이 확인되자마자 재빨리 출금하여 그의 손에 쥐여 주었다.

며칠이 지난 후, 어머니의 병세가 궁금해진 박 목사는 그에게 연락해 본다.
하지만 그의 목소리는 오간 데 없고 "이 번호는 없는 번호이니 다시 한번 확인해 주십시오."라는 멘트만 들려왔다.

사실인즉, 그자는 도박으로 모든 재산을 탕진한 상태였고, 채권자의 협박과 독촉을 피해 이곳까지 도망왔었던 것이다.

"모두를 믿지 말고 가치 있는 이를 믿어라.
모두를 신뢰하는 것은 어리석고, 가치 있는 이를 신뢰하는 것은 분별력의 표시이다."
 -데모크리토스

"최상의 용기는 분별력이다." -셰익스피어

"보리 떡 하나라도 감사함을 연습하라.
인격이 바뀌고 운명이 바뀐다."

"흐르는 것은 흘러가게 놓아두어라.
담으려는 순간, 자기 파멸이 시작된다."

"결단은 자기 마음과의 약속이다.
결단을 저버리면 마음으로부터 신용불량자로 찍혀 우유부단(優柔不斷)함이라는
항목으로 리스트에 올려질 것이다."

"창조는 내면 깊은 곳의 순수 결정체이며,
세상적인 가치관과의 전쟁이다."

"자기 자신을 한정 짓는 것은 신에 대한 반역이다."

"생각은 생각을 낳고, 행동은 행동을 낳으며, 마음은 마음을 낳는다.
상처는 증오를 낳고, 현실은 걱정을 낳으며, 괴리감은 절망을 낳는다."

"여럿은 생각을 분산시키고, 혼자는 생각을 왜곡하며,
독서는 생각을 정화시키고, 기도는 생각을 이루게 한다."

"리더는 눈으로 말하지만, 대중은 눈으로 판단한다.
리더는 고독의 연속이지만, 대중은 어울림의 연속이다."

"트로피(trophy)를 쥐고 자만하는 자는

뱀 지팡이를 움켜쥔 것과 같고,
트로피를 쥐고 성찰하는 자는
새의 날개를 지닌 것과 같다."

"자신의 재능과 능력을 충분히 자극하지 않고,
그것을 발휘할 만한 가치도 없으며,
늘 자신을 과소평가하게 만들고,
열정보다 무기력함과 권태를 이끄는 일들...
이것이 중도 포기해야 할 일이다."

"상대가 당신을 개 무시하면,
당신은 상대를 곧 파멸될 소행성의 파편 정도로 간주하라.
개는 볼 수 있지만, 우주 안에 떠도는 이름 모를 파편들은 볼 수도 없다."

"알이 부화가 안 된다고 답답해서 깨볼 수는 없다.".

"죽음 그 자체도 슬픔이지만,
제대로 살아보지도 않은 채 죽어야 한다는 것은
더욱더 슬픈 일이다."

"내일의 일을 걱정하여 현재의 시간을 낭비하지 말라."

"일이 삶의 전부가 된다면...
나무가 되어 우뚝 서서 세상의 아름다움을 만끽하는 것이 아니라,
뿌리로만 남게 되어 어둠 속으로 뻗어갈 뿐이다."

"존재가치를 부여하고자 원한다면,
고독이 고통이 아닌 내적 성찰이 되어야 한다."

"우리는 무엇인가를 이루고자 태어난 자들도 아니고,
성공하지 못하면 마치 인생의 낙오자로 전락된다는
세상적 관점에서 놀아나는 장난감도 아니다."

"인내란
세상이 보는 내가 아닌
나 스스로가 내 영을 자유롭게 하려는 의지의 반복이다."

"험난한 세상을 사노라면 누구나 가슴에 칼날이 있기 마련이다.
그러한 쓰라림에도 불구하고 계속해서 참고 견디느냐
아니면 포기하느냐...
거기서 삶이 결정된다."

"아무리 악인이라 할지라도 긍휼의 마음으로 바라본다면,
어느새 그들은 눈물 맺힌 순한 양이 되어 당신을 따를 것이다."

"어떠한 경우라도 당신은 자신에게 먼저 충실해야 한다.
이러한 다짐은 남들의 충실한 개가 되는 불행을 막을 수 있다."

"생각 없이 행함은 결국 무의미함으로 흘러간다."

"상대방으로부터 화가 났다면
그 즉시 화가 난 이유를 강하게 전달하되,
절대로 화를 내지는 말아라.
감정이 섞이게 되면
해야 할 말들을 놓칠 수 있고,
그 화에 자기 자신만 희생될 뿐이기 때문이다."

"배우고 깨달아서 실생활에 도움이 되는 것 이외에

모든 불필요한 과거는 지워버려라.
만약 누군가가 당신에게 잘못을 저질렀다 하더라도
미워하지도 말고, 회상하지도 말며, 애써 용서하지도 말라.
쓰레기를 뒤져 보았자 악취뿐이기 때문이다."

"말에 대한 사소한 배려와 신중함 그리고 확실한 자기의 의사표시들이
대화의 진척(進陟)뿐만 아니라
각박한 세상에서 서로에게 빛과 소금이 되어 줄 수 있다."

"자신의 상황과 기분으로 현실을 불행으로 만들지 마라.
그렇게 한들 추운 겨울이 더운 겨울로 될 수 없기 때문이다."

"자신을 망각한 무조건적 희생은 아무런 의미가 없다."

"진정한 사랑은 일방적인 희생이 아니라,
서로가 서로에게 진심 어린 마음을 나누는 것이다."

"일과 사람 중에 우선순위를 정한다면 일보다는 사람이 먼저다.
일은 또다시 시작할 수 있지만,
사람의 관계는 또다시 이어지기가 어렵다."

"현실과 이상 사이에서 우선순위를 정한다면
현실보다는 이상을 우선시해야 한다.
현실은 인생을 송두리째 빼앗아 가지만,
꿈과 이상은 그것을 이루려는 과정과 이루고 난 후의 상황 모두에
삶의 의미를 부여한다."

"현실과 이상 사이에서 오는 괴리감,
그 사이에 인생의 성패를 좌우하는 요소는 인내와 좌절이다.

인내하고 극복한다면 성공할 것이고,
고난의 눈물에 굴복한다면 좌절하여 실패할 것이다."

"진실로 강한 자란 내적인 고통들에 자신을 내던지지 않고,
끝까지 싸워 이기려는 강한 의지와 인내를 가진 자이다."

"에너지의 효율적인 관리에는 확고한 목표 설정을 기본으로
절제와 균형 그리고 조화를 필요로 하며,
지속적인 힘을 발휘하기 위해서는
욕심은 금물이고 합리적인 자기조절 능력이 필요하다."

"목표의 핵심을 쫓아라.
사소한 문제에 매달리면
사소한 문제도 해결하지 못하고
목표의 핵심도 놓치게 된다."

"완벽한 책임감은 신에게만 가능한 것이다.
이것을 인간인 우리가 대신하여 행하려 한다는 그 자체가
자기파멸의 시초일 수 있다.
타인의 운명은 자신의 완벽한 희생으로 이루어지는 것이 아니다.
우리가 할 수 있는 일은
우선적으로 자신을 돌보고 난 후 주변을 살피는 것이다."

"'아무것도 베풀지 않음'은
결국 자신에게 '아무것도 오지 않음'을 의미한다."

"타인을 위한 완벽한 책임감이 아닌
나와 주변 모두에 최선을 다하는 삶,
자신의 솔직함을 인생에 적용시키는 용기,

각박한 인생이라도 나 자신을 위해 여유로움과 평안을 찾으려는 의지 등...
이러한 노력들이 결국은
나와 나를 둘러싸고 있는 주변 모두를 만족시키는 최상의 방법일 것이다."

"부모님에 대한 간절한 그리움으로
아마존의 밀림을 뚫고, 사하라의 사막을 횡단하며,
장가계의 수많은 산봉우리들을 수만 번 오르고,
이 세상 모든 바다를 횡단하며, 이 세상 모든 곳을 다 뒤져도
돌아가신 그분들을 찾을 수는 없다."

"부모님 살아계실 동안, 우리가 할 수 있는 최상의 것은
형통하든 그렇지 못하든 늘 그분들 곁에서 웃음을 잃지 않는 것이다."

Chaos
of
Values

"인간이 남길 수 있는 최고의 유산은 좋은 기억이다."

Art 23. 자존감(自尊感)

청야(淸夜) 김소현
116.8x91 (LxH,50F) acrylic on canvas 2017

자존감(自尊感)이란 스스로 품위를 지키고 자기를 존중하는 마음을 뜻한다.
본 작품은 자존감을 낮추려는 세상적 강압에 맞서 싸우는
자아의 눈물겨운 의지들을 표현한 것이다.

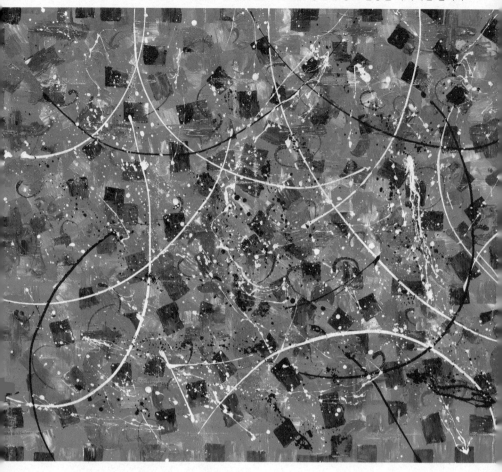

Art 24. 존재유희

청야(淸夜) 김소현
116,8x91 (LxH,50F) 혼합매체 acrylic on canvas 2017

붉은색과 보라색계열을 사용하여 열정적인 창조와 유희의 세계를 표현하였다.

또 적극적인 삶을 추구하는 의지적인 활동으로도 해석된다.

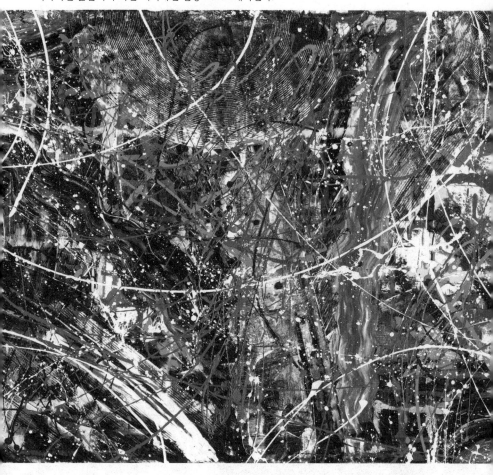

Art 25. 존재유희2

청야(淸夜) 김소현

90.9x72.7 (LxH,30F) 혼합매체 acrylic on canvas 2017

파란색계열을 많이 응용하여 물줄기처럼 뿜어내는
거침없는 표현의 자유와 활동들을 표현하였다.

Art 26. 존재유희3

청야(淸夜) 김소현
90.9x72.7 (LxH,30F) 혼합매체 acrylic on canvas 2017

무채색과 유채색의 기본이 되는 색상들을 모두 응용, 색과 색 조합을 통해
전체를 표현하였다.

Art 27. 죽림(竹林)

청야(淸夜) 김소현 / 72.7x60.6 (LxH,20F) acrylic on canvas 2016

매화, 난초, 국화와 더불어 사군자(四君子)의 하나인 대나무는 사철 푸르고
곧게 자라는 성질로 인하여 지조와 절개의 상징으로 여겨왔다.
본 작품은 이러한 대나무의 특성을 군자로 의인화하여 부정부패와 비리로 얼룩진 세상에서
대나무의 특성을 지닌 곧은 성품의 군자들이
숲(=세상을 의미)으로 둘러싸이기를 바라는 염원을 내포하여 표현하였다.

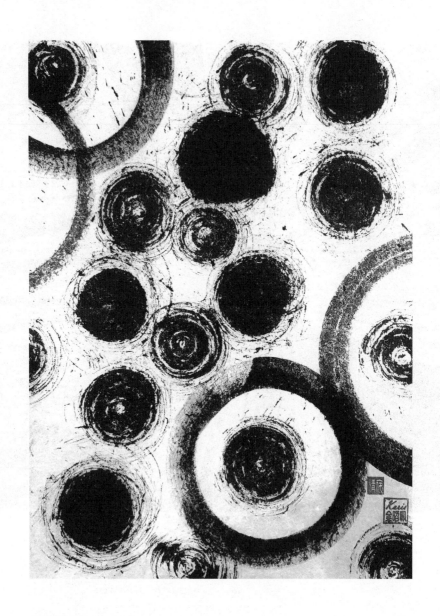

동양추상 10. 공존2(共存2)

청야(淸夜) 김소현
47x64 (LxH) 한지(마)에 먹 2017

내일은 해가 뜨지 않을 수 있다

내일을 믿지 마라.

오늘처럼 고통과 한숨의 반복일 수도 있다.

다 잘 될 거야. 더 나아질 거야. 그리 생각하면 일시적으로 맘이 편해지리라 착각하겠지만, 막상 오늘 같은 내일을 반복적으로 맞이한다면 결국은 절망의 늪에서 빠져나올 수 없게 된다.

오늘 내가 할 수 있는 일, 하찮고 보잘 것 없을지라도, 그것이야말로 나의 것이기 때문에, 할 수 있는 모든 것에 최선을 다하자.

로마의 시인 호라티우스는 이렇게 말했다.

"행복한 사람, 홀로 행복하도다.

오늘은 나의 것이라고 할 수 있는 사람

확신을 갖고 이렇게 말할 수 있는 사람

내일이여, 최악을 행하라. 나는 오늘을 살 것이니"

오늘 내게 다가온 이들, 당신은 신이 아니기에 이 세상 모든 민족을 다 만나고 생을 마감할 수 없다. 그러므로 그들에게 나의 모든 사랑을 쏟아붓자. 반면에 악인이 오면 악이 무엇인지를 깨닫게 하는 도구로 여기어 분별력과 거절함의 능력을 더욱더 강화하고, 어리석은 자가 오면 '내 인생에 이러한 어리석음은 결단코 적용하지 않으리라'라는 다짐으로 만들고, 정죄하거나 비난하는 자가 오면 우주 저편 이름 모를 파편 정도로 간주하여 거부하는 법을 더욱더 강하게 키워라.

오늘 주어진 시간들,

그 과정 속에는...

빚더미로 쌓인 청구서들을 보며 머리를 쥐어짜는 이들도 있고, 계획된 일들이 뒤틀리거나 무산된 이들도 있으며, 문명사회로부터 쫓겨난 원주민들처럼 거대기업으로 전락해버린 예술의 세계에서 설 자리를 잃게 된 이들도 있고 그들 중에는 엄습해오는 불안감을 마음에 품고 줄담배 피우며 펜과 씨름하는 작가, 흰 캔버스를 멍하니 바라보며 붓을 꺾어야 할지 말지를 고민하는 화가, 텅 빈 무대를 배회하는 연극인, 먼지가 쌓여있는 악기와 악보를 바라보며 한숨짓는 이들도 있을 것이다. 또한, 어떠한 형태로든 사랑 때문에 괴로운 이들도, 믿었던 이에게 배신당해 증오로 얼룩진 자들도, 호전되지 않는 병마와 씨름하는 자들도 있을 것이며, 자신의 기획과 창작에는 무관하게 Owner가 지시하는 일 마무리 짓느라 한정된 공간에서 서류들과 씨름하는 이들도 있을 것이고, 허리를 심하게 다쳤음에도 불구하고 가족 생계를 위하여 파스와 통증 완화제 약에만 달랑 의지한 채 코끼리를 등에 업고 걷는 듯한 고통으로 노동해야 하는 자들도 있을 것이다.

그래도 오늘은 두 번 다시 오지 않는다.

그 지옥 같은 과정에서도 고통이라는 뇌세포들의 활동을 억지로라도 멈추어서 하늘을 바라볼 수 있는 여유와 숨 한번 제대로 쉬려고 하는 의지와 안간힘을 쓰더라도 음지에서 웅크리고 있는 내 속의 나를 꺼내어 행복하게 만들려고 하는 노력이 오늘로써 매듭지어진다면 그것이 내일(My Work)인 내일(Tomorrow)이다.

헬렌 켈러의 에세이 「사흘만 볼 수 있다면 Three days to see」 中

내일부터는 앞을 못 보게 될 것처럼 눈을 사용하라.
내일 귀머거리가 된다 생각하고 온갖 목소리가 만들어 내는 음악, 새들의 노랫소리, 오케스트라의 강렬한 선율에 귀를 기울여라. 내일부터는 더 이상 촉각을 느끼지 못한다 생각하고, 만지고 싶은 사물을 만져보라. 내일이면 후각과 미각을 완전히 잃어버릴 것이라 가정하며, 꽃향기를 맡고, 한 입한 입 음식을 음미하라. 모든 감각을 최대한으로 활용하라. 세상에 드러내는 온갖 기쁨과 아름다움에 감사하라. 우리는 그저 모든 감각을 열고, 세상의 신비를 흡수하기만 하면 된다.

절망 속에서 맞이하는 새해

한 청년이 자포자기하며 손 가는 대로 이력서를 쓴다. 벌써 수년째다.

계약직을 하면서 박봉의 월급으로 홀로 자식을 키우는 어머니가 있다.
그녀의 꿈은 작가인데, 꿈은 이미 반납한 지 오래지만,
더욱더 힘든 건 그 계약직마저도 잘리게 된 것이다.

시장에서 야채를 팔며 생계를 유지하는 노부부가 있다.
1평도 안 되는 공간에서 물건들을 보관할 곳이 없어 야채들을 밖으로 꺼내어 팔았고, 강추위에 혹시나 얼어 버릴 것 같아서 보자기로 꼭꼭 싸지만,
아이스 야채가 된 그것들의 목적지는 오늘도 변함없이 노부부의 이름 모를 찌갯거리이다.

직장에 다니는 어느 40대 가장.
회사 사정이 더욱 악화되었다. 급여지급이 안 된지도 수개월째다.

이러한 사실을 숨기며 그동안 마이너스 통장으로 아내에게 생계비를
주었지만, 이제는 마이너스 통장에 잔액이 거의 없다.

제과점에서 제빵기사로 일하고 있는 20대 외아들.
그의 아버지는 뇌졸중으로 그의 어머니는 심부전증으로 두 분 모두 병원
중환자실에 입원 중이다. 전세에서 월세로 집도 옮기고 식사도 거르면서
아낄 것 다 아껴가며 병원비를 충당해 보지만, 한 해 한 해 두 분의 병은
더욱더 악화되어만 간다.

며칠이 지나면 새해다.
절망 속에서도 해는 떠오를 것이다.
새해를 맞이할 준비가 되어 있지 않아도, 우리가 원하지 않아도,
반복되는 일상에서의 한숨 소리에도 아랑곳없이 새해는 다가올 것이다.
내가 할 수 있는 건...
빛보다 더 눈 부시어 감히 쳐다 볼 수도 없는 우리의 창조주께
이 굳어져만 가는 절망들을 모조리 태워 흔적도 없이
사라지게 해달라고 기도드릴 뿐...

-김소현, 〈절망 속에서 맞이하는 새해〉 전문

§

진실과 가식 사이에서

자기 자신뿐만 아니라 남에게도 솔직한 사람들의 특징이 있다.

자신의 부족함과 취약점에도 주눅 들지 않는다는 것, 감정에 솔직하여 사랑하면 과감히 사랑을 주고, 옳은 일은 서슴없이 행하며, Yes or No가 분명하다는 것이다. 하지만 남들은 그러한 모습을 싫어할 수 있다. 가식을 원할 수도, 형식을 원할 수도 있다는 것이다. 옳든 그릇되든 그들은 그들의 입장이 되어 말해주고 행하기를 원한다. 문제는 이러한 겉과 속이 다른 이들로부터 많은 상처를 받을 수 있다는 것인데, 그렇다고 내키지도 않는 그들의 입맛에 맞추게 된다면, 결국 자기가 자신을 싫어하게 될 것이다. 따라서 **자기를 숨기고 본성을 억압하여 자존감을 떨어뜨리는 것에 비하면 상처 따위는 아무것도 아니다.** 가식적인 관계들은 오래갈 수 없으며, 정서적으로도 안 좋고, 건강에도 안 좋다. 인생의 주인공은 '타인을 위한 나'가 아닌 '본래의 나' 이기에 부족한 자기 모습이라도 당당하고 모든 것에 솔직하라.

60대 초반의 한 여인

젊은 시절 소위 '퀸카'로 불리던 그녀는 많은 이들의 부러움을 샀다. 잘 나가던 집안의 외동딸이었던 그녀는 늘 좋은 것만 누리고 살았고, 배우자 또한 학벌도 좋고 경제력도 탄탄한 사람이었다. 그러던 어느 날 남편의 사업이 실패하게 되었고, 남편의 간곡한 요청으로 친정 부모에게 사업자금을 부탁했지만, 친정아버지 또한 경영 중인 사업이 위기에 놓여 있다는 사실을 딸에게 숨겨왔던 터라 도움을 줄 수 있는 상황이 아니었다. 그런 와중에 남편이 외도했던 사실을 알게 되었고, 내연녀에게 사기를 당한 것이 부도의 주된 원인임을 알게 된 그녀는 수치스럽고 자존심 상하여 그 누구에게도 말을 못 하고 혼자서만 끙끙 앓게 되었다. 행여 주변에서 "무슨 일 있어, 많이 수척해 보이네." 라고 말이라도 하면 "무슨 일은 다 잘 되고 있는데, 남편의 사업도 잘되고 있고, 아 참! 이 가방 명품 브랜드인데 금액이 장난이 아니야, 이번에 생일이라고 남편이 선물했어, 생일 선물 하나 더 준비하고 있다고 하던데 외제 차 카탈로그 들고 이리저리 알아보는 것이 아무래도 새 차 한 대 뽑아 줄 것 같아."라며 오히려 더 잘 나가는 듯이 포장을 하였다. 뻔뻔해진 남편은 아내에게 미안함은커녕, 돈을 구해올 것을 계속 재촉하였고, 그녀의 집안은 집안대로, 건강은 건강대로 계속 악화만 되었다. 결국 축적된 마음속 근심들은 암세포의 증가를 유발하였고, 위암 말기로 죽음까지 이르게 되었음에도 불구하고 그녀의 지인들 그 누구 하나 그녀의 고통을 알 수 있던 이는 아무도 없었다.

50대 초반의 한 여인

그녀는 한때 잘 나가던 재즈 피아니스트였다.

해외 공연 중 기타리스트였던 외국인 남자와 사랑에 빠져 결혼까지 하게 되었지만, 예술의 세계는 최고가 아니면 배고프다는 말이 있듯이 나이가 들어감에 따라 그녀와 그녀의 남편을 원하는 공연 기획사는 점점 사라져만 갔다.

물질적으로 궁핍해진 그녀는 이리저리 일자리를 알아보지만, 상황은 그리 여의치 않았다. 추운 겨울 어느 날, 차가워진 몸도 녹일 겸, 그녀는 백화점 안으로 들어갔고, 매장 한 코너에 있는 패딩 코트 하나를 유심히 바라보았다. 가격표를 보니 한 달 치 월세보다 더 비싸서 옷만 한 번 만져보고 그냥 나왔다. 길을 가던 중, 작은 구제 옷 가게에서 그와 비슷한 옷을 보게 되었고, 가격을 알아보니 10분의 1 정도밖에 안 되어 주저 없이 옷을 샀다.

그로부터 며칠이 지난 후 그녀의 후배로부터 식사를 같이하자는 연락이 왔다. 그녀는 머리에서 발끝까지 한껏 치장한 후 만나기로 한 장소로 향했다.

"언니 오래간만이에요, 잘 지내셨어요?"
"그럼 난 늘 잘 지내지, 여기저기서 서로들 공연 스케줄 잡자고 그러는데 지금은 몸이 열 개라도 모자라 다니깐... 유학 가기를 잘한 것 같아. 확실히 외국 명문대 졸업한 것이 많은 혜택을 보고 있어."
"참 잘 됐다. 난 그런 줄도 모르고 공연기획사에서 실력 있는 재즈 피아니스트를 섭외해 달라는 요청이 와서 언니에게 부탁하려고 했는데, 할 수 없네요. 다른 분 알아볼게요."
그녀는 그 후배의 말을 듣고, 당장 한 푼이 아쉬운데 상황에 솔직하지 못해 기회를 놓치고 만 자신이 원망스러웠다.

"언니 이제 그만 일어나요, 식사비는 제가 낼게요."
"무슨 소리 찬물도 위아래가 있는데, 당연히 내가 내야지, 뭐 먹고 싶은 것 있으면 언제든지 연락해."
"고마워요 언니, 그러면 제가 옷 하나 선물할게요. 식사 끝나고 친구가 일하고 있는 옷가게에 가려고 했어요. 남들이 기증한 헌 옷, 신발, 가방 등을 주로 취급하는 가게인데 제품들 전부 세탁하여 들어와서 깔끔하고 품질도 좋을뿐더러 가격도 합리적이에요. 게다가 수익금 일부가 불우한 이웃을 위해 쓰인다고 하니 일석이조(一石二鳥)라 생각해요. 예쁘고 좋은 것들 참 많으니 저랑 같이 가요."
"구제!!! 난 그런 옷들 비위생적이라 안 입어, 동생... 옷 하나 사더라도 차라리 돈 모아서 제대로 된 명품 제품들을 사, 확실히 틀리다니깐..."

착용감도 좋고, 사람들의 대우도 달라지는 것 같아."

그 후배는 잠시 말을 잃고 한참을 생각한 뒤 그녀에게 한마디 건넨다.
"언니, 진정한 명품은 제품이 아니라 그 사람이 어떤 사고방식을 가
지고 있는가에 달려 있는 것 같아요. 구제 옷을 즐겨 입은 제가 행여
언니에게는 비위생적으로 보일 수 있을 것 같아 앞으로 만나기가 어
려울 것 같네요... 잘 지내세요."

모든 것을 드러낼 때, 드러낸 모든 것에 대하여 공감하고, 진실된 마음으
로 소통하며 혼자가 아닌 함께라는 것이 확립될 때 '친밀감'이라는 위대한
사랑이 완성된다. 친밀감은 세상으로부터 억눌러져 있는 감정에 비상구를
만들어 주고, 춥고 어두운 마음에 따뜻한 한 잔의 우유를 마시는 것 같은 진
정제 역할을 하며, 서로가 서로에게 온기를 불어넣음으로써 삶을 희망으로
물들게 한다.

이와는 반대로 숨기려 한다는 것은 솔직하지 못하거나, 거리를 두려 한다
거나, 이중 생각을 한다는 것으로 볼 수 있다. 본심을 숨기는 자들로 인하여
인생의 먹구름이나 허비를 자초하지 말고 '거부감'이라는 단호함으로 대처
하라.

상대가 자신을 포장하고 위선 된 행동을 하고 있다는 것을 당신의 영은
느낄 수 있다. 신이 우리를 그렇게 창조했기 때문이다. 문제는 당신 안의 거
짓 자아가 이것을 받아들여 상처와 분노를 자초한다는 것이다. 인간은 영
이므로 관계를 맺는 과정에서는 본인의 의지와는 상관없이 선과 악의 끊임
없는 영적 싸움이 일어난다. 따라서 인간을 그대로 믿지 말고, 그 안의 영이
어떤 것인지 분별력을 가지고 접근해야 한다.

"선을 선택하면 사람을 얻을 것이요,
악을 선택하면 상대도 자신도 둘 다를 잃게 될 것이다."

가치평가의 기준

"능력을 최대한으로 발휘한다."라는 뜻에는 본인 스스로의 만족에 초점을 두어야 한다. 자신의 능력을 인정받고자 남들에게 공감해 줄 것을 원할 필요도 없고, 그들에게 납득시킬 필요도 없다. 당신의 능력을 남들이 인정하지 않는다고 해서 절대로 실망하거나 좌절하지 말라. 좌절한다면 자신도 모르게 이것을 누군가에게 보이기 위한 수단이거나, 부귀영화를 위한 헛된 야망일 것이며, 자신의 가치를 남들이 지배하게끔 방치한 것이 된다. 자신의 가치를 끊임없이 증명해야 한다는 중압감과 인정받지 못할 것에 대한 불안감에서 벗어나라. 자기 자신을 전적으로 믿는다면 자신을 만족시키는 것만으로 충분하다. 자신의 자아는 그 자체로 가치가 있기 때문이다.

30대 중반의 어느 작곡가 이야기이다

늘 그의 귀에는 음악이 흘러나왔다.

새의 지저귐도, 스쳐 지나가는 바람 소리도, 새벽 비의 고독도, 안개 낀 숲 속의 외길도, 거친 파도도, 밤하늘의 영롱한 별들도, 그 어떤 것도 그에게는 음악으로 흘러왔다. 지방에 있는 OO 대학에서 음악공부를 한 그는 자신의 재능을 살리어 작곡가의 길을 가야겠다고 결심했다.

그러던 어느 날, 자신의 이상형인 여인을 만나게 되었고 사랑에 빠지게 되었다. 사랑 또한 음악이 되어 그의 영혼 전체를 감싸며 흘렀고, 틈나는 대로 작곡을 하여 기타 연주와 함께 그 곡들을 그녀에게 들려주곤 하였다. 그 여인은 그런 그의 열정과 순수한 사랑에 반했지만,

현실을 외면할 수 없었다. 결국, 그녀는 "죄송합니다. 사랑도 중요하지만 현실을 무시할 수 없군요. 저 보다 더 좋은 사람 만나기를 바랄게요."라는 편지만 남긴 채, 그와 헤어졌고, 스펙 좋은 다른 남자와 결혼을 하였다. 상처를 받게 된 그는 반드시 유명한 작곡가로 성공하여 부귀영화를 누리며 자신을 선택하지 않았던 그녀에게 반드시 후회할 수 있게 하리라 다짐하며 서울로 올라왔다.

미친 듯이 기획사, 광고업계 및 방송사들을 돌며 자신이 작곡한 곡들을 홍보하며 인정받으려 애를 썼지만, "외국에서 유명한 대학을 나온 이들의 작품들도 산더미처럼 쌓여 있습니다. 우선 작품 먼저 제출하시고 추후 연락드리겠습니다."라며 무관심한 곳이 대부분이었다.

그는 포기하지 않고 이번에는 나름 활발하게 작곡 활동을 하고 있는 친구에게 찾아가 부탁을 하였다. 그의 말을 듣고, 그 친구는 한참을 생각하더니 조심스럽게 말을 건넨다.
"나도 이 길을 가고 있지만 참 어려움이 많아 포기할까 생각 중이었어. 사실 최고가 되지 않는 이상 생계가 보장되기 어려운 길이고, 아무리 실력이 좋아도 인맥이나 혹은 운이 없다면 성공할 수 있는 길이 거의 없다고 생각해. 일단 음악이 아무리 좋아도 대중이 들어야 하고, 그러려면 홍보가 되어야 하는데 방송을 거치지 않으면 절대로 홍보가 될 수 없어. 여러 곡 중 반짝할 수 있는 작품은 있겠지만, 생업으로 이어가기에는 상당히 부족하고, 이러한 불안함을 또 비집고 해외파 작곡가들도 대열에 합류하잖아. 우리같이 스펙이 부족한 작곡가들이 그들과 경쟁한다는 것은 거의 불가능해. 관련 업계들 또한 그들의 곡이 더 참신하고 스펙에 눈이 어두운 대중들에게 더욱 어필할 수 있다고 섣부르게 판단하고 말이야.
나도 디지털 앨범을 낸 후 유명 사이트의 순위 상위권에도 들어본 적이 있지만 결국 돌아오는 건 빚 밖에 없더라고. 솔직히 말해 죽기 살기로 뛰어들어도 어려울 거야. 네가 하고 싶은 일의 만족이나 기쁨으로 한다면 몰라도 성공에서 생업까지 생각한다면 친구니깐 단호히 얘기하건대 포기해라."

하지만 그는 여기서 포기할 수 없다며 어떻게 해서든지 소속사 대표와 연결될 수 있도록 해달라며 계속 부탁하였다.

그의 눈물겨운 노력이 안쓰러워 그 친구는 자기가 소속되어 있는 음반업계 대표에게 그의 사정을 얘기하게 되었고, 그로부터 한참이 지나서 그 업계 대표는 그에게 직접 연락을 하여 사무실로 오라고 하였다. 그는 이것저것 자신의 작곡한 음반들을 준비하고, 대표와 대화할 내용을 몇 번이나 연습하고 또 연습하였다.

"대표님 불러 주셔서 감사합니다. 저는 제 곡에 확신을 가지고 있습니다. 절대로 실망시키지 않을 자신이 있고, 기회만 주신다면 이 목숨을 다해 최선을 다하겠습니다. 여기 제 영혼을 담은 곡들입니다. 꼭 들어봐 주십시오."라고 그는 말했다.

이에 대표는 "지금은 몇 달 전부터 제출된 곡들도 검토하지 못하고 있으니 이 음반들은 나중에 검토하고, 그리고 자네는 30대인데 60대 이상의 연령층을 위한 작곡을 할 수 있겠나? 트롯풍의 신나고 경쾌한 곡들 말이야..."라고 질문했다. 이에 그는 한참을 망설이다가 "예, 뭐든 시켜만 주십시오, 다 할 수 있습니다."라고 대답하며 작곡을 시작하였다. 아무리 음악을 사랑한다지만 자신의 능력을 발휘할 수 있는 음악 장르도 아니었고, 그 나잇대의 감정에 맞추어 작곡하려니 도저히 영감이 떠오르지 않았다. "안 돼, 난 반드시 성공해야 하고 유명해져야 해."라고 다짐한 그는 원치 않았지만, 최선을 다하면 언젠가는 자신이 원하는 장르의 곡들도 인정받을 것으로 생각하였다. 하지만 시간이 흐를수록 의뢰받은 장르들은 점점 그의 재능과 무관한 방향으로 흐르게 되었고, 생계는 생계대로 안 되었으며, 음악은 더 이상 그의 삶이 아닌 성공해야 한다는 중압감과 인정받아야 한다는 불안감으로만 남게 되었다.

참다못한 그는 용기를 내어 그의 강점을 살린 음반들을 모두 준비하여 대표에게 찾아갔다. "바쁘신데 죄송합니다. 한 번만 제 곡들을 들어봐 주십시오. 절대로 실망하시지 않을 것입니다. 부디 기회를 주십시오."라며 그는 무릎까지 꿇고 부탁을 하였다. 시간이 지나고 한참을 지나도 대표에게 연락이 없자, 다급해진 그는 먼저 연락을 하였다.

"대표님, 재촉하는 것 같아 죄송합니다. 제 곡들을 한번 들어보셨는지요?"

"미안하네, 연락한다는 게... 대충 들어봤는데 요즘은 음악도 일종의 사업이라 대중성과 상업성이 있어야 해... 간단히 말해서 자네의 작품들은 돈이 안 되네. 왜 외국까지 가서 공부하고 오겠나. 이젠 음악도 감정으로만 호소하기에는 힘든 시대야. 음향기술과 접목한 힙합이나 테크노 같은 분야라든가 소위 아이돌 스타와 같은 세대들에 걸맞은 곡들을 창작해야지."

"물론 많은 곡을 접해보셨겠지만, 요즘 음악들은 독특성도 없고, 깊이도 없습니다. 단지 시끄러운 기계적 음향 소리만 들리고 가수들의 가창력을 평가할 수도 없고 감정적인 호소력도 없는 가벼운 노래들뿐입니다. 그러니깐 반짝이다 금방 사라지고요. 저는 다음 세대도 공감할 수 있는 불후의 명작을 만들고 싶습니다. 그러니..."

"이보게, 나도 상당히 바쁜 사람이야, 안 되는 것으로 자꾸 연락하지 말게. 한 번 더 언급하면 지금의 일들도 다시 재고해 보겠네."

결국, 그 대표는 그의 얘기를 끝까지 듣지도 않고 냉정하게 그의 전화를 끊었다.

능력도 발휘하지 못하고, 하고 싶은 분야도 아니고, 인정도 못 받으며, 생활의 안정도 보장되지 않고, 성공과 명예와는 전혀 거리가 먼 이 일들을 계속 진행해보았자 시간만 낭비되고, 몸만 쇠약해져 갈 것이라 판단한 그는 기획사를 떠나게 되었고, 더 나아가 자신이 좋아하던 음악 그 자체까지도 포기하게 되었다.

고향으로 돌아온 그는 그의 재능과 전혀 맞지도 않지만, 생계에 그나마 안정성을 유지시켜 줄 수 있는 다른 일을 하게 되었다. 그러나 이도 잠시뿐... 세일즈맨, 사무보조, 트럭 운전, 점원 등등 직업을 계속해서 바꾸어 보지만 악순환의 고리는 좀처럼 끊어지지 않았다.

"당신이 이 세상에서 전지전능한 인간일 수 없듯이,
모든 사람에게서 이해나 인정을 받을 수는 없다."

다른 이들로부터 이해받고 인정받아야 한다는 생각을 고집한다면, 그때마다 실망하게 될 것이고, 더 나아가 이 사회로부터 버림받게 될 것이다. 그런 것들에 연연하지 말고 오직 자기 뜻대로 일을 진행하라.

"현명한 사람은 성공을 위하여 최선을 다하지만 그것에 집착하지는 않는다.
그래서 그들은 실패하더라도 좌절하거나 포기하지 않는다."

"진정성이 있으면 분명 빛을 보게 된다.
그리고 그 빛은 무조건적 성공이 아닌
자신을 포함한 대우주의 감동이 되어야 한다."

겸손한 실천은 힘준 어깨를 부끄럽게 한다

"어떤 이들은 변화에 대한 꿈만 꾸거나 표면적인 거룩함만을 추구하지만,
어떤 이들은 꿈에서 깨어 그 일을 현실에서 실천한다."

외국에서 명문대 박사학위를 받은 어느 한 종교지도자, 자식들 역시 외국
명문대 박사를 받은 종교지도자들이며 이는 신의 축복이라 말하지만, 은근
히 자기과시와 자식 자랑을 하는 듯...

설교에 이런 말이 왜 들어가야 하는지 도무지 이해가 되지 않았다. 그렇
다면 형편이 안 되어 입시에 합격했는데도 자식을 대학에 보내지 못한 부
모는 신의 저주를 받았다는 말인가? 아픈 영혼들을 위로하고 그들을 위하
여 기도를 해야 하는 위치에서 오히려 생각 없이 발언한 것들이 종교적 반
감과 분노만을 자아낼 뿐이다.

세속화되고 부패로 얼룩진 일부 사찰 내 종교지도자들...

억대 외제 차를 타고, 종교적 수행을 할 시간에 골프장에서 골프로 수행
을 하거나 도박장에서 도박으로 수행하는 일부 종교지도자들... 그중 어떤
이는 개인 사찰을 지어 부적을 만들어 주고 엄청난 금전도 요구한다는데...

계속되는 우울증과 원인모를 만성통증 그리고 자살에 대한 충동으로 고
통을 받고 있던 30대 중반의 청년, 마지막으로 절망 된 마음을 추스르고 어
느 한 목회자에게 찾아가 상담을 하는데, 그 목회자는 경청은커녕 걸려온
전화만 계속 붙잡고 있다. 그때 어느 한 사무직원이 말한다. "OO 분께서 기
부에 대해 말씀드릴 것이 있다고..." 그는 청년에게 "지금 바쁘니 나중에 얘
기합시다."하며 대뜸 자리에서 일어난다.

그 청년은... 그 청년은... 지금 이 땅에 없다.

뉴욕 최대의 빈민가이자 우범지역인 브루클린 내에 있는 교회 "메트로 미니스트리" 그리고 그 교회의 설립자인 "빌 윌슨 목사", 그는 오직 소외되고 버림받은 수많은 아이들에게 복음을 전하고 그들에게 꿈과 희망을 주기 위하여 주야로 동분서주하다가 심장마비로 몇 번이나 쓰러지기도 했고, 흑인 청년이 쏜 총알이 얼굴을 관통하여 죽을 고비도 넘겼으며, 성대에 무리가 왔음에도 불구하고 늘 쉬어있는 목소리로 설교를 했던 열정적인 목회자였다.

그리고 그 자신도 브루클린에 버려진 고아였다.

다수의 사역자들이 안일하고 세속화된 외식적인 신앙을 추구하고, 어떤 지도자들은 운전기사까지 두면서 대접을 받으며 예배당으로 들어갈 때, 빌 목사는 반대로 자신이 버스를 직접 운행하면서 소외되고 가난한 아이들에게 찾아가며 믿음과 소망과 사랑의 빛을 안겨다 주었다. 그 많은 아이들 하나하나를 다 기억하며 이름을 부르고 사랑으로 그들을 감싸준다. 그리고 말한다. 그들 하나하나는 곧 나 자신이라고...

매트로 미니스트리가 사역을 하고 있는 브루클린, 사우스 브롱스, 할렘 지역은 85% 이상이 고등학교를 졸업 전에 퇴학하고, 전체 인구의 60~70%가 국가보조를 받고 있으며, 최근 약 한해 24,000건이 넘는 아동학대 사례가 보고되었고, 그곳의 아이들 대부분은 도저히 헤어날 수 없을 것 같은 빈곤한 가정형편에 방화, 약탈, 폭력을 일삼고 마약을 거래하거나, 소망이 전혀 없는 버려진 고아들이다. 그들 속에는 원치 않게 에이즈까지 감염되어 시한부를 사는 아이들도 있다.

8남매를 키우는 스페니쉬 계통의 한 여인이 말한다.

쓰다 남은 뚜껑이라도 주었으면 좋겠다고... 애들 장난감으로 하게...

한참 부모로부터 사랑받고 보호받아야 할 6~7세 정도의 고아인 여자아이에게 이번 크리스마스 때 선물을 받아 본 적이 있는지 물어보았다. 그 소녀는 "아뇨 그런 것 받아본 적 한 번도 없어요, 그런데 한 번은 작은 고양이가 저에게 찾아왔어요. 가장 큰 선물이었는데, 하지만 어느 날 못된 오빠들이 그 고양이를 빼앗아 휘발유를 뿌려 불에 태워 버렸어요. 자기들 장난감이라고…"

빌 목사는 주일학교나 가정방문, 기도 모임, 교사훈련이 없는 날에는 미국 전역을 돌며 후원자금을 모으며 설교를 한다. 설교할 때 빌 목사는 어린 시절 버려진 자기 자신을 회고하며 브루클린 길모퉁이에서 3일 동안 꼼짝 않고 엄마를 기다렸던 그리고 그 작은 마음이 겪어야 했던 엄청난 상실감과 고통, 그 속에서 경험한 하나님의 임재와 사랑을 이야기한다. 그는 금방이라도 쏟아질 것 같은 눈물을 한가득 담은 채 설교를 하지만, 절대로 눈물을 흘리지 않았다. 흘려서 씻겨 간다면 행여 그때의 고통이 희미해질까 봐, 이는 또한 지금 겪고 있는 버려진 아이들의 참담한 심정을 완벽하게 대변하지 못할까 봐 고인 눈물을 흘리지 않으려는 듯했다.

그는 말한다. "사람들은 사랑과 관심에 반응을 보입니다. 금방 사라져 버리는 사람들의 약속은 아예 믿지 않습니다. 반복되는 실망과 상처로 표면적인 것들을 쉽게 알 수 있고요, 그들은 진실되고 지속적인 관계를 원하고 있습니다. 메트로의 사역 기반은 공감을 기초로 한 관계에서부터 시작되며, 이러한 감정적 교류가 통하지 않았다면 전도든 복음이든 사역이든 모든 것이 불가능했을 겁니다. 내가 만일 죽어가는 한 아이의 영혼을 하나님의 품으로 인도할 수 있다면, 도덕적이고 윤리적으로 위배되지 않는 범위 내에서 저의 모든 것을 동원할 것입니다."

그는 오늘도 혼신을 다하여 이렇게 버려진 아이들과 소외된 빈곤계층의 사람들을 돌보며 사랑을 전파한다. 무의미한 존재에게 의미를 부여하고 마약과 술로 얼룩진 이들에게 사랑으로 변화시켜 꿈과 희망을 품게 하며, 악의 소굴에서 신음하고 있는 이들을 빛으로 인도한다. 많은 아이들과 사역자 그리고 대중들 사이에서 늘 바쁘고 분주하지만, 틈틈이 그는 혼자서 어디론가 가곤 한다. 그곳은 엄마를 잃고 처음으로 하나님을 만난 브루클린 어느 한 길 모퉁이이다. 마치 예수께서 모든 무리를 두고 나와 홀로 겟세마네 동산에서 하나님을 만나 뜻을 합하신 것처럼...

아래는 부패하고 타락된 거짓 종교 지도자들에 대한 성경 말씀이다.
기도해 주는 대가로 과부의 가산을 삼키며...
성전의 금을 성전보다 더 중요하게 여기고...
온갖 현물을 요구하면서 정의와 긍휼과 믿음을 소홀히 여기고...
탐욕과 방탕으로 가득하고...
겉모양에만 관심을 기울여 외식과 불법이 가득해졌고...

§

골방에서의 기도

저는 지금 골방에 있습니다.

스치는 바람도 차단하고
내리는 비도 차단하며
입가의 미소도 차단하고
눈앞에 보이는 것들도
귓가에 들려오는 소리도
모두 모두 차단합니다.

이제는 철저히 혼자이오니
하늘 문을 여시고
이 부족한 몸과 하나 되어

슬픔이라는 깊은 바다에 빠져
절규하는 이 깊은 통곡에
귀 기울여 주소서.

-김소현, 〈골방에서의 기도〉 전문

§

비교... 자기 혐오를 부추기는 악의 계략

잘난 척하는 인간들 부러워 말라.

그렇게 해서라도 자기의 열등감을 숨길 수 있지 않은가?

많이 배웠다고 부러워 말라.

자기 손에 박힌 가시 하나 제대로 못 빼고 어린아이도 알만한 상식조차 모르며 융통성이나 조화란 전혀 없는 이들 허다하다.

많이 가졌다고 부러워 말라.

축적하는 데에만 혈안이 되어 있는 이들은 먹고 싶은 것, 갖고 싶은 것 제대로 사지 못하고, 하고 싶은 것 제대로 하지 못하며, 가고 싶은 곳 제대로 가지도 못한다. 더 나아가 그 인색함의 축적이 질병이나 자식을 통해 헛되이 흘러나가는 경우도 허다하다. 만일 재물에 눈이 어두운 이들과 가까이 하려 한다면 당신이 얻는 것은 그들의 무례함과 교만, 쓸데없는 자기과시로 인한 실망뿐이다. 그들에게 있어 중요한 것은 자기 수중에 있는 재산뿐이며, 그들에게 있어 인간은 단지 부의 축적을 위한 수단일 뿐이다.

타인과 비교하여...

그들의 성공이 당신에게 자리하나 마련해 주지 않는다.

그들의 재산이 당신의 호주머니에 한 푼이라도 들어오지 않는다.

그들의 업적과 명성이 당신을 드러내지 않는다.

그들의 위치가 당신의 위치를 상승시키지 않는다.

그들의 역량이 당신의 역량을 확대시키지 않는다.

그들의 콧대 높은 교만이 당신의 순수함을 짓밟을 수도 있다.

현재(Present)는 선물(Present)이다.

그 누군가를 부러워하지도 말고, 억지로 쫓아가지도 말며, 비교하지도 말라.

그리고 그런 헛된 상념들로 자신의 소중한 시간을 낭비하지도 말라.

지구촌 나 자신은 오직 하나이다. 남들도 가족들도 지인들도 그 누구도 내가 될 수 없다. 가는 세월 못 막아도 즐길 수는 있다. 할 수 있는 최대한으로 현재를 즐겨라.

인생의 시계는 단 한 번 멈추지만 언제 어느 시간에 멈추는지는 아무도 모른다. '늘 지금이 내 시간이다'라는 생각으로 최선을 다하여 사랑하고 수고하며 기쁘고 감사함으로 살자.

> "그들과 같이 되지 못함을 분노하는 것은 '교만'이요,
> 그들과 비교해 나 자신을 학대하는 것은 '열등'이며,
> 그들과 상관없이 나다운 것이 '겸손'이요,
> 그러한 그들을 보면서 장, 단점을 파악하여
> 내 것으로 만드는 자가 '현자'인 것이다."

자신을 평가하는 일반적인 기준으로 사회에서는 비교하는 악습관을 은근히 제시한다. 하지만 비교의 습관은 외부의 상황에 자기 자신을 맡기는 것이기 때문에 그릇된 모방, 열등감, 불안감, 고립감, 무기력함 등의 악영향만을 초래한다. 자기 자신을 평가할 수 있는 가장 좋은 기준은 성공해야 한다는 강박관념에 사로잡히지 않는 "자기만족과 가치 있는 삶의 지향"이다. 비교하는 것이 아닌 자신의 테두리 안에서 만족할 수 있는 기대치를 만들어 그것에 최선을 다하면 되는 것이다. 하지만 그 기대치가 너무 높게도 너무 멀게도 잡지 말고, 매 순간 최선을 다했는가에만 초점을 맞추어라. 그리고 당신 자신의 신념대로 움직여라. 당신은 개성이 있고, 특별한 존재이므로 굳이 남들과 비슷하게 할 필요도 없고, 애써 다르게 할 필요도 없다. 당

신이 그들과 같아질 수도 없고, 또 그럴 필요도 없기 때문이다.

"당신의 최대 관심사는 상대방의 비교도 아니요,
 그들의 언행도 아닌
 당신이 할 수 있는 일이 무엇인지를 발견하는 것이다."

"탁월한 인물의 특성 중 하나는 결코 자신을 다른 사람과 비교하지 않는다는 것이다.
 자신을 자기 자신, 즉 자신이 과거에 이룬 성취와 미래의 가능성 하고만 비교한다."
 -브라이언 트레이시

"중요한 일은 다만 자기에게 지금 부여된 길을 한결같이 똑바로 나아가고, 그것을 다
 른 사람들의 길과 비교하거나 하지 않는 것이다." -헤르만 헤세

아무것도 걱정하지 말라

"이 세상 모든 고통에는 해결점이 있거나 없다.
있다면 최선을 다해 노력하고, 없다면 신경 쓰지 말라."

"인생은 고해(苦海)다."라는 말이 있다. 여기서 '고해(苦海)'란 '고통의 세계'라는 뜻으로, 괴로움이 끝이 없는 인간 세상을 이르는 말이다.

즉 "사람이 세상을 살아가는 일이란 끝이 없는 고통이다."라는 뜻이다.

세상은 이 문장이 의미하는 것을 마치 당연한 듯 체념하며 받아들이라 하지만, 고통 그로 인한 걱정의 존재는 인정해도 받아들임의 유무는 우리의 마음가짐에 달려있다고 생각한다.

"걱정이 많아지면 오늘이 작아진다." 우리는 하루에도 수십 번 수백 번씩 이 걱정, 저 적정하며 문제를 해결하려 하지만, 사실 걱정하지 않는 것이 일어난 문제를 해결할 수 있는 가장 좋은 방법이며, 오늘을 위한 최상의 에너지가 된다. 걱정은 쓸모없는 감정의 소용돌이이기 때문에 집중력을 떨어뜨리고, 마음을 산만하게 하며, 분별력과 결단력을 잃게 하고, 만병의 근원이 되므로, 걱정 없는 생각은 당신을 더욱더 신중하고 합리적으로 만들 것이다.

라인홀트 니부어의 기도문에는 이런 구절이 있다.

**"주여, 제게 허락해 주소서.
바꾸지 못할 것을 받아들이는 평정과
바꿀 수 있는 것을 바꾸는 용기,
그리고 이 둘을 분별할 수 있는 지혜를 허락해 주소서."**

따라서 확실한 대책이 없다면 걱정하지 마라. 풀릴 일은 풀릴 것이기 때문이다.

그렇다면 걱정하는 습관에서 벗어 날 수 있는 방법은?

다음과 같이 몇 가지를 제시한다.

무엇을 하든 바쁘게 움직여라. 걱정하는 사람이 절망의 늪으로 빠지지 않으려면 행동에 몰두해야 한다.

사소한 일에 마음 쓰지 마라.

어떤 불행이 닥치든 피할 수 없다면 받아들여라.

극복하려고 최선을 다해 노력하지만, 어쩔 수 없다면 그냥 흘려보내라.

어제를 잊고 내일을 생각하지 않는 법을 배워라. 단지 주어진 오늘 하루에 최선을 다하라. 그렇다면 하루하루가 새롭고 열정은 되살아날 것이다.

프랑스의 철학가 몽테뉴는 이렇게 말했다.

"내 삶은 아직 일어나지도 않은 끔찍한 불운으로 가득 차 있다."

눈앞에 보이는 모든 것을 만끽하라. 지평선 저 멀리 어딘가에 있을 미지의 세계를 동경하지 말고...

생각이 많아질수록 퍼센트는 줄어든다는 것을 명심하라.

예를 들면 만족감, 인간관계, 기대와 목표, 역량, 시간, 행복 등...

그러므로 단순화하려고 노력하라. 우리의 창조주는 참으로 단순하고, 그분의 인품과 형상에 따라 우리를 창조했는데, 창조물인 우리는 너무 복잡하여 신께서도 고민 중이다.

"아무것도 염려하지 말고, 다만 모든 일에 기도와 간구로 너희 구할 것을 감사함으로 하나님께 아뢰라." -성경

완벽보다는 만족을 추구하라.

불행의 씨앗은 불완전한 인간임을 망각한 채, 완벽을 추구하려는데 있다.

작은 만족들이 모여 행복을 만든다는 것을 명심하라.

상처가 될 수 있는 요인들을 통째로 거부하라.

세상은 진실과 기쁨을 주려고 다가가는 이들에게 상당히 무례하다.

무례한 세상으로부터 상처받거나 걱정하지 않으려면 그러한 이들을 통째로 거부하는 것이다.

인생의 목표를 성공이라는 결과보다는 가치 있는 목적에 충실 하다는 것에 초점을 두어라. 성공에 초점을 두면 실패하고 좌절할 수 있지만, 가치에 **초점을 두면 실패하여도 좌절하지 않게 되며, 더 나아가 신의 섭리까지도 깨닫게 된다.**

변할 수 없는 것에 연연하지 말라. 바꿀 수도 없고, 지울 수도 없다.

단 우리가 할 수 있는 일은 과거로부터 무엇인가를 배우는 것이다.

시간... 되돌릴 수 없는 것에 연연하여 지금의 시간마저 낭비하지 말라.

나이... **나이를 줄이거나 늘릴 수는 없다. 단 잊고 살 수는 있다.**

우리가 할 수 있는 것은 나이를 잊고 오늘 하루 할 수 있는 최고의 젊음을 발산하는 것이다.

다른 이들의 평가, 시선, 의견... 나에 대한 다른 이들의 생각은 그들의 문제일 뿐이다. 약이 되면 삼키고, 독이 되면 과감히 내뱉어라.

타고난 신체조건... 바꿀 수 없다면 차라리 사랑하라. 자신이 가장 사랑해야 할 상대는 다름 아닌 자기 자신이다.

질병, 장애, 죽음... 필연이라면 삶의 일부로 받아들여라.

인간의 노력만으로는 축복을 만들 수 없다.

단 한 가지만을 제외하고는...

그것은 어떠한 상황이 오더라도 걱정하지 않고 단순해지려고 하는 의지이다.

그래서 신은 걱정에 대해 다음과 같이 인간의 의지를 요구한 것이다.

"내일 일을 위하여 염려하지 말라.

내일 일은 내일이 염려할 것이요, 한 날의 괴로움은 그 날로 족하니라." -성경

§

고통이라는 흐르는 강물

과거에도 고통이 있었다.
시간이 흘러감에 따라 그 고통은 무뎌져 갔지만
지금은 다른 고통과 씨름 중이다.
하지만 이것 또한 지나간다.

언젠가는 또 다른 고통이 올 것이다.
이것 또한 지나가리라

고통은 흐르는 강물이다
강물은 끊임없이 흐른다
고통은 우리의 인생에서
끊임없이 흐를 것이다.

흐르는 것은 흘려보내야 한다.
절대로 내 몸을 위하여
마시는 물이 되게 해서는 안 된다.

-김소현, 〈고통이라는 흐르는 강물〉 전문

§

미쳐 간다는 것

무엇인가에 열정을 쏟을 때, 그것이 통제가 안 되는 혼적인 초월인 경우 저자는 이 상황을 '미쳤다'라고 표현하고자 한다.

무엇인가에 미쳐 간다는 것...

한 가지를 제외하고는 나름 도움되는 것이 많았다.

사이클에 미쳤을 때는 근육이 뭉쳐 찢기는 듯한 고통을 느끼지만, 달릴 때만큼은 온몸이 바람이 되어 그 쾌감이란 이루 말할 수 없다. 균형을 유지하려면 움직여야 하고, 집중하지 않으면 부딪치거나 넘어질 수 있어 잠시나마 잡념의 고통에서도 벗어 날 수 있다.

음악에 미쳤을 땐, 특히 Drum. 다른 악기와 달리 Drum은 머리, 눈, 팔, 다리, 발 모두를 따로 분리해 각 지체의 역할에 충실해야 한다. 그래야 정확한 박자와 리듬이 나온다. 거기에 강약까지... 이 지체들이 각기 따로 움직여도 지체 중 하나가 제 역할을 못 하면 연주에 혼선을 빚게 되어 짜증이 나지만 그 단계를 뛰어넘으면 이미 내 몸은 나에게서 분리되어 신기(神技)를 발휘한다.

'나'라는 복잡한 창조물을 색으로 표현시켜 줄 수 있는 미술이라는 장르도 고맙다. 색에 미치면 시, 공간을 초월하여 내 시야는 초자연, 초현실로 극대화된다.

하지만...

불행히도...

사람에 미쳐 버리면...

내 영혼은 점점 파멸의 늪으로 빠져들 것이다...

"사랑할 줄 아는 사람은 자신의 정열을 지배할 줄 아는 사람이다.
　반대로 사랑을 할 줄 모르는 사람은 자신의 정열에 지배를 받는 사람이다." -호라티우
스

§

인심(人心)

사람의 마음은...

틈새에 낀 이끼보다 협소하고,

지독한 가뭄으로 갈라져 있는 땅보다 메마르며,

거센 베링해 한복판,
거침없이 치솟아 오르는 풍랑으로
앞을 볼 수 없는 바다보다 침울하고,

날카로운 발톱과 송곳니를 드러낸
무자비한 맹수의 공격보다 사나우며,

남극의 극한 추위보다 매섭고,

예고 없이 순식간에 모든 것을 덮쳐 버리는

해일보다 비정하며,

맑은 하늘 서리 맞은 잎새처럼 알 수가 없다...

-김소연, 〈인심(人心)〉 전문

§

경쟁... 인성파괴의 근원

사회적 제도나 풍습은 '경쟁'을 매우 가치 있는 것으로 조장하여 인간들에게 심리적 중압감과 함께 강한 스트레스를 유발한다. 즉 사고방식 자체를 교란해 인간으로 하여금 상대하는 이들을 대상으로 경계심을 부추기게 만든다. 극단적인 경쟁은 긴장과 스트레스를 유발하여 만성질환을 일으키고, 개인적인 삶을 파괴하며, 가족이나 주변인들과의 친밀감이나 유대관계를 빼앗고 최악의 경우 인간성마저도 상실시킨다.

학교는 학생들에게 좋은 성적을 요구함과 동시에 원만한 교우관계보다는 서로 간의 경쟁을 부추기게 만든다. 직장에서는 최대 이윤만을 추구하려고 구성원 간의 경쟁심리를 조장시키고, 심지어 가정에서조차 형제자매 간의 우애보다는 비교를 통한 경쟁심리만을 더욱더 조성시킨다.

친구 간의 관계는 어떠한가? 마찬가지이다.

자신만 늘 제자리걸음이거나 뒤처진다는 생각을 하게 되고, 형통한 이들을 보면 겉으론 웃음을 짓겠지만, 속은 시기와 질투 그리고 경쟁심으로 가득 차 있다.

더 나아가 기업 대 기업, 단체 대 단체, 조직 대 조직, 개인 대 개인 등등 사회의 모든 것이 '경쟁'이라는 보이지 않는 전쟁을 하고 있다.

그렇다면 경쟁에서 승리하고자 하는 이유는 무엇일까?

만일 그 이유가 부와 명예는 물론 자신이 부러움이나 존경의 대상이 되기 위함이라면 당신은 자신의 내면적 확신보다는 남들의 칭찬과 평가에 의해 만족을 얻고자 하는 셈이 된다. 이것이야말로 자기비하요, 자신의 자존감을 떨어뜨리고 중심을 흔들리게 할 결정적 계기이다.

스스로의 가치를 확립하고자 다른 사람들과 비교하지도 말고, 스스로만 우뚝 서기 위해 화합을 무시해 버리고 오로지 경쟁 심리에 불타 상대를 제압하려는 이기심으로 선이 되어야 할 당신의 마음을 악으로 물들이게 하지 말며, 이 세상 모든 만물의 아름다움을 누려야 할 당신의 두 눈이 세상의 경쟁 심리에 동요되어 혈안이 되게 하지 말라.

당신은 이 세상에서 유일한 존재이고, 모든 만물을 누려야 할 신의 자녀이며, 어느 누구도 감히 논할 수 없는 소중하고 가치 있는 존재이다.

이러한 사실을 염두에 두어 세상 악이 부추기는 '경쟁'이라는 유혹에 빠져 인생을 불행하게 만들지 말고, 내가 최선을 다할 수 있는, 내가 진정 최대로 가치 있게 살려는, 내가 진실로 만족할 수 있는 그러한 나만의 세상으로 천국을 만들어라.

§

존경받는 사람들

분명하며 단호하며 거절할 줄 아는 사람
소신대로 밀고 나가는 사람
패배의 쓴맛을 많이 겪고도 우뚝 일어서는 사람
일반적이지 않고 특별하지만, 실제적인 사람
사람의 마음을 읽을 줄도 알고 움직일 줄도 아는 사람
허락을 받는 사람이 아닌 선언하는 사람
상대의 눈을 똑바로 볼 수 있는 사람
말 수를 아끼되, 깊은 말 한마디가 정곡(正鵠)을 찌르는 사람
눈물을 아끼지 않는 사람

가치 있는 목적에 충실한 사람

스스로를 존경할 줄 아는 사람

이것이 존경받는 사람들의 모습이다.

-김소현, 〈존경받는 사람들〉 전문

§

"존경이란 자신의 양심에서 우러나오는 해야 할 일들을 차마 할 수 없을 때,

그 누군가는 자신을 내려놓고

당당히 양심의 호소에 따라 움직이는 자들에 대한 우리의 마음이다."

글을 쓰는 이유

난 요즘 친구들이 많아져서 너무너무 즐겁다.

시간이 흐를수록 사람들의 대화 내용이 현실적이고 세속적인 문제에서 벗어나지 못해 늘 답답하고 막막했지만, 요즘 친해진 친구들은 이 모든 것을 초월하여 내 영을 기쁨으로 가득 채워준다. 한 가지 아쉬운 점은 직접 보면서 대화를 할 수 없다는 것인데... 그럼에도 불구하고 그들이 건네주는 한마디 한마디는 막혀있던 내 머리와 심장을 뚫어 주는 것 같아 행복을 느낀다. 내가 만일 밤하늘의 별을 따고 싶다면 십중팔구는 한심한 듯이 쳐다보며 '언제 철이 들 건지'라며 한심하게 바라보거나 현실을 직시하라는 둥 쓴소리를 하지만 내 친구들은 별을 어떻게 하면 딸 수 있는지 같이 고민해 주고 나에게 별 따는 방법들을 넌지시 제시한다. 내 친구들은 그들이 아는 것에 비해 너무 겸손해서 탈이다. 괴테, 니체, 쇼펜하우어, 셰익스피어, 루소, 세르반테스, 로버트 브라우닝, 헨리 나우엔, Paul, David, Solomon..in Bible, C.S 루이스, 조이스 마이어, 마더 테레사, 데일 카네기, 데이비드 D 번스, 알프레드 아들러, 도스토예프스키, 조지 버나드 쇼, 헤라클레이토스, 아인슈타인 등... 시대, 민족, 나이, 신분 모든 것을 초월하여 글과 언어로써 하나가 될 수 있다는 것이 그리고 공감대가 형성될 수 있다는 것이 얼마나 경이롭고 신비로운가? 내가 제일 존경하는 예수께서 말씀이 육신이 되어 이 땅에 오신 것처럼... 그래서 난 오늘도 글을 쓴다.

위와 같은 내용의 유레카는 우리의 인생을 친구 또는 주변인들과의 직접적인 접촉으로 한정 짓지 말고 간접적인 영적 교류까지 확장하라는 것이다. 그러한 방법 중 하나가 독서인데 인터넷 문화가 발달하면서 책과 거리를 두고 사는 사람들이 점점 많아진다. 독서를 하면 그동안 모르고 있던 각종 지식을 습득할 수 있고, 자기능력을 발전시킬 수 있으며, 인격(人格)과 실력을 골고루 갖출 수 있다. 또한, 자신이 직면한 문제에 대하여 한정된 주변인들과의 직접적인 대화로써 얻은 결과보다는 훨씬 더 정확하게 문제해결에 도움을 준다. 보여지는 사람들에 대한 의지는 육적인 만족에 조금이나마 위안이 될 수 있어도 영육혼 모두에 만족이 될 수는 없다.

처한 상황에서 더 나아지기를 원한다면 많은 글을 접하고 성경 말씀을 묵상하며 늘 기도하라.

"육적인 것에는 한계가 있지만, 영적인 것에는 한계가 없기 때문이다."

"낡은 외투를 그냥 입고 새 책을 사라." - 오스틴 펠프스

"내가 우울한 생각의 공격을 받을 때 내 책에 달려가는 일처럼 도움이 되는 것은 없다. 책은 나를 빨아들이고 마음의 먹구름을 지워준다." - 미셸 드 몽테뉴

"나는 삶을 변화시키는 아이디어를 항상 책에서 얻었다." - 벨 훅스

"한 권의 책을 읽음으로써 자신의 삶에서 새 시대를 본 사람이 너무나 많다." - 헨리 데이비드 소로우

"오늘의 나를 있게 한 것은 우리 마을 도서관이었다. 하버드 졸업장보다 소중한 것이 독서하는 습관이다." - 빌 게이츠

"복 있는 사람은 오직 여호와의 율법을 즐거워하여 그의 율법을 주야로 묵상하는 도다." - 성경

혼돈의 세상에 사는 우리들...
정신까지 혼미해져 돌인지 떡 인지도 모르며 삼킨다.

운 좋게 유명한 방송작가가 된 한 여인

신인이든 유명 배우든 그녀의 작품에 출연 제의라도 올까 하는 기대
에 아첨하기 바쁘다. 그녀는 그러한 그들의 거짓 대우에 속아 넘어가
고, 심지어 자신이 마치 여왕이 된 듯 교만이 하늘을 찌른다. 시간이
흐르고 그녀의 작품들도 한계에 달한 듯, 더 이상 방송국에서 연락이
오지 않았다. 경제도 바닥이 나고, 좌절감에 삶 또한 엉망진창이 될
때쯤, 그녀는 용기를 내어 자기에게 도움을 받았던 이들에게 연락을
시도한다.

이 번호는 없는 번호이니...
신호는 가는데 전화를 안 받는다.
간신히 통화가 되었지만 바쁘다는 핑계를 대며 끊어 버린다.

컴퓨터 주변기기 관련 무역업을 하던 50대 중반의 대표

수출 오더도 많았고 사업도 꽤 형통했다.
그 회사 소속 20대 초반의 한 여성, 사업이 번창하자 사장을 유혹한다.

실무는 관리급 직원들에게 맡겨 버리고, 그 사장은 툭하면 전시회 핑
계를 삼아 그녀와 해외여행을 가고, 시간이 여의치 않으면 생산라인

의 검수를 핑계로 지방에 있는 콘도로 향한다. 그러던 어느 날 그녀는 사장에게 Bar를 운영하고 싶다고 제안했고, 이에 그는 직원들에게 수출대금이 입금되기까지 시간을 요하고 당장의 자금융통을 위하여 Bar를 차린다며 본 업무뿐만 아니라 Bar 운영도 비즈니스의 연속이니 직원들에게 협조할 것을 당부하였다. 사전에 충분한 시장조사도 어떠한 준비도 없이 Bar를 운영하다가 계속되는 적자로 결국 폐업을 하게 되었고, 엎친 데 덮친 격으로 사업 매출 또한 크게 감소하였다. 중국과의 사업 경쟁력에서 밀리게 되어 수출의 문이 좁아졌고, 수입으로 사업 방향을 바꾸어 보지만 내수경기의 하락과 잇따른 거래업체들의 부도로 기존의 사업 또한 부도를 맞게 되었다. 더 이상 희망도 없고, 자기한테 이득도 없다고 판단한 그녀는 그의 곁을 떠나기로 결심했고, 이에 화가 난 그는 그녀에게 손찌검하며 "너 때문에 이혼까지 하고, 막대한 경제적 손실까지 입었는데 인제 와서 배신이야." 라며 분노를 터트리자, 화가 난 그녀는 경찰과 형제들에게 다급히 연락하여 "어떤 미친 남자가 이성을 잃고 자기에게 폭행을 하고 있다." 며 신고를 하였다. 결국, 그는 폭행죄로 형사 입건되었다.

예술계통으로 나름 유명하다 자신하던 30대 초반의 여인

60대 남자와 교제 중이다. 그는 사업가이고 그녀가 속한 예술극단의 sponsor였다. 그녀의 아름다움에 반한 그는 그녀에게 생활비, 외제차, 오피스텔 주거비 등등... 거액을 쏟아부었고 심지어 교수 자리까지 힘을 써주었다. 그러던 어느 날 그가 경영하던 사업이 실패로 돌아가자 그는 더 이상 그녀의 스폰서가 될 수 없게 되었다. 그렇다면 그녀는... 그와의 인연을 끊고 다른 스폰서를 알아보고 있다.

OO 대학 재학 중인 한 대학원생

50대 후반의 남자 앞에서 눈물을 펑펑 흘린다.

"남들보다 많이 노력하고 열심히 공부하여 훌륭한 사람이 되고 싶은데..." 알고 보니 그 남자는 그녀의 학과 교수였다.

그 교수 또한 그녀의 거짓 눈물에 속가 넘어가 아낌없이 학비와 생활비 일체를 지원하였고, 검증 없이 논문 또한 바로 통과시켜버렸다. 그러던 어느 날 그녀는 학과 친구들과의 모임에 참석하였고, 그들에게 그 교수로부터 받은 명품가방, 신발, 시계들을 자랑하였다. 그녀는 자기가 잘 아는 호스트바가 있다며 친구들에게 장소를 옮겨 그곳으로 가자고 제안을 했고, 그곳에서 그녀는 그녀보다 어려 보이는 훤칠한 미남의 호스트를 부르더니 술을 건네며 애정행각을 벌였다. 지갑을 열어 무엇인가를 그 젊은 호스트에게 주는데... 그것은 다름 아닌 그 교수에게 받은 돈이었다.

어느 날 두 명의 후배에게 전화가 왔다. 한 명은 여자, 다른 한 명은 남자...

둘 다 애인이 생겼다는 것이었다. 이들에게 똑같은 질문을 하였다.

어떤 사람이냐?

여자 후배가 말한다. "미국 OO대 경영학 석사 출신이고, 아버지 사업을 이어받아 경영할 것이고, 집안에 돈이 많고, 차종은 무엇이고, OO 동 호화빌라에 살며..."

이번엔 남자 후배가 말한다. "키도 크고 날씬하며, 외모가 유명한 OO 배우 같이 생겼고, 그녀의 아버지는 OO 사업을 크게 하시고..."

내가 그들에게 질문한 것은 '무엇을 하는 사람이냐'가 아니라 '어떤 사람이냐'라는 것이었다. 그 사람의 심성, 가치관, 사고방식, 인품, 목표 등...

빛나는 것이 모두 황금이 아닐진대, 왜 사람들의 시선이 점점 더 살얼음처럼 깨지기 쉬운 표면적인 것들에만 치우쳐지는지 심각하게 생각해야 할 문제이다.

"나무가 쓰러지면 흙이 갈라진다.
나무가 우뚝 서려면 흙이 필요하다.
나무와 흙처럼 서로 다른 둘이 만나 하나의 생명이 되는
그런 관계들이 혼돈과 어둠의 세상을 환한 빛으로 밝힐 것이다."

"행복한 삶의 비밀은 올바른 관계를 형성하고, 그것에 올바른 가치를 매기는 것이다." -노먼 토머스

"역경은 누가 진정한 친구인지 가르쳐 준다." -로이스 맥마스터 부욜

§

나무와 흙

나는 홀로 우뚝 서 있는 나무다.

어느 날 물고기가 찾아왔다.
내 주위를 휘젓고 다니더니
물고기는 물에서 살아야 한다며 훌쩍 떠나가 버렸다.

어느 날 새가 찾아왔다.

이리저리 날아다니며 외로운 나에게 웃음을 주었다.

나에게로 와서 안식을 취하고 둥지도 틀고

영원히 내 곁에 있을 것만 같았다.

하지만 어디론가 날아가서는 영원히 돌아오지 않았다.

여름이 찾아오고 사랑에 목마른 나에게 단비가 내렸다.

사막과도 같은 나의 온몸과 마음을 촉촉이 적셔 주었고

빗방울 떨어지는 율조로 사랑의 세레나데를 불러 주었다.

내님일 것 같아 닫혀있던 나의 온 마음을 열어

나뭇가지들을 펼치며 감싸주었건만

이 비는 잔인한 비가 되어 거센 폭우로 가지들을 꺾고

내 사랑이 무색할 정도로 깊은 상처와 절망을 주었다.

밤이 되면 햇님도 영원하지 않았고

아침이 오면 달님도 영원하지 않았다.

볼 수는 있지만 하늘도 구름도 나에게는 너무 멀리 있었다.

점점 여위어가는 나에게 한 아이가 찾아왔다.

책도 읽어 주고 돗자리도 펼치며

직접 만든 음식들을 꺼내어 함께 하자고 한다.

"나는 이미 지쳤노라"라고 거절하지만 내 말은 아랑곳없이

그 아이는 최선을 다해 나와 함께 있어 주었다.

바보 같은 나는 이번에도 그늘이 되어 그 아이를 품었다.

어느 날 그 아이는 다른 아이를 데려오더니

내가 서 있는 앞에서 그 아이에게 사랑을 고백한다.

"그걸 어떻게 믿어"라고 말하자
바닥에 있는 날카로운 돌을 들어 내 몸에 하트를 그어 상처를 내며
그 아이에게 사랑을 표현한다.

지칠 대로 지치고 깊은 상처들이 절망이 되어 쓰러져 뿌리가 뽑히는 순간
누군가의 고통스러운 신음 소리가 들려왔다.
그건 바로 흙이었다.
뿌리가 뽑히면 뽑힐수록 나는 쇠퇴해 가고
흙은 찢기는 고통을 겪고 있었던 것이다.
비로소 알았다. 내가 살 수 있었던 것을...
그건 보이지 않는 사랑의 기운으로 늘 내 곁에 있던 흙...

그렇게 내 임은 아무런 조건 없이 나를 지탱하고 있었던 것이다.

-김소현, 〈나무와 흙〉 전문

§

인간의 지성은 불완전함을 인정(認定)할 때 발휘된다

냉철한 이성, 감정 따위는 불필요한 쓰레기라 여기는…

타인을 위한 배려나 관심은 전혀 없이, 오로지 자기관리와 이익 그리고 지식 축적과 성취욕에만 치중(置重)하는…

스스로가 완벽하다 자부하는…

탄탄한 spec과 background… 그들의 관계 형성은 그들보다 더 나아야 한다.

그들에게서의 지식은 나눔이 아닌 그들 자신만을 위한 것이어야 수용된다.

수시로 자기 이익을 위해 맺고 끊는 인연들… 자신의 흠이 탄로라도 나면 회개는커녕 '흠, 안 보면 되지.'하고 기본적인 양심을 짓밟아 버리는…

어떤 때에는 100% 감수성만 있는 나로서는 냉철한 그들이 부러울 때가 있다. 적어도 상처라는 것을 주면 주었지 받지는 않았을 테니깐…

자기에게는 관대하고 타인에게는 인색한 그런 그들과 대화를 하고 있으면 몇 가지 느껴지는 것이 있다. 산이 주는 웅장함과 바다가 주는 깊음과 하늘이 주는 온유함과 나무가 주는 겸손과 사람에게서 오는 온기를 찾아볼 수 없다는 것…

감추려고 애를 쓰지만 그들의 눈을 통해 그들의 마음을 읽을 수 있다.

지독히 외롭다는 것.

진실을 왜곡하고 자기를 합리화를 한다는 것.

자신이 비뚤어져 있고 모든 것을 숨기려 하기에 타인 또한 그런 시선으로 바라봄으로써 깊은 인연은 없다는 것.

감정을 철저히 마비시켜 머리와 껍데기만 남았지 존재는 찾아볼 수 없다는 것... 모든 면에서 철저하다 자부하는 그들의 최고 범위는 그들의 코끝까지 인 듯하다.

어느 화가의 이야기이다

어느 날 그 화가에게 소개팅 제안이 왔다.
만나기로 한 장소에서 상대를 기다린다.
불쾌한 바람과 함께 한 여인이 다가온다.
이름을 확인한 뒤 자기가 만나기로 되어 있는 그 사람이라고 말한다.

그녀는 그를 위아래로 훑어보며 대뜸 질문을 한다.
"사시는 곳은, 학력은, 수입은, 자산규모는, 차종은, 부모님 하시는 일은..."
자신이 OO명문대 한의학과 전공이라 소개하고, 배우자는 자기보다 더 많은 지적 능력을 소유해야 하며 그래야 대화가 통한다고 말한다. 그리고 적어도 자신을 위한 병원은 설립해 줄 수 있는 경제적 능력 또한 있어야 한다고 말한다.

그가 말한다. "음... 저는 화가입니다. 이렇게 만난 것도 인연인데 초상화 한 장 그려도 될까요? 1분만 시간을 주세요, 아니 바로 완성될 것 같습니다."
그녀는 빈정거리며 그의 제안을 수락했고, 그는 완성된 그림을 그녀에게 보여 주었다. 그림에는 달랑 점하나... 그녀가 말한다. "이게 무슨 초상화예요?" 화가는 대답한다. "저는 사실주의가 아니라 초현실주의 입체파입니다. 아무리 당신의 모습을 신중히 묘사하려 해도 제 눈에는 **허점**(虛點)밖에 안 보여서..."

2013년 11월 말쯤, 자살방지 및 힐링 센터, 24시간 도심 속 기도모임을 설립하고자 비영리로써 "청야(淸夜) 0시 219분"이라는 시집을 출간하였다.

우선 주변에 있는 지인(知人)들한테 감사함을 표해야 할 것 같다고 생각했다. 그러나 의외의 반응들이 나왔다.

선배로서 잘 챙겨주지도 못했던 후배에게 출간 소식을 알리고 선물로 책을 보내려 하니 주소를 알려 달라고 했다. 그 후배는 "무슨 말씀이시냐, 직접 찾아 봬서 사인 받고 받아야지요, 야근이 있지만 서둘러서 뵙겠습니다."라고 말했다. 책을 받은 그 후배는 눈물을 글썽이며 진심으로 축하한다고 말했다. 다음 날 그 후배는 지인들에게 선물하고자 책을 더 사려고 바쁜 직장 생활을 쪼개서 광화문에 위치한 대형서점으로 향했다. 아직 진열되지 않았고 물류 센터에서 분류작업 중에 있다는 점원의 말을 듣고 그 후배는 허겁지겁 또 다른 대형서점으로 발길을 옮겼다. 오자마자 대뜸 그 서점의 점원에게 "청야 어디 있어요?"라고 물어보자, 당황한 점원은 "오늘 입고되었는데 지금 막 진열하려고요"라고 말했다. 그 점원의 손에는 "청야"가 있었고, 그 후배는 점원의 손에 있는 청야를 달라며 가장 잘 보이는 위치에 배치하였다.

연로(年老)하신 집사님께 출간 소식을 알리자 1시간 만에 오셔서 책을 붙들고 기도를 해주셨다.

공공기관과 사회단체에서 열심히 수고하시는 지인들에게 출간 소식을 알리고 책 몇 권을 보내려 하자 "무슨 말씀이시냐, 우리를 위하여 눈물로 쓰신 책... 직접 발로 뛰어가서 구매해야죠."라고 말했다.

내 유치원 동창 놈.

예를 들면 그 친구에게 연락하여 "진성아! 나 목성이라는 행성이 너무 궁금해, 42 계절이 있다던데 그리고 지구의 엄마와 같은 존재로 은하계에서 날라 오는 모든 소행성의 파편들을 엄청난 중력으로 빨아들여 지구를 보호한다던데..."라고 말하면 목성에 대한 자료들을 귀찮으리만큼 보내는 친구...

그 친구에게 출간 소식을 알렸고 지금 처한 문제들을 상의했다.

대형 베이커리 관련 프랜차이즈를 운영하는 친구인데 밤 11시쯤 업무를 마감하고 다음날 새벽 6시까지(굽는 과정이나 재료 손질 때문에 대부분의 베이커리 관련 매장들은 새벽부터 업무가 시작된다.) 친구의 책을 알리기 위해 눈이 충혈 되도록 PC를 붙잡고 계속 나에게 연락을 취했다.

괜히 말했나... 나까지 토끼 눈이 되어 잠을 못 자게 만든다.

서울에 있는 OO대 경영학과를 졸업하시고 지금은 공인중개업을 하는 지인에게 책을 선물하였다. 인정도 많고 진솔(眞奉) 하신 분인데, 계속되는 사업의 실패, 동업자의 배신, 가정의 불화, 현실적 괴리감 등등.. 괴로움을 달래고자 술을 자주 접하셨고, 주사(酒邪)가 심하여 많은 이들이 꺼리던 분이었다. 하지만 그의 중심을 보면 소년과도 같은 순수함과 착한 심성이 있기에 세상이 꺼린다 해도 난 늘 웃어주었고 그의 말에 귀 기울이곤 했다. 어느 날 그는 내게 찾아와 책을 다 읽었노라 하며 "나 같이 하찮은 놈은 살아가야 할 가치가 없다."라고 하며 책을 읽은 뒤 많이 회개하고 많은 생각을 하게 되었다고 말하였다.

그의 말을 듣고 파스칼이 말한 유명한 격언이 생각났다.

"세상에는 두 종류의 사람이 있다. 하나는 자신이 의롭다 여기는 죄인들과 다른 하나는 자신을 죄인이라 여기는 의로운 자들이다."

신학대학원 재학 중 가장 존경했던 교수님께 청야 출간 소식을 전했다.

교수님 계신 곳 근처나 학교에서 뵙자고 했더니 굳이 내가 있는 곳으로 오신다 했다. 사이트상에서 책 내용에 대하여 리뷰하고 오셨는데 말씀 중에 마음 한 곳에서 서운함을 갖게 되었다. 이유인즉, 목회 시 성도들의 마음을 움직일 그 무엇이 필요하였던 것 같았고, 간증에 대한 경험들을 찾는 것 같았다. 또한 책 내용을 대충 보시더니 "책이 너무 문학적이고 감성적이야."라고 하며 지성과 교리가 많이 결합되어야 할 것 같다고 한다. 고통받는 영혼들을 위해 하나님이 주셨던 사랑과 은혜, 치유방법, 세상사의 대처법, 강인함과 지혜를 터득한 과정들을 어떠한 미사여구 없이 사실대로 기록한 것인데 어찌 원하지도 않는 형식을 적용하라는 것인가, 지성이랍시고 점잖고 교리적인 책들이 산더미처럼 쌓여 있는데... 그러면서 그 교수는 말했다. "책 20~30권 정도 더 줄 수 있나? 주변 사람들에게 소개해 보게.", 알고 보니 학과 학생들에게 겨울방학을 맞이하여 선물로 배포했다고 한다. 난 분명히 말했는데... 비영리에 자살예방센터 설립기금 마련을 위해 쓴 책이라고...

소 백 마리 가진 자가 닭 한 마리 가진 자의 것을 빼앗는 것 같았다.

부산에 거주하는 후배에게 출간 소식을 알리고 몇 권의 책을 택배로 보냈다.

그 후배는 OO 여대 졸업예정자였다. 졸업을 앞두고 진로문제 등 많이 힘들고 바쁜 친구였는데, 이 책을 성탄절 즈음 지인들에게 선물하고자 수십 권 정도 구매해야 한다며 어떤 방법이 좋겠냐고 말했다. 일단 서울에 위치한 A라는 대형서점에 독자들이 많이 방문하고 그 서점의 특징은 몇 주 동안의 구매량을 파악하여 책을 진열하니 우선은 그 서점에서 책을 택배로 받는 것이 어떻겠냐고 제안하였다. 며칠이 안 되어 그 후배는 부산에서 서울로 직접 올라와 A라는 서점에서 책을 구매한 후 혹한 추위도 마다하지 않고 낑낑거리며 수십 권의 책을 가지고 부산으로 내려갔다.

평소 책을 좋아하시고 늘 따뜻한 말씀을 해주셨던 OO대 화학과 교수님께 책을 선물하였다. 책을 다 읽었다고 너무 좋은 내용 감사한다고 한다.

"홍보에도 문제가 있고 책을 알리기까지의 과정들이 너무 어렵고 힘들다."라고 말하자, 위로라고 한다는 말이 "이 바쁜 세상에 누가 책을 사서 보겠어? 인터넷을 통해 무료로 내용들 대충 볼 수 있는데 그리고 더군다나 시집을... 그냥 준다 해도 잘 안 보잖아, 출판도 다 돈이 있어야 해... 광고에 투자도 해야 하고... 장르를 바꿔 봐, 돈이 되는 분야로 말이야. 공상과학이나 판타지 또는 논픽션 소설 같은..."

인간으로부터 위로를 찾다니... 너무너무 어리석었다.

최근에 알게 된 외식업계 사장님께 청야의 상황을 얘기하였다.

간단한 한 마디에 엄청난 희망을 가지게 되었다.

"진정성이 있음 반드시 빛을 발한다고..."

환경미화로 수고하시는 분께 책을 선물하였다.

이 귀한 것을 선물 받아 고맙다며 굳이 책값을 지불한다고 했다.

"그러면 책 선물 안 할래요, 밤잠이 없다고 하니 잠이 안 올 때 편히 읽어 보세요."라고 말하자 그분은 감사하다며 책을 꼭 안고 가셨다. 다음 날 아침 내 숙소에 초인종이 울렸고, 문을 여니 그분께서 대뜸 선물상자를 나에게 건네주며 황급히 어디론가 가버리셨다. 그 선물 안에는 롤 케익과 오만 원 짜리 지폐 한 장 그리고 작지만 좋은 일에 쓰라는 메모가 들어있었다.

법학과 선배이자 현 변호사로 활동 중인 분께 책을 선물하였다.

며칠이 지나 연락이 와서 한다는 말, "책 내용 좋은데, 감명받았어, 근데 책은 좀 팔리나? 걱정되어 말하는 건데, 사람들은 감성적인 글보다 실생활에 도움을 줄 수 있는 것들을 원할 걸세. 예를 들면 부동산 재테크, 부자 되는 법 그리고 세무회계와 같은 서적들 말이야. 여하튼 어떤 결과가 와도 실망하지 말고 힘내게."

후...

남들보다 더 많이 안다는 건, 더 많이 배웠다는 건, 그런 지식을 통해 자신의 어리석음과 불완전함을 절실히 깨닫고 몰랐던 이들에게 그 깨달음의 진리를 나눔으로서 가치가 인정된다. "벼는 익을수록 고개를 숙인다."라고 하지 않던가? 소위 지식인들에게 고하노니 앎이라는 인간에게 부여된 고귀한 신의 선물을 자기 콧대를 높여 남을 무시하거나 정죄하는 수단으로,

자기명예나 이익을 위한 영적 쓰레기로, 보는 눈과 듣는 귀를 차단하여 우주 안의 외골수 혹성으로 남는 오만함으로 왜곡시키거나 오용하지 말라.

"법이 세상에 정해 놓은 규칙을 문서화하고 공식화한 것이라면,
   집필한다는 것은 마음에 새겨놓을 법전을 만드는 것과 같다.
   책이란 세속적으로 머리를 움직이게 만드는 도구가 아니라
   사람을 사람답게 만드는 것이다."

저자가 책을 쓴 목적도 나 자신을 포함하여 고통받고 있는 그들의 마음을 조금이나마 움직여 살게끔, 살 수 있게끔, 그래도 한 번 더 힘을 내게끔 하는 바람이었다.

§

지성은 감성을 학대(虐待)한다

감성이 지성에게 사랑을 고백한다.
저에게는 태산을 들어 올릴 수 있는 열정과,
하늘과 같은 넓은 마음과,
구름과 같은 온유함과,
바다와 같은 깊은 인내와,
벽난로 같은 따스함과,
죽음도 초월할 수 있는 진솔함과,
아침이슬과 같은 순수한 사랑이 있습니다.

이 모든 것을 당신께 드립니다.
사랑합니다...

지성이 답한다.
글쎄요, 사랑이라...
그건 일시적인 감정일 뿐, 실제는 아니잖아요.
배우자라 함은 저의 이성적 판단으로 생각건대,
그래도 저의 상황과 환경보다는 훨씬 더 나아야 되지 않을까요?
사랑이라... 음... 사실 그것이 무엇인지 잘 모르겠어요.

감성이 다시 말한다.
그건... 당신이 마지막으로 눈을 감을 때쯤
후회라는 것을 통해 알 수 있을 겁니다.

-김소현, 〈지성은 감성을 학대(虐待)한다〉 전문

§

교만이라는 악의 가면을 쓴 인간들을 경계하라

자기 고집과 의견을 합리화시키고 정죄하는 자, 말이 많은 자...

질문(質問) 한다는 것은 모르거나 의심 나는 점을 물어보는 것이다.

질문을 할 때에는 그에 따른 예의나 자세를 갖추고 배움에 대한 열정과 공경하는 마음으로 경청하려는 태도 그리고 기존에 자신이 갖고 있던 그릇된 생각들을 바꾸려는 변화에 대한 의지를 가져야 하지만, 어떤 이들의 질문하는 태도를 보면 이미 자기가 확신한 얄팍한 사고방식을 질문으로 가정(假定)하여 오히려 자기를 합리화시키려는 듯하였고 상대 또한 자신의 의견에 동참시키려는 것 같았다. 이런 이들의 특색이 있다. 말이 너무 많다. 늘 상대의 의견에 부정적이다. 목소리도 크고, 발전의 가능성도 찾아볼 수 없으며, 주변인들의 대화마저 차단하고, 상당히 교만하며, 사람들로부터 소외당한다.

저자는 내적인 성숙을 기하고자, 자기 의견의 제시나 질문을 가급적 삼가하고 남녀노소, 지위고하(地位高下)를 막론하고 신중한 분별력을 갖고 자기 말보다는 경청에 더 집중해 보았다. 그 결과 많은 것들을 배우고 깨닫게 되었다.

말이 많으면 자기도취와 연민에 빠져 교만과 부정적인 생각이라는 악의 늪에서 빠져나오기 어렵고, 말의 무게가 없어 보여 신뢰가 가지 않으며, 소음 같아서 귀에 들어오지도 않고, 내면이 비어 보이며, 자신의 허점과 단점들이 크게 부각되어 보인다.

반면 말수를 적게 하거나, 꼭 필요한 말만 하거나, 심도 있게 경청을 하면 상대방의 굳어졌던 마음이 활짝 열리고 자신의 의견이 더 잘 수렴되며 진솔한 대화가 오고 갈 수 있고, 내면이 더욱더 깊어지며, 인격이라는 것이 점점 더 갖추어진다.

"암탉이 달걀하나 낳고서 혹성하나 낳은 것처럼 소리쳐댄다."라는 마크 웨인의 말에서도 느낀 것처럼, 소음으로 얻을 수 있는 것은 아무것도 없는 듯하다.

우물 안에 사는 개구리와 사자 중 누가 더 교만할까? 우물 안 개구리가 더 교만하다. 사자는 드넓은 초원을 바람처럼 다니면서 이 세상에는 자기보다 더 크고 무서운 것이 얼마든지 있다는 것을 알지만 우물 안 개구리는 한정된 공간에서 아무것도 볼 수 없기에 자기가 최고라는 확신을 가지고 살아서 교만의 극치를 달린다. 세상을 차단하고 자기합리화에 빠져 자기자랑과 말만 늘어놓는 자들, 우물 안 개구리와도 같은 그들의 세계 속에는 결국 닫혀진 귀와 마음 그리고 자기말만 존재할 것이다.

잘난 척 하며, 사람들을 무시하는 자...

자신이 엄청난 지식의 소유자라 떠들어대고, 자부하는 이들로부터 우린 배울 게 없다. 자신의 위치가 정상에 올랐다고 하는 이들 대부분이 텅 비어 있기 때문이다. 그들은 그들 자체가 완벽주의자라 단정시켜 오히려 진보가 아닌 퇴보의 길을 걷고 있을런지 모른다. 깃발이 높을수록 요동이 심하고, 탑이 높을수록 무너지기 쉽듯, 자신의 위치가 올라가면 올라갈수록 더욱 더 겸손해 지는 법을 유지해야 정상에서도 넘어지거나 무너지지 않고 형통할 수 있다. 아래의 글을 소위 '잘난 척'이 부른 망신에 대한 예화이다.

OO신학대학원 교수이자 대형교회의 목회자

어느 한 신학대학원생이 있었다.
그 학생은 형편이 안 좋아 이 일 저 일을 하여 등록금과 생계비를 마련해야 하는 상황이었다. 방과 후 새벽까지 일을 한 후 일이 마감되면 등교 전까지 논문과 시험 준비를 하느라 잠도 못자고 식사도 제대로 하지 못하여 과로와 영양결핍으로 쓰러지고 말았다.

이를 알게 된 그 학과 담당 교수는 수업시간에 학생들이 보는 자리에서 잘난척 하며 말을 한다. "모름지기 신학도면 신학 한 가지에만 집중해야지 어찌 세상일과 병행할 수 있는가? 두 마리 토끼를 잡으면 안 되는 법..." 이에 한 학생이 반박을 한다.

"교수님, 당신의 자녀가 이러한 상황에 처했다면 과연 그렇게 태연하게 말씀할 수 있나요? 그 학생은 지금 얼마나 힘들겠습니까? 교수님이라면 게다가 목회자인데 저희 앞에서 그 학생에 대한 정죄가 아닌 중보기도를 하자고 말씀했어야죠? 아니면 교수님께서 그 학생을 위하여 생계비와 등록금 일체를 책임져 주시든가요." 이에 그 교수는 당황해하며 말 한마디 못하고 그 자리를 슬그머니 떠나 버렸다.

<나니아 연대기>의 작가이자 20세기 영국 문학의 대표 작가이며, 저명한 기독교 사상가이자 문학가인 C.S 루이스의 말이 생각난다.

"교만한 이는 항상 내려다보는 사람을 말하는데 내려다보는 자가 어떻게 위의 것을 볼 수 있겠는가."

"겸손해지고 싶다면 가장 먼저 자신이 자만하고 있다는 것을 깨달아야 한다.
스스로 교만하지 않다고 생각하면 사실은 매우 교만한 것이다."

끝으로 저자가 바라본 교만이라는 악의 선봉에 대하여 간략히 아래와 같이 요약해본다.

"교만은 생각으로부터 나와 눈을 흐리게 하고,
귀를 막으며, 마음을 통과하여 행동의 위선을 낳고,
결국은 자기 발걸음에 족쇄를 채워 파멸까지 이르게 만드는
영적인 죽음이다."

존경스러운 사람들

당신이 존경하는 사람은 누구입니까?

아인슈타인, 괴테, 모차르트, 고흐, 헤밍웨이, 셰익스피어, 세종대왕...

내가 질문한 것은 그들의 업적과 명성이 아니라, 당신이 실제로 보고 느낀 사람 중에서 존경스러웠던 이들이 누구였으며, 그들의 어떤 면이 존경스러웠는지 하는 것이다. 당신이 실생활에서 직접 보고 느꼈던 사람 중에서...

저자의 경우 존경스러운 사람들이 거의 드물었다.

원치 않았던 일 중 하나가 존경하지도 않는데 00 님으로 호칭을 부르는 것이었다. 선생님, 교수님, 사장님, 목사님... "단지 그들의 위치와 나이 때문에 존경심을 표시해야 하는 방법으로 00 님이란 호칭을 붙여야 하나?"라는 의구심이 생겼지만, 00 님이 빠지면 왠지 반말 같다는 생각을 하니 할 수 없었다. 그들이 그 위치까지 올라온 것은 나와는 무관했지만 별 다른 방법이 없었다.

그런데 문득 '존경스럽다'라는 것을 높거나 멀리 보지 말고 가까운 곳에서 찾으려 하니 '아! 이런 사람들이 실로 존경스럽다.'라고 생각했다.

첫째, 예의 바른 청소년과 청년들.

요즘 10~20대 사이의 청소년 혹은 청년들 가운데 생각이 깊고, 배려심이 많으며, 예의가 바른 이들을 찾기란 매우 어렵다. 이 시대에는 세대별 자녀 수가 극히 적을 때라 대부분 외동이거나 형제, 자매 수가 매우 적었다. 그러다 보니 부모들은 자녀의 인성이나 인격의 함양(涵養)보다는 이성이나 지성을 키우는 데 초점을 두어 그들에게 사회성이 결여된 자기중심적 사고방식을 심어 주었고, 사회 또한 경쟁 심리를 부추기어 이기적인 것이 생존법칙의 승리인 양 그릇된 가치관을 확립시켰다.

그럼에도 불구하고 자극적이고 충동적이며 공격적이고 메마른 다수의 현세대들에게 흡수되지 않고, 성실하고 겸손한 태도를 지니며 강퍅하고 어두운 세상에서도 진실된 생각과 마음을 가지고 개인적인 미덕을 최대한으로 발휘하려는 예의 바른 청소년 혹은 청년들을 보면 참으로 대견스럽고 존경한다.

"우리 개개인의 마음속에는 한때 어린아이였던 모습이 남아있다.
이 아이가 우리가 어떤 사람이 되었는지를, 현재 어떤 사람인지를, 장차 어떤 사람이 될 것인지 그 기초를 구성한다." -R.죠셉(신경과학자)

둘째, 겸손한 어른들.

나이가 연로하다는 이유 하나만으로 대접받기를 원하는 어른들이 많은 것 같다. 예를 들어본다. 지하철 안에서 한 청년이 경로석이 아닌 일반석에 앉아 책을 보고 있었다. 경로석이 비어있음에도 불구하고 굳이 그 청년 앞에 서서 그를 노려보며 '에헴'하고 인기척을 한다. 청년은 자리를 양보하며 공손히 앉으라 말하지만, 그 노인은 고맙다는 말 대신 당연하다는 듯 자리에 앉는다. 줄을 서야 하는 상황에서도 순서를 어기고 남의 자리를 슬며시 끼어들거나 공중도덕이나 질서조차 아예 찾아볼 수도 없는 일부 어르신들, 연로하다는 이유로 그들보다 나이가 적은 이들의 의견을 무시하고, 자기의 사고방식이 옳은 양 일방적으로만 행동하거나 고집을 피우는 어르신들도 많고…

'벼는 익을수록 고개를 숙인다.'라는 말이 무색할 정도로 교만하고 무례한 분들도 많은 것 같다.

그러한 반면에 나이와는 상관없이 사람을 섬기고, 존중하며, 말 한마디조차도 조심스럽게 건네고, 자상함과 온유함, 겸손함과 덕(德)을 갖춘 어르신들을 보면 참으로 존경스럽다. 또한, 노후 생활의 안정을 기하려 하기보다는 자신의 손길이 필요한 곳이 있다면 어디든 달려가고 열정과 배움에 있어 남녀노소, 지위고하를 막론하고 열 청년 부럽지 않은 패기를 지닌 어르신들을 볼 때면 이 또한 존경스럽다.

셋째, Yes or No가 분명한 사람.

시간이 갈수록 취업의 문도 좁아지고, 취업을 했다고 하더라도 그 자리가 지속되리라 보장이 되어 있지 않은 현세대의 일터, 그 속에는 다수의 이들이 자신의 위치를 확보하기 위하여 눈치만 보며 상사에게 아첨하기 바쁜데... 그럼에도 불구하고 자신의 신념을 잃지 않고, 자신의 의사를 확실히 표현할 줄 알며, Yes or No가 분명한 이들이 존경스럽다.

"할 수 있다."와 "할 수 있다고 생각한다."는 can과 can't의 뜻이다.

넷째, 절차도 복잡하고 시간을 요하는 일이지만, 한나라의 국민 된 권리로써 사회의 작은 부조리부터 강력히 조치할 줄도 알고, 사회의 나쁜 습관이라면 제대로 잡으려는 자들도 존경스럽다. 예를 들면 반도덕적·윤리적 행위들, 권력 및 집권 남용, 부당한 청구서, 계약 불이행, 불량식품, 질이 나쁜 물품, 뇌물, 청탁, 부조리, 부정부패 등...

이유인즉, **그들의 작은 조치들이 모이고 모여 세상이 변화되기 때문이다.**

끝으로 세상이 주는 기쁨에 현혹되지 않는 사람.

돈, 명예, 권력 누구나 다 동경한다.

굳어진 빵 한 조각보다는 진수성찬을 원할 것이고, 부러워하는 자가 아닌 부러움의 대상이 되기를 바랄 것이며, 사람들을 섬기기보다는 대접받기를 원할 것이다.

하지만 세상이 주는 기쁨에 현혹되지 않고 자신의 신념과 가치 있는 목적을 향해 달려가는 이들을 보면 참으로 존경스럽다.

"Love all, Trust a few, Do wrong to none!"

"모두를 사랑하라, 몇 사람만 신뢰하라, 누구에게도 잘못을 저지르지 마라." -윌리엄 셰익스피어

"신분이나 재산으로 사람을 존경해서는 안 된다. 그 사람이 하고 있는 일을 보고 사람을 존경해야만 한다. 그 일이 유익한 일이면 그럴수록 그 사람을 존경해야 한다. 그런데 세상에서는 그 반대이다. 즉 놀고만 있는 부자를 존경하고, 모든 사람을 위해 극히 유익한 일을 하고 있는 사람들은 존경하지 않는다." -톨스토이

"참으로 존경할 것은 명성이 아니라 그만큼 가치 있는 진실이다." -쇼펜하우어

차이점의 발견

바다를 사랑한 사람들

두 남자가 있었다. 이들의 공통점은 바다를 너무 좋아하여 인생의 설계를 바다와 함께한다는 것이었다.

한 사람은 어부가 되어 단란한 가정을 꾸미었다. 비록 고달픈 삶일지라도, 모든 역경을 바다를 바라보며 헤쳐 나갔고, 모든 고난은 사랑하는 이들을 생각하며 헤쳐 나갔다. 그런 그의 긍정적인 마음은 매서운 바람과 거친 물살 속에서도 늘 웃음을 잃지 않게 해주었다.

다른 한 사람, 그는 요트와 리조트 사업을 하였다. 부유층 상대로 영업을 하였고, 어느 정도 사업이 안정화되자 사업영역을 무리하게 확장했다. 하지만 공정과정의 details를 무시한 채 생산에만 치중한 나머지 곳곳에 하자와 사고가 발생하게 되었고, 순식간에 그의 사업은 쑥대밭이 되어 버렸다. 엄청난 채무, 세상의 비난, 가족과의 이별, 건강의 악화...

정신적, 육체적 고통을 주체할 수 없었던 그의 선택은 결국...
그제야 그의 뼛가루는 영원히 바다와 함께할 수 있게 되었다.

여유로운 청년의 바지 주머니

20대 초반의 한 청년, 그는 확 트인 한강의 야경에 취해 맥주 한 잔이 간절한 듯했다. 그러나 바지 주머니엔 고작 교통비 정도... "까짓것 집까지 걸어가지 뭐, 날씨도 좋고 걸으면 운동도 되고..." 결국, 바지 주머니 탈탈 털어 맥주 한 캔 시원하게 마신다.

하지만 중, 장년층의 생각은 달랐다.

초라한 지갑을 보고 있으면, 불안감이 엄습해 오고, 타인들의 경제력과 비교하여 자신의 상황을 비관하며 더 나아가 인생 자체를 비관한다. 자신의 초라함을 감추기 위해 주변인과 만남도 차단하고, 심지어 세상은 풍족한 것 같은데 나만 초라한 것 같다는 느낌 때문에 어디를 가려고도 문밖을 나서려고도 하지 않는다.

하지만 골방에서 혼자 움츠러들면 부정적인 상념과 스트레스만 늘 뿐, 박차고 일어나 하늘을 위로로 삼고 자연을 벗 삼아 할 수 있는 최대한으로 바깥세상을 보며 기분전환을 해야 한다. 좋은 경치 구경하는데 관람료를 내라는 사람 없고, 당신을 초라하게 쳐다보는 이 또한 아무도 없다.

"복잡해지는 것은 쉽지만, 단순해지는 것은 어렵다."

세상 자체가 복잡함이라는 악성 바이러스라 면역력이 약해 져가는 우리로서는 쉽게 감염될 수 있다. 따라서 어려울 때일수록 침착하고 단순해지려 한다는 것은 자기를 관리하려는 노력이고, 낙담과 좌절 그리고 불행이라는 어둠과 타협하지 않으려는 불굴의 의지이다. 극복할 수 없는 상황들 그로 인한 절망과 침체, 하지만 고민하면 할수록 불행해질 수 있는 수많은 이유만 발견될 뿐, 해결과는 점점 멀어진다. 그런 고민이 있어도 인생이라는 것은 개의치 않고 마냥 흘러갈 것이고, 어차피 자기 힘으로 안 되는 것들, 그 무겁고 힘든 짐들 전부 싸서 신께 풀어 버리자.

세상 속의 나, 현실 속의 나, 환경 속의 나에게서 '텅 빈 나'가 되는 과정, 그것이 어찌 보면 신께서 들어오기 쉬운 통로가 될 수 있다.

"단순함은 복잡함보다 어렵다. 생각을 명확하게 하고 단순하게 만들려면 열심히 노력해야 한다. 생각을 단순하게 만들 수 있는 단계에 도달하면 산도 움직일 수 있다."
-스티브 잡스

그릇된 이타심과 과도히 아끼는 것(=인색함)

어린 시절, 큰 트라우마를 입었던 40대 후반의 여인

네 명의 자매 중 둘째인 그녀는 자매 중에서 제일 정이 많았고, 베풀기를 좋아했으며, 정의롭고, 희생적이었다. 불우했던 유년시절 마치 한 가정의 가장인 양, 그녀는 모든 살림을 도맡아 했고, 난폭했던 그녀의 아버지가 어머니나 동생들을 때리기라도 하면 늘 그녀가 대신 맞곤 하였다. 학교에서도 가난하고 약한 친구들 또는 동생들을 괴롭히는 아이들을 보면 맞서 싸우다가 교무실로 불려 가 선생에게 혼나고, 부모로부터도 심한 구타를 당했다. 성인이 되어 직장에 다니게 되었고, 자기를 위해 옷 하나 제대로 사지 못하고, 모은 돈 하나 없이 늘 가족을 위해 희생하였다. 결혼을 하게 되었고, 슬하에 삼 남매를 두었는데... 어느 날 그녀의 언니로부터 보증을 서달라는 제안이 왔고, 힘들어하는 언니의 모습이 안타까워 남편 모르게 선뜻 보증을 섰는데, 그만 언니의 사업이 부도가 나자, 그녀의 가정까지 손해를 보게 되었다.

남편의 성격이 너무 차갑고 냉소적이라 평소 불화가 있었던 상황에서 이러한 일이 발생하였고, 이 사실을 알게 된 그녀의 남편은 확고히 이혼을 결심하였다. 정신적 고통이 가중된 그녀는 실어증에 걸리게 되었고, 부모에 대한 원망과 사람들에 대한 증오가 불거져 뇌에 이상이 생기고 지금은 신경외과와 정신과를 오가며 치료 중이다.

누군가를 맞추면서 사는 삶은 어느 날 잃어버린 자신을 발견하면서 깊은 연민과 절망에 빠질 수 있고, 상처와 원망을 초래할 수 있다. 그녀를 보면서 괴테의 말이 생각났다. "행복은 절제에서 나온다." 그녀에게 필요했던 건 '자기를 아끼는 법과 자기 수준에 맞는 행위'였을 것이다.

베풂이 전혀 없이 과도히 아끼어 부자(富者) 된 어느 노부부가 있었다

재물을 모을 줄만 알았지 나눌 줄 몰랐고, 심지어 자신을 위해서 기꺼이 쓰지도 않았다. 더욱더 괘씸한 건 부자라고 과시하면서 오히려 궁핍하고 가난한 이들의 작은 것조차도 빼앗으려 하였다. 건물, 집, 상가가 몇 채나 되면서 불황과 적자로 허덕이는 임차인들에게 찾아와 틈만 나면 월세를 올려달라며 그들을 괴롭혔다. 가족 모임이나 경조사에도 지출이 아까워 참석도 안 하고, 도움의 손길을 원하는 단체나 선교에 관련된 관계자라도 만나면 곧장 줄행랑을 쳤다. 그러던 어느 날 남편은 알츠하이머병에 걸리고, 아내는 뇌졸중으로 쓰러지고 말았는데, 그 틈을 타서 자식들 사이에 재산 다툼이 벌어졌고, 병의 호전보다는 악화를 바라던 자식들로 인하여 치료 한 번 제대로 받지 못하고 끝내 둘 다 숨을 거두게 되었다.

독일 격언에 이런 말이 있다.

"재물은 오물과 같아서 쌓아두면 악취가 나고 뿌리면 땅이 살찐다."

또한 성경에서도 인색함, 즉 과도히 아끼는 것과 돈에 대한 욕심에 대하여 이렇게 경고한다.

"흩어 구제하여도 더욱 부하게 되는 일이 있나니, 과도히 아껴도 가난하게 될 뿐이니라."

이 말씀의 요지는 과도히 아껴도 남는 것이 없고, 있는 것을 흩어서 구제하여도 모자람이 없다는 것이다.

"우리가 세상에 아무것도 가지고 온 것이 없으매 또한 아무것도 가지고 가지 못하리니 우리가 먹을 것과 입을 것이 있는 즉 족한 줄로 알 것이니라.
부하려 하는 자들은 시험과 올무와 여러 가지 어리석고 해로운 욕심에 떨어지나니 곧 사람으로 파멸과 멸망에 빠지게 하는 것이라. 돈을 사랑함이 일만 악의 뿌리가 되나니 이것을 탐내는 자들은 미혹을 받아 믿음에서 떠나 많은 근심으로써 자기를 찔렀도다." -성경

재물을 과도히 집착하는 자는 돈의 하수인이 되어 노예처럼 하루하루를 늘 초조하고 불안하게 사는 것 같다. 밑 빠진 독에 물 붓기처럼 그러한 재물은 병원비, 사고, 자식들의 재산탕진, 예상치도 못한 물질적 손해 등... 엉뚱하게 사라지는 것 같다. 우리 주변에서도 보면 있음에도 불구하고 아주아주 인색한 사람들이 많다. 그런데 희한한 건 베푸는 자들의 지갑은 늘 채워져 있고, 인색한 자들의 지갑은 늘 궁핍하다는 것이다.

결국 "과도히 아낀다는 것은 무의미한 사라짐 또는 영원한 궁핍이다."

자식을 불행으로 이끈 모기업 대표

집안 환경이 매우 어렵지만, 그 상황에도 굴하지 않고 이 일 저 일을
하며 학비를 마련한다. 식은 밥에 남은 반찬들을 섞어 주먹밥을 만들
어 도서관으로 향하고, 새벽을 깨우며 공부하여 우수한 성적으로 장
학금을 타고 힘들게 힘들게 학업을 마친다. OO 대기업 공채에도 당
당히 합격, 어떤 일이든 성실히 임하고 주변에서도 평판이 좋아 사
원에서 부장까지 수월하게 고공 승진을 한다. 오랫동안 자신과 함께
회사도 성장하게 되었고, 회사에서도 중추적인 역할을 하게 되었는
데, 그러던 어느 날 그 기업의 대표가 그를 불러 부탁을 한다. "김 부
장, 늘 고맙소... 한 가지 부탁할 것이 있는데, 내 건강상태가 매우 안
좋으니, 혹 내 자리가 비워지게 되면 신임 대표로서 전반적인 경영을
부탁하오." 그는 대표의 부탁을 흔쾌히 수락하였고, 자신을 신뢰해준
마음에 보답하고자 회사의 일을 더욱더 열심히 하였다. 대표이사의
건강은 더욱 악화되었고, 결국 그는 중환자실에 입원하게 되었다. 임
원 회의가 이루어질 때쯤, 그 대표의 비서는 대표이사의 전달사항을
임원진들에게 발표하였다. 내용인즉슨, 현 영국 OO대 MBA 과정을
공부하고 있는 그의 큰아들이 회사 경영의 총책임을 맡는다는 것이
었다. 새 대표이사의 취임식이 이루어지고, 총책임을 맡은 그의 아들
은 회사가 어찌되었든 자기의 방식대로 새로운 경영진들을 구성하였
고, 아무리 회사 발전에 크게 기여했어도 마음에 안 들면 가차 없이
해고하였다. 그의 아들은 피와 땀으로 일궈 놓은 회사의 자금을 자기

멋대로 소비하고, 접대랍시며 회사공금을 유흥비, 향락비에 사용하였다. 이러한 아들의 행각을 알면서도 아들이라고 아무런 대책도 세우지 않고 그는 그대로 눈을 감는다. 수십 년 동안 흑자였던 회사는 불과 일 년도 안 되어 적자가 되어 버렸다.

"네 자식을 징계하라, 그리하면 그가 너를 평안하게 하겠고, 또 네 마음에 기쁨을 주리라." -성경

"지극히 즐거움 중 책 읽는 것에 비할 것이 없고, 지극히 필요한 것 중 자식을 가르치는 일 만한 것이 없다." -명심보감

"은혜를 모르는 자식을 가진 부모의 고통은 살무사에게 물린 아픔보다도 더 심한 것이다." -셰익스피어

비열함과 파괴가 도사리고 있는 육적인 쾌락의 음모

한 달 수입이 중견기업 간부들과 맞먹는 어느 비즈니스 클럽 또는 호스트바 종업원들, 그중에는 상당수의 대학교, 대학원생들도 있다는데, 그들은 힘들게 적은 급여를 받고 아르바이트를 하니 자신도 즐기고 돈도 쉽게 벌 수 있는 방법으로 이 길을 택했다. 그들의 속셈에 놀아난 사람 중에는 그들의 유혹에 빠져 자기의 한정된 수입과 상관없이 많은 재산을 탕진하는데, 젊은 피의 유혹과 쾌락에 빠져 스스로 늪에 빠진다. 하지만 이러한 육적인 쾌락의 음모에는 비열함과 파괴가 도사리고 있다. 이런 유혹에 빠지면 소 한 마리 있는 자, 소까지 팔아 버린다는 말처럼, 재산은 점점 바닥이 나고, 가정은 물론 자신의 일터까지 위협을 받게 되며 심지어 자신의 영까지 파괴된다.

즉 무의미한 일상에서 행복과 기쁨을 주는 탈출구라 선택한 어리석
음이 결국은 더욱더 삶을 무의미하게 만든다.

"네 마음이 음녀의 길로 치우치지 말며, 그 길로 미혹되지 말지어다.
대저 그가 많은 사람을 상하여 엎드러지게 하였나니, 그에게 죽은 자가 허다하니
라." -성경

"육체의 욕망, 교만, 욕심은 사람이 갖고 있는 세 가지 유혹이다. 이것 때문에 갖가지
불행이 인류의 무거운 짐이 되고 있다. 이 무서운 병을 고치는 방법은 오직 한 가지
니 곧 수양(修養)이다." -F.베이컨

가난이 너무 싫었던 한 여자가 있었다

배우자를 선택할 때쯤...
그녀의 우선순위는 사랑이 아닌 상대의 경제적 능력이었다.
그런 그녀에게 두 명의 남자가 다가왔다.

첫 번째 남자인 A 군, 멋진 외제 차에 머리에서 발 끝까지 명품으로
치장한, 근육질에 한 외모 하는, 돈도 잘 쓰고, 집안이 엄청난 재벌인
것처럼 자랑이 끝이 없다. 그리고 그는 자신이 강남에 소재한 OO 벤
처기업 대표라 소개한다.

두 번째 남자인 B 군, 성실히 일하는 자영업자, 근검절약을 신조로 삼
지만, 가치 있는 일에는 과감히 투자하는 자였다. 그에게 있어 동력
장치들은 이동수단이나 시간 활용을 위한 유용성일 뿐, 자기과시는
아니었다. 삶을 즐길 줄도 알고, 이웃에 대한 사랑과 배려도 많고, 생
활력도, 경제력도, 능력도 두루두루 갖춘 자였다. 인격과 겸손함까지
겸비되어 웬만한 것에는 자신을 잘 드러내지 않는다.

그들 중 그녀는 A 군을 선택하게 되었고, 결혼 이후 충격적인 사실이 밝혀지게 되었다. A 군의 집안 환경은 모두 거짓이었고, 인터넷 홈쇼핑을 운영하던 그의 사업은 대출과 같은 자금조달을 위한 사업체일 뿐, 실제적인 경영은 이미 중단된 상태였다. 달랑 남은 재산이라고는 고급 외제 차 하나인데, 이마저도 카드 대출로 산 것이라 들어오는 수입 모두 빚 갚는 데 사용돼 그의 자산은 늘 마이너스였다.

반면 B 군의 사업은 계속 번창하여 제2, 제3의 사업체를 구상 중에 있고, 대기업에서 공장용지 용도로 땅 매매를 제안하여 그가 상속받은 땅 값 또한 기하급수적으로 치솟게 되었다.

'우리의 삶은 선택의 연속이다.'라고 해도 과언은 아니다.

"선택이 모여 인생이 되고 그러한 인생들이 곧 우리의 운명이 될 것이다."

§

피해야 하는 것(자)들...

즐길 수 없는 것

불쾌(심각)해지는 것(자)...

집착이 되는 것(자)...

화가 나게 하는 것(자)...

가슴앓이 되는 것(자)...

원망이 되는 것(자)...

사랑할 가치도 없는 자들을 사랑하려는 것...
"상처란 진실이 아닌 것에 진실을 준 대가이다."

진실을 왜곡하고 숨기려 하는 자...

위선과 가식, 이중적인 마음을 가진 자...

자기를 합리화하려는 자...

금전적인 손해를 끼치는 것(자)...

말 수가 많아지는 것(자)...
말이 많아지면 실수를 하게 되고,
자기의 단점들이 노출되며,
속상함으로 인한 후회와 그로 인한 자책이라는 헛된 시간들이 소비된다.
말 많은 자와 함께함이란
아무런 이득 없이 당신의 에너지와 귀한 시간만 소진시킨다.

한 번뿐이고 고귀하고 소중한 당신의 인생...
피해야 하는 것(자)들이 감히 침범하지 못하도록 늘 깨어 있어라.

-김소현, 〈피해야 하는 것(자)들〉 전문

§

직접적인 교류 없이 간접적인 SNS를 통해서 이루어지는 관계 형성의 폐단들

로드샵에서 직접 착용해보고 체크하여 산 옷보다 인터넷이나 홈쇼핑을 통하여 산 옷들의 반품 확률이 상대적으로 훨씬 더 높았다고 한다.

옷뿐만 아니라 다른 상품들도 같은 현상을 나타내었다.

인간관계도 마찬가지인 듯, 인터넷이나 SNS[1]를 통한 간접적인 사회적 교류들은 수많은 대중 속에 자신 또한 존재가치가 부여되고, 관계 형성을 유지하며 발전된다고 착각하겠지만, 실제로 이러한 교류들은 표면적이고 일시적인 외로움의 해소일뿐, 깊은 관계 형성을 가져올 수는 없다.

아래는 직접적인 교류와 SNS를 통한 간접적인 교류에서 오는 차이점에 대한 예화를 든 것이다.

Case 1 : SNS를 통한 간접적인 교류들

오랫동안 카톡이나 페이스북, 트위터 또는 온라인 서비스의 카페방 등을 통해 친구가 된 이들이 대화방을 통하여 단체로 대화에 참여한다.

참조로 이들에게는 직접적인 교류나 만남은 전혀 없었다.

님 : 평소에 친하게 지내던 거래업체 대표가 있었는데, 회사가 존폐위기에 놓이게 되어 급하게 대출자금이 필요해서 그러니 보증을 서 달라고 하더군요. 납품업체로부터 이번 달 안으로 확실히 수금이 들어오니 입금 확인되자마자 대출 자금부터 처리할 것이니 걱정하지 말

---

1 SNS (Social Network Services/Sites) : 웹상에서 이용자들이 인적 네트워크를 형성할 수 있게 해주는 온라인 서비스를 뜻함

고 이번 한 번만 도와 달라 하더군요. 평소에도 신용이 있었고 성실했던 사람이라 가족들하고 일체 상의도 없이 보증을 서게 되었습니다. 약속된 날짜가 훨씬 지나도 납품업체로부터 수금은 이루어지지 않았고, 매번 그는 조금만 더 기다려 달라고 사정만 했습니다. 몇 달이 지나도 해결방법이 보이지 않아 이제는 더 이상 지체할 수 없으니 보증계약을 취소해야겠다고 결심하고 그에게 연락을 해보았지만, 없는 번호로 등록되었고, 사무실도 찾아갔지만, 서류들만 흩어져 있었고, 그곳에는 저뿐만 아니라 다른 채권자들로 모여 그의 행방을 찾고 있었습니다.

그로부터 며칠 후, 대출상환 기간이 끝났고, 재차 독촉까지 한 상황임에도 불구하고 계약을 불이행했다며, 본인 소유의 집과 사업채 그리고 모든 재산과 물권까지 압류처분을 받게 되었습니다. 이 사실을 알고 아내는 심한 배신감을 느껴 이혼소송까지 한 상태이고... 문제는 보증뿐만 아니라 그의 업체가 우리 회사의 하청업체라 피해규모액도 엄청 컸고, 폐업 위기까지 놓이게 되었습니다. 자식들 볼 낯도 없고, 어머니께서는 몸 져 앓아누웠으며, 순식간에 모든 것이 파탄 났고, 지금은 술로 하루하루를 달래며, 나를 망가뜨린 그놈만 미친 듯이 찾고 있습니다. 전 지금 마포대교 한가운데에 있어요. 나같이 어리석은 놈은 차라리 죽는 편이 날 것 같습니다.

A 군 : OO님, 힘내세요, 그리고 절대로 자살은 하지 마세요.
사람은 누구나 본의 아니게 실수를 할 수 있어요. 남아 있는 가족들을 생각하세요...

B 군 : OO에 가면 서울시에서 운영하는 이동 쉼터가 있어요... 먹을 것도 주고, 숙박도 가능하니 우선 그곳에 가서 안정을 취하세요.
연락처는 ----입니다.

C 양 : 누구나 이런 상황이면 힘들 거예요.

저희 오빠도 님과 같은 비슷한 상황을 겪었는데 지금은 나름 극복해서 그럭저럭 지내고 있어요. 시간이 약입니다. 평정을 잃지 마세요. 파이팅!

D 양 : 자살은 죄악입니다. 자살하면 지옥 간대요.

세상이 너무 각박해서 극단적인 생각을 하는 분들이 많다던데... OO기도원까지 운행되는 셔틀버스가 있을 거예요. 시간대 잘 알아보시고 그곳에 한 번 가보세요. 많은 치유가 될 겁니다.

E 군 : 남자 맞습니까? 누구나 위기의 순간은 찾아와요.

이럴 때는 좀 뻔뻔해질 필요성도 있을 거예요...

주변 친구, 지인 누구든 도움을 요청해 보세요.

F 양 : 제발 죽지 마삼 ㅠㅠ

G 양 : 그 근처에 생명의 전화가 있어요, 전화 상담받아 보세요.

H, I, J, K......

대화를 시작한 지 약 2시간이 흐른 뒤, 단체 대화방에 참여했던 이들은 하나둘씩 빠져나간다. 그리고 그로부터 1시간 후인 새벽 3시경... 찬 기운이 감도는 어둠 속의 마포대교 한가운데에는 널브러진 술병들과 님의 휴대폰만이 남아 있었다.

Case 2 : 직접적인 교류로 형성되었던 관계

상황은 Case 1과 같다. 이번에는 OO님이 가장 친했던 친구인 K 군에게 연락을 하여 자신의 심정을 토로한다.

K 군 : 뭐라고? 어디라고?

잠시만 기다리고 있어, 금방 갈 테니... 제발 소주 그만 마시고...

친구야! 난 널 믿는다. 그리고 아주 많이 사랑하고...

네가 나를 진정한 친구로 생각했다면, 부디 나에게 평생 지을 수 없는 고통과 슬픔을 남기지 않기를 바란다. 넌 절대로 혼자가 아니야, 우리 함께 하자, 늘 그랬듯이, 조금만 참아, 지금 가고 있으니... 전화 끊지 말고...

(황급히 택시를 타고 목적지를 알린 후, 다시 K군은 통화를 이어간다.)

K 군 : 지금 OO를 지나고 있어...

참! 너 고등학교 때 청소 핑계 대고 몇몇 교우들과 함께 경비아저씨 몰래 교문 밖으로 나갔던 것 기억나니? 학교 앞에 있던 분식점의 찐빵 하고 만두 먹으려고 5명이 우르르 갔었잖아... 근데 서로들 지갑 챙긴다는 것을 깜빡해서 유일하게 네 호주머니의 있던 천 원으로 간신히 찐빵 하나 사서 나눠 먹었지, 그때 네 몸에서 광채가 나더라... 서로들 너를 잡고 뽀뽀하고 얼싸안고...

친구야! 추억도 살릴 겸, 그 분식점에 한 번 가보자... 그때 그놈들 몇몇의 연락처는 알고 있어, 다 같이 모여 학창 시절도 회상해보고, 거하게 취해보자.

그렇게 K 군은 님과 계속해서 대화를 이어가며 목적지에 도착한다.

약 1.1km나 되는 마포대교에서 목소리가 찢어질 듯이 님을 부르며 미친 듯이 그를 찾는 K 군... 다행히 난간 맞은편에서 초라하게 웅크리고 앉아있는 님을 발견한다. 님을 발견하고는 님을 와락 껴안고 폭포처럼 눈물을 쏟아내는 K 군... "기다려 줘서 고맙고, 살아 있어 줘서 고맙고, 다 고맙다."

K 군은 자기가 입던 외투를 벗어 님에게 입히고 꼭 안으며 얼어붙은 님의 심장을 녹인다. K 군의 눈물과 님의 눈물은 하나가 되어 세상에서 가장 아름다운 생명의 물이 되었다.

"사람 '인(人)'의 한자를 보면
한 획과 한 획이 서로 지지하면서 연결되어 있다.
여기서 좌측이든 우측이든
하나의 획이 빠지면 사람 '인(人)'이 될 수 없다."

"이처럼 사람의 관계는 기계나 네트워크 따위가
개입되어 형성되는 것이 아니라,
사람과 사람 사이에서 직접 이루어져야 한다.
그리고 그 과정에는 형식적인 또는 편리함을 위해
이용되는 SNS나 전화통화보다는
자신의 온갖 영혼과 마음이 담긴 정성이 있어야 한다."

"너희 생각에는 어떠하냐 만일 어떤 사람이 양 백 마리가 있는데, 그중의 하나가 길을 잃었으면 그 아흔아홉 마리를 산에 두고 가서 길 잃은 양을 찾지 않겠느냐, 진실로 너희에게 이르노니 만일 찾으면 길을 잃지 아니한 아흔아홉 마리보다 이것을 더 기뻐하리라, 이와 같이 이 작은 자 중의 하나라도 잃는 것은 하늘에 계신 너희 아버지의 뜻이 아니니라." -성경

"다른 사람을 대할 때 그 사람의 몸도 내 몸같이 소중히 여겨라. 내 몸만 귀한 것이 아니다. 남의 몸도 소중하다는 것을 잊지 말라." -공자

"나에게 혼자 파라다이스에서 살게 하는 것보다 더 큰 형벌은 없을 것이다." -괴테

갑질은 재벌뿐만 아니라 누구나 행사할 수 있는 사악한 추태이다

어느 한 대형음식점

한 아이가 여러 테이블 위를 뛰어다니며 주변의 기물들을 어지럽히고 심지어 다른 테이블까지 가서 물을 쏟으며 민폐를 끼친다. 그 식당의 직원은 행여 뜨거운 음식을 운반하는 중 아이가 다칠까 봐 그 아이의 엄마에게 부탁을 해 보지만 듣는 둥 마는 둥 한다.

참다못해 그 음식점 주인이 그 아이에게 한 마디 한다.

"여기서 이러면 안 돼요, 다치기라도 하면 어쩌려고... 어여 제자리로 돌아가"

하지만 그 아이는 안하무인(眼下無人) 격으로 소란만 더 피웠고, 이번에는 점주와 직원에게 장난감 칼을 휘두른다. 칼을 빼앗은 주인, 이에 아이는 큰 소리로 울어대고, 이 광경을 목격한 그 아이의 엄마는 도리어 주인에게 큰소리를 치면서 따지기 시작했다.

"당신도 어릴 적에는 이러고 컸어, 애들이니 시끄러운 것은 당연하고.. 참, 뭐 그리 대단한 식당이라고 위세를 떨어, 한 집 걸러 식당인데... 음식이나 신경 쓰세요. 직원 교육이나 잘 시키고, 이런 서비스로 누가 오겠어."

아이 엄마의 거만하고 무례한 행위에 화가 난 주인은 당신 자식 교육이나 잘 시키라며 그리고 음식값은 안 받을 테니 더 이상 민폐 끼치지 말고 당장 나가 달라고 말했다.

하지만 그녀는 나가기는커녕 계속해서 큰소리로 독설을 퍼부으며 영업을 방해하는데... 이를 지켜본 손님들도 일제히 아이 엄마에게 조용히 하라며 항의를 한다.

어쩔 수 없이 고맙게 찾아 주신 다른 손님들을 위해 그 주인은 아이 엄마에게 정중히 사과하고 달래어 보지만 그녀의 무례함과 아이의 버르장머리 없음은 식당 밖을 나가기까지 계속되었다.

친동생과 함께 작은 옷가게를 운영하는 J양

어느 날, 두 명의 중년 여성들이 매장 안으로 들어왔다.
그중 한 명이 가지런히 걸려있는 옷들을 풀어헤치며 자신의 몸에 걸쳐 본 후 옷걸이 위에 그냥 걸쳐 놓는다.

이를 보게 된 동생이 그녀에게 한마디 한다.

"손님, 죄송한데 구매하지 않을 옷들은 제자리에 걸어 놓아주세요. 다른 손님들도 볼 수 있게요." 이에 그녀는 상식 이하의 폭언을 퍼붓는데...

"어디서 이래라저래라 명령이야, 명품도 브랜드화된 옷도 아닌 허접한 옷들만 취급하는 주제에... 이런 옷들은 그냥 준다 해도 안 입겠다. 그리고 여기 직원 같은데... 당신이 하는 일이 뭐야? 옷 정리는 당신이 하는 것 아냐? 여기 사장 좀 오라고 해. 직원을 이따위로 교육시키나 참..."

이를 지켜본 J 양도 그 손님에게 다가가 한마디 한다.

"제가 여기 사장입니다. 그리고 손님, 저희는 하인이 아니에요. 보신 옷들은 당연히 제자리에 두셔야죠." 이에 그녀는 더욱더 무례하게 따지는데 "허접한 옷들이나 취급하는 주제에 여기 아니면 옷 가게가 없나, 그따위로 행동해서 손님이나 오겠어. 나 이 동네에서 오랫동안 살고 있는 사람인데 내 말 한마디면 이 가게 문 닫는 것은 시간문제야. 나 참 재수 없어서."라며 그녀와 동행 한 이의 손에 쥐어진 옷까지 빼앗아 던져 버린다.

이에 J양은 또 한마디 한다.

"허접한 옷이라 생각하는 허접한 당신, 그따위로 행동하면 어디를 가든 허접한 대우만 받겠네요. 당신 같은 허접한 사람으로 인해 훌륭한 저희 옷들이 허접해질 수 있으니 매장에서 당장 나가주세요."

성경에 이런 말씀이 있다.

"그러므로 무엇이든지 남에게 대접을 받고자 하는 대로 너희도 남을 대접하라."

이 구절을 흔히 황금률의 법칙이라고도 말하는데, 황금률 법칙의 근본은 '사람은 모두 동일한 존재'로 평등사상에 있다.

공자의 논어에서도 "남이 너에게 하면 싫은 것을 너도 남에게 하지 말라."는 명언이 있다.

우리는 자신도 모르는 사이에 갑질 본능을 담고 있을 수 있다.

하지만 이러한 나쁜 근성을 제거하고 배려와 섬김 그리고 겸손으로 남을 대한다면 갑질에서 오는 비호감이나 적대감이 아닌 존중과 덕망을 쌓게 될 것이다.

선행을 가장한 교만들... 섣부른 충고, 해결자로 나서는 것, 무모하게 책임지려는 행위들(보호자로 나서는 것)

섣부른 충고

선천적으로 누군가에게 도움을 주려는 이들이 있다.

문제는 이러한 도움이 지나쳐 상대가 원하지 않는데도 불구하고 도움이라고 착각하며 섣부른 충고를 하여 곤란한 자기모순에 빠진다는 것이다.

특히 충고는 상대의 인격을 절하시키는 요인이 될 수 있고, 상대 스스로가 결정하고 판단할 수 있는 능력을 저해할 수 있으며, 은연중에 상대의 자발성과 주체성을 마비시켜 상대의 가치를 떨어뜨리고 통제시키려는 수단이 될 수 있다. 또한 원하지 않는 충고를 계속해서 하려 든다면 결국 상대로부터 반감만 사거나 최후에는 관계의 단절까지 가져올 수 있다.

도움을 주고자 원한다면 상대의 입장에서 충분히 공감하고 신중히 생각하여 충고가 아닌 자신의 견해를 조심스럽게 말해야 한다.

또한, 충고는 다분히 공격적이고 강압적인 면이 있어서 충고보다는 유용한 정보의 공유나 권유를 통해 상대에게 접근한다면 당신의 말에 더욱더 신뢰를 가지게 될 것이며 더 나아가 당신에 대한 존경심도 커질 것이다.

아래는 상대에게 도움이 될 수 있는 대화들의 효과적인 방법들을 제시한 것이다.

우선 상대의 문제에 대한 일차적인 책임은 그들 자신에게 있다는 것을 인식시켜라. 당신이 할 수 있는 일은 직접적인 해결과 주관적인 충고의 욕구에서 벗어나 상대의 문제를 초연하고 폭넓게 이해하는 것이다. 여기서 초연함이란 누군가를 소중히 여기면서도 직접 행동하지 않고 상대 스스로가 당면한 문제들을 하나하나 풀어갈 수 있게 말은 신중히 하고 경청은 주의 깊게 하는 것이다. 또한, 말이 먼저 앞서지 않게 하고, 깊은 공감대를 형성하여 해결점을 모색해야 한다.

"상대의 독립성을 최대한 인정하여 그들의 상황에 맞게
그들 스스로가 현명한 결정을 내릴 수 있게 하고,
자기 확신을 구축하게 함으로써 상대로부터 최상의 것을 이끄는 것,
이것이 진정 상대를 도와주는 것이다."

아래의 예화는 섣부른 충고가 불러온 결과이다.

30대 후반의 착하고 내성적인 D 군

D 군은 소위 말하는 모태 솔로이다.
소개팅이나 선을 볼 때마다 또 다른 만남까지 이어지지 못했고, 어떤 경우에는 멀리서 그의 모습을 보고 그냥 가버리는 여자들도 많았다.

D 군의 친구는 날카롭게 충고한다.
"선을 백날 보면 뭐해, 그럴 자세가 전혀 안 되어 있는데...
옷은 아버지의 것 빌려 입고 왔냐? 웬 한여름에 80년대 정장??
헤어스타일은 참... 차라리 삭발을 하지.
개성도 없고, 말주변도 없고, 용기도 없고...
내가 여자라도 도망가겠다. 옷과 헤어스타일부터 바꿔."

그래도 변하지 않는 D 군...
오히려 D 군은 그 친구를 만날 때마다 변화하려는 노력보다는 자존심만 상해하고 반감만 쌓였다. D 군을 볼 때마다 속만 터지고 입만 피곤했던 친구 그리고 그 친구를 만날 때마다 늘 위축되고 스트레스받던 D 군, 결국 그 둘의 관계는 단절되고 말았다.

만일 그 친구가 D 군에게 진정으로 도움을 주고자 했다면 인격까지 깎아내리면서 비하하는 발언이 아닌 깊고 이해할 수 있는 한 마디면 충분했다.

"외모에 신경을 쓴다는 것은 어찌 보면 처음 만난 상대에 대한 예의일 수 있어. 예를 들면 개업식 또는 장례식장에 갔을 때 운동복과 슬리퍼를 신고 가지는 않잖아. 외모로 상대를 판단하는 사람이라면 당연히 만남을 이어 갈 필요는 없지만, 예의라는 측면이라면 고려할 필요성은 있다고 생각해. 인터넷으로 검색해보면 유행하는 패션이나 헤어스타일이 나올 거야. 참조해 보고… 중요한 것은 너 자신이야. **네가 너 자신에게 당당하고 확신에 차 있으면 너에게 맞는 사람이 다가올 거야. 이 말은 여기까지만… 선택은 결국 네 몫이고, 난 어떠한 방식이든 너의 선택을 지지해.**"

30대에 회사만 10번 이상 옮긴 S양의 이야기

대학 졸업 후 심리학 교수의 꿈을 품고 유학길에 오른 S양, 하지만 현실의 장벽은 너무도 높았다. 문화적 차이로 현지인들과의 갈등은 날로 커져만 갔고, 시간이 흐를수록 이수해야 할 과정들은 더욱 복잡하고 난해해졌으며, 경제난을 해결하고자 2~3곳으로 시작된 파트타임 일은 어느덧 다섯 군데 이상으로 늘어 갔다. 매일같이 겪어야 하는 만성 스트레스성 위염과 두통은 그녀의 학업에 악영향을 주었고, 결국 몸과 마음 모두 지쳐버린 그녀의 결단은 유학을 포기하는 것과 고국으로 돌아와 영어 구사 능력을 이용하여 무역이나 해외업무 관련 분야로 취업을 하는 것이었다.

하지만 첫 직장부터 문제가 생긴다.

몇 달이 넘도록 해외 교류 업무보다는 accounting에 관련된 일이 더 많았고, 직종도 맞지 않는 상태에서 잡무까지... 결국, 퇴사를 결정하고 다른 업체를 알아본다.

두 번째 회사는 다행히도 해외 교류 업무가 주가 되었다. 하지만 집에서 직장까지의 출퇴근 시간만 교통체증까지 합치면 하루에 거의 3~4시간 정도였다. 유학에서 이미 많은 비용을 지출해서 회사 근처에 있는 원룸까지 얻기는 역부족이었다. 게다가 해외는 시차가 다른 곳이 많아 정시에는 거의 퇴근을 못 했고, 계속되는 야근과 교통지옥으로 집에 돌아오면 아무것도 못 하고 쓰러져 잠자기 바빴다. 친구들도 제대로 못 만나고, 여가생활도 도저히 할 수 없고, 일과 교통체증으로 청춘을 다 보낼 것 같다는 생각에 그녀는 또다시 퇴사를 결정한다.

세 번째는 상사와의 갈등, 네 번째는 급여 조건, 다섯 번째는 과도한 업무로 인한 스트레스, 여섯 번째는 자기발전과 성장에 전혀 무관해서, 일곱 번째는 낡고 오래된 경영방식으로 인해 창조성을 발휘할 수 없어서 등등... 매번 같은 문제 다른 사유로 퇴사를 하게 되었고, 현 상황이 너무나도 힘들었던 그녀는 가장 친한 친구였던 L 양을 불러 자기의 상황과 심정을 토로한다.

S 양의 얘기를 들은 L 양이 충고한다.

"벌써 몇 번째니? 이런 얘기는 만날 때마다 매번 나오네... 지겹다 지겨워... 직장이 아니라 네 성격에 문제가 있는 거 아냐? 이 불황에 여러 번 이직하는 것도 능력이다. 남들은 취업이 안 돼서 난리들인데... 진득하니 한 군데서 오래 좀 있어, 성격도 좀 죽이고."

그럼에도 불구하고 직장을 또 옮기게 된 S 양, 이번에는 잔소리만 하는 L 양이 아닌 다른 친구를 불러서 자신의 문제를 하소연한다.

도움을 주고자 했던 충고가 듣기 싫은 산소리가 된 결과였다.

하지만 다른 각도로 S 양의 상황을 폭넓게 이해하고 신중히 생각하여 견해를 밝혔다면 상황은 달라졌을 것이다.

이에 대해 저자는 아래와 같이 효율적인 대화 방법을 제시해 본다.

"적성, 직종 그리고 조직 생활이라는 그 자체가 너와 안 맞을 수 있어. 문과생에게 난해한 수학 문제를 풀라고 강요하는 것처럼... 네가 원래 가고자 했던 길이 심리학 분야였었고, 너에게 문제가 있는 것이 아니라 적성에 안 맞아서 그런 것은 아닐까? 이번에는 장기적으로 시간을 가지고 내 적성을 살려 충분히 능력을 발휘할 수 있고, 너 또한 일의 즐거움을 찾을 수 있는 곳을 알아보렴... 소견인데 네가 원했던 심리학 교수의 꿈이 현실적으로 불가능하다면 심리상담사와 같은 직종도 있다고 들었어. 지난번에 네 얘기를 듣고 곰곰이 생각한 후 조사해 봤는데, 심리학을 공부한 사람들이 많이 진출하는 상담전문가는 성격, 적성, 지능, 진로 및 신체적, 정서적, 행동적 증상 등에 대해서 문제를 호소하거나 변화를 모색하는 개인에게 심리검사, 상담 프로그램 등을 활용하여 문제 해결을 돕고 지원하는 일을 한다. 나도 틈틈이 더 알아볼 테니 너도 한 번 그 분야에 대하여 조사해 봐... 아무쪼록 난 너의 능력을 믿는다. 힘내자 파이팅!"

해결자로 나서는 것

섣부른 충고와 함께 무턱대고 해결자로 나서려는 행위도 선행을 가장한 교만일 수 있고, 상대를 더욱더 무기력하고 나약하게 만들 수 있다.

특히 도움을 줄 때는 동정이 아닌 경청을 통해 상대방이 처해있는 상황에 대해 깊이 있게 이해해야 한다. 사람들이 고민을 털어놓고 도움을 요청하는 것은 자신을 불쌍히 여겨 동정심을 가지라는 것이 아니라 자신과 같은 문제를 가지게 된다면 당신이라면 어떻게 대처할 것인지 또는 주변에서 이와 비슷한 상황이 있었다면 그들은 이 문제들을 어떻게 극복했는지에 대하여 조언해 달라는 것이다.

여기서 주의할 점은 당신이 그들의 문제를 직접 해결하거나, 그들의 결정을 대신하거나, 그들을 통제해서는 안 된다. 그들에게 최선으로 보이는 가능성을 제시하고, 그들 스스로가 직접 현명한 선택을 할 수 있도록 유용한 정보를 공유하거나 직, 간접적인 경험담들을 들려줌으로써 최상의 것들을 결정할 수 있게 함께 하라는 것이다.

"충고와 동정은 배제시키고 지원과 격려는 아끼지 말아야 한다."

아래의 예화는 무턱대고 해결자로 나서는 행위에 대한 그릇된 결과이다.

수차례 취업전선에서 패배의 쓴잔을 마시던 M 군의 이야기

30대 초반의 M 군은 오늘도 변함없이 학교도서관으로 향한다.

제대 후 계속해서 취업의 문을 두드려 보지만, 매번 불합격이라는 쓴잔만 마시던 M 군은 이미 사회에 진출하여 나름 안정적인 직장생활을 하고 있는 K 군에게 연락을 하여 만나자고 한다.

M 군이 자신의 상황을 토로하기 시작했다.

"힘들다. 입사 지원만 몇 년째니... 이러다가 나이만 들어 더 이상 취업의 기회가 사라지는 것은 아닌지 걱정이야. 학자금을 대출받아 간신히 학위과정을 이수했지만, 이건 취업도 안 된 상태에서 빚만 잔뜩 지고 있으니... 더군다나 날이 갈수록 어머니의 병세가 악화되어 병원비로도 많이 지출되는 상황인데... 하루빨리 어디라도 취업이 되어 생계 문제부터 해결해야 할 것 같아... 부모님도 돌봐 드려야 하고..."

이번에는 K 군이 말한다.

"너처럼 착하고 성실한 사람한테 왜 자꾸 안 좋은 일들만 생기니... 불쌍하다 불쌍해 쯧쯧... 우선... 이거 얼마 안 되지만 생활비에 보태." 하며 오만 원짜리 4장을 건넨다. "그리고 우리 매형이 OO 대학병원 원무과에 과장으로 재직 중인데 어머니 병세에 차도가 없으면 매형한테 부탁해 볼 테니 병원을 옮겨봐, 그리고 너! 눈높이 좀 낮춰, 네 능력도 생각해 보고... 네가 원하는 직종이 어떤 것인지는 안다만, 그 길이 얼마나 치열한데... 네 형편을 생각해서 공부는 이제 그만하고 웬만하면 아무 데나 일자리 있으면 들어가서 돈 벌 생각이나 하는 것이 나을 것 같다. 이러다가 나이만 들면 더 갈 곳도 없어져, 너 학자금 대출도 갚아야 하잖아. 공부만 한다고 하늘에서 쌀이 떨어지는 것도 아니니 우선은 돈벌이 되는 것부터 빨리 알아봐. 참! 지인 중 한 명이 물류회사 운송직원을 구하는 것 같던데, 너 1종 면허 있지? 내가 잘 말해 볼 테니 딴생각하지 말고 거기 한 번 가봐라..."

문제에 빠진 사람들은 근시안적[1]이 되고 강퍅해져 있다.

그 친구의 동정은 M 군에게 있어 자존심을 상하게 하고 수치심만을 불러일으킨 행위였고, 자신의 문제를 스스로 현명하게 해결할 수 있도록 도움을 주는 것이 아닌 패배의식만 가지게 했던 것이었다. M 군에게 있어 그 친구의 발언은 위로나 도움으로 다가온 것이 아닌 경제적으로나 사회적으로 조금 안정화되었다고 자기를 무시하고 잘난 척하며 거만 떠는 것으로만 보였다.

절망감과 좌절감에 빠져 있는 자신에게 모멸감과 비참함까지 더했던 그

---

1 근시안적 : 앞날의 일이나 사물 전체를 보지 못하고 눈앞의 부분적인 현상에만 사로잡히는 또는 그런 것.

친구의 행위에 화가 난 M 군은 그 친구가 주었던 지폐들을 던지며 말한다.

"내가 거지냐, 어디서 잘난 척은... 그냥 내 상황을 얘기한 것뿐이지, 누가 너보고 직접 해결해 달라고 했어, 부모 잘 만난 탓에 능력도 안 되면서 인맥으로 직장에 들어간 주제에... 두 번 다시는 만나지 말자."

M 군이 그 친구에게 원했던 것은 동정이나 직접적인 해결이 아니었다.

하소연할 곳이 없기 때문에 단지 얘기를 들어주거나, 좋은 방법들이 있다면 함께 모색해 달라는 것이었다. 친구는 친구일 뿐이지, 기계를 다루듯 그를 조종하려 하거나 그의 인생을 주관하여 지시해서는 안 된다. 설상 그가 M 군을 위해 좋은 방안들이 있다 하더라도 자기가 결정하여 일방적으로 통고하는 것이 아니라 M 군의 상황을 지켜보면서 조심스럽게 말을 꺼냈어야 했고, 결정은 M 군 스스로가 직접 하도록 초연했어야 했다.

"대화란 서로 오가는 것이고, 서로에게 감동이 되어야 한다."

저자라면 이러한 상황에 놓인 M 군에게 다음과 같이 말했을 것이다.

"너니깐 이 어려운 상황들을 그나마 당차게 헤쳐 나가고 있는 거야, 너의 끈기 있는 확신과 확신에 대한 추진력이 부러울 뿐... 나는 지극히 현실적이고 인내가 부족해서... 사람 일은 몰라. 그 누구도 자신의 미래를 장담할 수 없어. 나 또한 지금은 그럭저럭 적응하고 있지만 앞일에 대해서는 확신할 수 없고, 내가 힘들어하는 것은 당연한 거야. 난 너의 꿈과 이상을 지지하지만 현실도 외면할 수 없기에, 계획은 계획대로 현실은 현실대로 병행해서 진행하는 것이 어떨까 생각해. 결정은 네 몫이고... 그리고 네가 단시간 업무나 단기로 근무할 수 있는 곳을 알고 싶다면 언제든지 얘기해. 그 밖에 다른 도움들도 말이야. 부족하지만 최선을 다해볼게. 친구 좋다는 게 뭐니...

난 언제나 너와 함께 할 거야, 힘내자 친구야..."

무모하게 책임지려는 행위 (보호자로 나서는 것)

자궁 안에 있던 태아는 엄마가 평생 자기를 품고 보호해 줄 것이라 믿었지만, 양수가 터지면서 거침없이 자기를 거친 세상으로 내보내면서 '어느 누구도 자신을 평생 보호할 수 없다'라는 사실을 깨닫게 된다.

인간이 인간을 보호한다는 것은 한시적이지 영구적일 수는 없다.

따라서 무모하게 책임지려거나 보호자로 나서려는 행위는 이러한 사실에 혼돈을 주어 상대로 하여금 무능력함과 안일함을 불러일으키고, 이러한 보호막에 익숙해질 무렵 불현듯 보호막이 무너지면, 걷잡을 수 없는 심한 좌절감과 절망감에 빠져 상대에게 불행이라는 큰 씨앗을 남길 수 있다.

"평생 보호를 하겠다는 것은
난 너에게 거짓 약속을 하겠다는 것과 다름없다."

상대를 진정 아끼고 사랑한다면 무모한 책임감과 보호자로 나서려는 행위가 아닌 그들 스스로가 자신을 보호할 수 있도록 강한 의지와 자신감을 심어주어야 한다.

"무모한 책임감과 보호자로 나서려는 행위는
상대를 비현실적이고 알 수 없는 존재로 만드는 것이며,
세상과 분리시켜 열등한 존재로 전락시킬 수 있는
불가능한 인간의 도전이다."

보호자가 아닌 친밀감을 형성하고 정서적인 지원자가 돼라.

정서적인 지원의 가장 큰 핵심은 어떤 고통이 올지라도 상대가 평정심을 잃지 않고 스스로가 극복할 수 있게 위로와 격려를 아끼지 않는 것이다.

"보여지는 행위는 강렬하고 자극적일 수 있지만,

보여지지 않는 사랑은 영원하다."

진정 상대를 위한다면 다음의 말을 명심하라!

"난 당신과 함께할 거예요, 하지만 인간은 유한하기에 '평생을 책임지겠다' 라던가 '보호자로 나서겠다'라는 약속은 할 수 없어요.
나는 나의 삶도 포기하지 않을 것이고, 당신도 포기하지 않을 겁니다.
하지만 당신보다 앞서 나가는 것이 아니라 당신의 등 뒤에서 영원히 함께할 것입니다."

장애라는 새로운 관념

왼손과 왼쪽 다리가 불편한 전기업체 사장 이야기

전기공사 건이 있었다. 천정에 구멍을 뚫고 나사못을 박아 지지대를 만든 후 레일을 설치하여 조명을 부착하고 LED 램프를 단 후, 주변을 밝게 비추는 공사였는데, 지인을 통하여 관련 업체 사장을 소개받아 연락을 해본다.

시간 관계상 새벽 6시부터 작업이 가능하겠냐고 문의하니 그는 흔쾌히 수락하였고, 약속된 시간에 맞춰 공사현장에 가보니 그가 미리 와서 기다리고 있었다. 적어도 2-3人 이상의 작업자가 필요할 텐데 추가 인원 없이 그는 혼자서 작업을 시작했다.

공사 중에 놀라운 사실을 발견했다.
그는 왼손과 왼쪽 다리가 불편한 것이었다.
왼손은 완전히 구부러져 있어 펴지를 못했고, 왼쪽 다리는 오른쪽 다리에 비하여 짧고 가늘어서 이동할 때에는 다리를 절뚝거리며 다녔다.

'어떻게 작업을 한다는 것이지? 저렇게 불편한 몸을 이끌고...' 나로서는 도저히 이해가 안 갔다. 걱정 가득한 나의 얼굴을 본 그는 화가 났던지 작업은 알아서 진행할 테니 나는 멀리 떨어져 내 할 일을 하라고 한다.

작업은 시작됐고 그는 전동드라이버로 천장을 뚫고 전기선을 넣은 후 칸칸으로 된 천정용 타일을 머리에 받치고 오른손으로 천장에 박힌 나사를 풀고 전동드라이버를 사다리에 올려놓고 다시 오른손으로 머리를 받치고 있던 천정용 타일을 집어 내려놓고 다시 오른손으로 내부에 있던 전기선을 끌어와 입으로 문 후 다른 전기선을 입에 물고 있던 전기선과 연결한 후 다시 천정을 올리고 머리로 받친 후 오른손으로 나사못을 고정시켰다.

여기서 왼손의 역할을 했던 지체들은 사장의 머리와 입이었다.

레일을 설치할 때도 마찬가지, 꽤 길고 무거웠음에도 불구하고 그는 그것을 오른손으로 번쩍 들어 올려 왼쪽 겨드랑이에 껴서 고정시키고, 오른손으로 레일의 끝부분을 먼저 나사못으로 고정시킨 후 다시 반대편으로 이동하여 나머지 부분도 고정시켰다. 조명과 LED램프 설치도 마찬가지, 조명을 왼쪽 겨드랑이에 끼고, 오른손으로 쥔 램프를 조명 안쪽으로 돌려 고정한 후 다시 오른손으로 램프가 부착된 조명을 레일에 부착시켰다. 다른 조명들도 이와 같은 방식으로 진행되었다. 이때 왼손의 역할을 했던 지체는 그의 왼쪽 겨드랑이였다.

공사가 다 끝난 후, 남을 레일과 지지대를 케이블 타이로 조였는데, 이때는 왼쪽 겨드랑이로 자재들을 끼고 오른손으로 케이블 타이를 돌린 후 입으로 타이를 꽉 물고 당겨서 고정시켰다.

뒷마무리도 깔끔하게 처리해 주었고, 부탁도 안 했는데 하자 난 다른 부분까지도 일일이 점검하여 고쳐주었다.

내가 여태껏 보았던 전기공사 중에 가장 완벽하고 깔끔하였다.

공사시간도 일반 노동자들과 별 차이가 없었다.

남은 자재들과 공구들 그리고 사다리를 주차된 장소로 옮기려고 할 때 "옮기는 것 도와 드릴게요."라고 말하자 그는 빙그레 웃으면서 그 중 가장 가벼운 것들만 내게 들어 달라 하였다. 자재들을 차 안으로 옮길 때는 오른손으로 집어 왼쪽 팔꿈치로 들어 올린 후 목까지 가져와 고개를 옆으로 젖혀 고정시킨 후 다시 고개를 펴고 오른손으로 집어 차에 있던 선반 맨 위로 이동시켰다. 차 안에 있던 자재와 공구들은 흠 하나 없이 완벽하고 깔끔하게 정리되어 있었다. "사장님 수고 많으셨어요."라고 하자 그는 "앞으로 문제 있으면 연락하세요, 지나가는 길이면 문제없는지 한번 둘러볼게요."라고 하면서 오른손으로만 핸들을 돌려 운전을 하면서 그곳을 유유히 떠났다.

순간 깨달았다.

"장애라는 개념은 신체적, 정신적인 결함이 아니라,
어떠한 노력이나 수고 없이 세상을 공짜로 얻으려는 자의 마음 상태이다.
이유인즉, 그들은 그들 스스로가 정상적인 지체들을 가지고 있음에도 불구하고 게으름과 안일함에 빠져 그것들을 사용하지 않고
썩게 하기 때문이다."

"상대를 위하는 척하며 충고하는 이는 많다.
하지만 상대를 위하여 눈물을 흘리는 자들은 드물다."

"신을 향한 믿음은 가시덤불 속에서도 마음의 평온을 얻지만,
인간에 대한 믿음은 심장이 찢어지는 고통을 초래한다."

"지식이란 축적된 논리와 한정된 앎의 범위지만, 된지혜는 모르는 범위까지도
알 수 있게 하는 신의 선물이다.
지혜의 첫걸음은 자신의 나약함과 무지를 인정하는 것이다."

"경험이 되풀이될 수 있는 착오를 방지하는 수단이라면,
착오를 다시 수용하는 것은 완벽한 자기의 책임이다."

"진정한 예술은
사회적 평가와 시선, 틀에 박힌 사고와 이해타산,
세상과의 타협과 대가에 대한 기대들이 거부될 때
비로소 창출된다."

"신의 도우심과 자신의 의지가 결합하면,
모든 별을 모아 하나로 만들 수 있다.
신의 도우심만 있다면 별들 중 하나는 될 수 있다.
하지만 자신의 의지만 있다면,
나뭇가지에 달려 있는 열매조차 제대로 딸 수 없다."

"책은 생각하게 하고, 꽃은 바라보게 하며, 사람은 숨기게 한다."

"누군가로부터 원하는 것이 있다면, 자신이 직접 그 일을 하라."

"지나침의 결과는 어리석음이다."

"악이 악이기 때문에 선택한 사람은 없다.
자기만을 위한 그릇된 방법의 만족이 악을 만들 뿐이다."

"선을 선택하면 사람을 얻을 것이요,
악을 선택하면 상대도 자신도 둘 다를 잃게 될 것이다."

"개미가 근육을 강화하고 힘을 기른다고 해도
코끼리를 무너뜨릴 수는 없다."

"인간이 남길 수 있는 최고의 유산은 좋은 기억이다."

"현명한 사람은 성공을 위하여 최선을 다하지만 그것에 집착하지는 않는다.
그래서 그들은 실패하더라도 좌절하거나 포기하지 않는다."

"진정성이 있으면 분명 빛을 보게 된다.
그리고 그 빛은 무조건적 성공이 아닌
자신을 포함한 대우주의 감동이 되어야 한다."

"어떤 이들은 변화에 대해 꿈만 꾸거나 표면적인 거룩함만을 추구하지만,
어떤 이들은 꿈에서 깨어 그 일을 현실에서 실천한다."

"모든 것을 드러낼 때, 드러낸 모든 것에 대하여 공감하고,
진실된 마음으로 소통하며 혼자가 아닌 함께라는 것이 확립될 때
'친밀감'이라는 위대한 사랑이 완성된다."

"당신이 이 세상에서 전지전능한 인간일 수 없듯이,
모든 사람에게서 이해나 인정을 받을 수는 없다."

"그들과 같이 되지 못함을 분노하는 것은 '**교만**'이요,
그들과 비교해 나 자신을 학대하는 것은 '**열등**'이요,
그들과 상관없이 나다운 것이 '**겸손**'이요,
그러한 그들을 보면서 장, 단점을 파악하여
내 것으로 만드는 자가 '**현자**'인 것이다."

"현재(Present)는 선물(Present)이다."

"당신의 최대 관심사는 상대방과의 비교도 아니요,
그들의 언행도 아닌
당신이 할 수 있는 일이 무엇인지를 발견하는 것이다."

"이 세상 모든 고통에는 해결점이 있거나 없다.
있다면 최선을 다해 노력하고, 없다면 신경 쓰지 말라."

"걱정이 많아지면 오늘이 작아진다."

"걱정하지 않는 것이 일어난 문제를 해결할 수 있는 가장 좋은 방법이며,
오늘을 위한 최상의 에너지가 된다."

"걱정하는 사람이 절망의 늪으로 빠지지 않으려면 행동에 몰두해야 한다."

"생각이 많을수록 퍼센트는 줄어든다."

"교만은 생각으로부터 나와 눈을 흐리게 하고, 귀를 막으며,
마음을 통과하여 행동의 위선을 낳고,
결국은 자기 발걸음에 족쇄를 채워 파멸까지 이르게 만드는
영적인 죽음이다."

"할 수 있다." 와 "할 수 있다고 생각한다."는 can과 can't이다.

"선택이 모여 인생이 되고, 그러한 인생들이 곧 우리의 운명을 좌우한다."

"존경이란 자신의 양심에서 우러나오는 해야 할 일들을 차마 할 수 없을 때,
그 누군가는 자신을 내려놓고
당당히 양심의 호소에 따라 움직이는 자들에 대한 우리의 마음이다."

"세상에는 두 종류의 사람이 있다.
하나는 자신이 의롭다 여기는 죄인들과
다른 하나는 자신을 죄인이라 여기는 의로운 자들이다."

"법이 세상에 정해 놓은 규칙을 문서화하고 공식화한 것이라면,
집필을 한다는 것은 마음에 새겨놓을 법전을 만드는 것과 같다.
책이란 세속적으로 머리를 움직이게 만드는 도구가 아니라
사람을 사람답게 만드는 것이다."

"사람인(人)의 한자를 보면 한 획과 한 획이 서로 지지하면서 연결되어 있다.
여기서 좌측이든 우측이든 하나의 획이 빠지면 사람 '인(人)'이 될 수 없다."

"사람의 관계는 기계나 네트워크 따위가 개입되어 형성되는 것이 아니라,
사람과 사람 사이에서 직접 이루어져야 한다.

그리고 그 과정에는 형식적인 또는 편리함을 위해
이용되는 SNS나 전화통화보다는
자신의 온갖 영혼과 마음이 담긴 정성이 있어야 한다."

"상대의 독립성을 최대한 인정하여 그들의 상황에 맞게
그들 스스로가 현명한 결정을 내릴 수 있게 하고,
자기 확신을 구축하게 함으로써 상대로부터 최상의 것을 이끄는 것,
이것이 진정 상대를 도와주는 것이다."

"충고와 동정은 배제하고 지원과 격려는 아끼지 말라."

"대화란 서로 오가는 것이고, 서로에게 감동이 되어야 한다."

"평생 보호를 하겠다는 것은 난 너에게 거짓 약속을 하겠다는 것과 다름없다.
상대를 진정 아끼고 사랑한다면
무모한 책임감과 보호자로 나서려는 행위가 아닌
그들 스스로가 자신을 보호할 수 있도록
강한 의지와 자신감을 심어주어야 한다."

"무모한 책임감과 보호자로 나서려는 행위는
상대를 비현실적이고 알 수 없는 존재로 만드는 것이며,
세상과 분리시켜 열등한 존재로 전락시킬 수 있는
불가능한 인간의 도전이다."

"정서적인 지원의 가장 큰 핵심은
어떤 고통이 올지라도 상대가 평정심을 잃지 않고
스스로가 극복할 수 있게 위로와 격려를 아끼지 않는 것이다."

"보여지는 행위는 강렬하고 자극적일 수 있지만,

보여지지 않는 사랑은 영원하다."

"나는 나의 삶도 포기하지 않을 것이고, 당신도 포기하지 않을 겁니다."

"장애라는 개념은 신체적, 정신적인 결함이 아니라,
어떠한 노력이나 수고 없이 세상을 공짜로 얻으려는 자의 마음 상태이다.
이유인즉, 그들은 그들 스스로가 정상적인 지체들을 가지고 있음에도
불구하고 게으름과 안일함에 빠져 그것들을 사용하지 않고
썩게 하기 때문이다."

"복잡해지는 것은 쉬어도 단순해지는 것은 어렵다."

"과도히 아낀다는 것은 무의미한 사라짐 또는 영원한 궁핍이다."

Chaos
of
Love

"사랑은… 상대의 반응이 아니라
내가 할 수 있는 최선의 것을 하는 것이다."

Art 28. Abstract flower1

청야(清夜) 김소현
72.7x90.9 (LxH,30F) acrylic on canvas 2017

Art 29. 비에 젖은 도시

청야(淸夜) 김소현
116.8x91 (LxH,50F) 혼합매체 acrylic on canvas 2017

본 작품에서의 비는 안개비(안개처럼 눈에 보이지 않게 내리는 비)나
가루비(가루처럼 포슬포슬 내리는 비)로 표현하였고,
색 또한 은은하고 엷은 계통의 회색, 베이지, 흰색 계열로 적절히 조화를 이루어
표현하였으며, 그에 따른 심적 상태를 포용과 성찰로 나타내었다.

하나는 비의 종류와 다른 하나는 그러한 비를 대하는 우리의 심적 상태이다.

Art 30. 비에 젖은 도시2

청야(淸夜) 김소현 / 72.7x90.9 (LxH,30F) 혼합매체 acrylic on canvas 2017

본 작품에서의 비는 악수(억수)(물을 퍼붓듯이 세차게 내리는 비) 또는
작달비(굵고 세차게 내리는 비)로 비 내리는 모습을 표현하였고,
색 또한 차갑고 거친 느낌이 나는 파란색 계열의 혼합색으로 표현하였으며,
그에 따른 심적 상태를 거침없는 분출과 자유함으로 나타내었다.

【태동(胎動)】 여기서 태동(胎動)이란 어떤 일이 생기려는 기운이 싹틈을 의미한다.

Art 31. 태동(胎動)

청야(淸夜) 김소현 / 72.7x60.6 (LxH,20F) 혼합매체 acrylic on canvas 2016

본 작품은 크게 4단계의 자연현상으로 표현되는데,
첫 번째는 새벽이 어둠을 뚫고 붉게 타오르는 태양이 새벽을 깨우는 과정이고,
두 번째는 강렬한 태양의 기운을 받아 땅이 일어나는 과정이며,
세 번째는 연이어 태동하는 바다와 산지를 표현하였고,
끝으로 대자연의 기운이 생명의 탄생으로 연결됨을 표현하였다.

Art 32. 태동2(胎動2)

청야(淸夜) 김소현 / 72.7x90.9 (LxH,30F) acrylic on canvas 2017

본 작품에서는 그러데이션(gradation) 효과를 도입하였다.
여기서 색의 의미는 다음과 같다. 보라색 계열이 주는 의미는 신의 신성함이고,
이어지는 하단 부분 붉은색 계열의 그러데이션은 신의 사랑을 표현한다.
신성한 신의 사랑을 품고 세상을 향해 나아가려는 인간의 움직임을 연두색 계열의 그러데이션으로
표현하였고, 이어진 파란색 계열의 그러데이션은 드넓은 바다, 즉 세상을 의미한다.

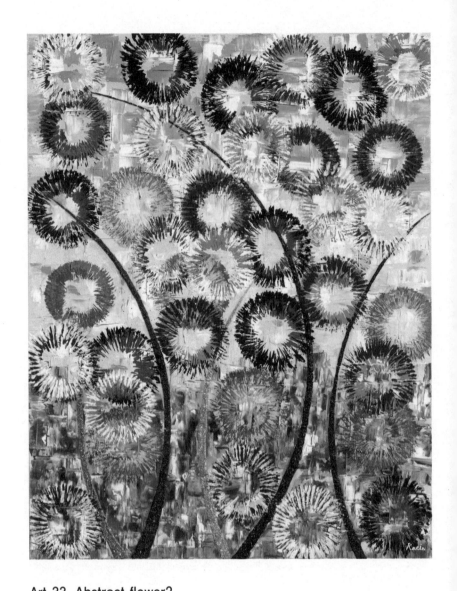

Art 33. Abstract flower2

청야(清夜) 김소현
72.7x90.9 (LxH,30F) 혼합매체 acrylic on canvas 2017

사랑은 용기가 아닌 체량(體諒)이다

내면 깊은 곳으로부터 폭발하듯 분출하는 주체할 수 없는 사랑이 찾아온다.

지우려고 잊으려고 애를 쓰건만... 안다. 머리는 단호하지만, 마음은 이미 내 것이 아니라는 걸...

다가가지도 못하고 다가가서도 안 되는 고통의 나날들...

내 의지로는 결코 안 된다는 것을 알기에 신께 간절히 기도해 보건만 기도 중에도 고철로 굳어버린 머리는 도저히 깨지지를 않고...

시간이 약이라는 데 오히려 시간은 더 깊은 병을 만든다.

용기를 내보라고... 글쎄... 나약하고 바람 같은 인생...

사랑한다면 정말로 사랑한다면 비겁하게 보일지라도 정말로 사랑한다면 상대를 내 마음에서 떠나보내야 한다.

북극곰은 북극에 살아야지, 극한의 남극으로 끌어들일 수는 없다.

혹독한 남극의 설한(雪寒)은 나 하나로 족하다.

"사랑은 무조건 소유하려는 무모한 용기가 아닌,
 상대의 진정한 행복을 위한 깊은 헤아림이기 때문이다."

§

기댈 수 없는 벽

기댈 수 없는 벽이 있다.
마음의 벽...
인생에 있어 가장 확실한 것과 불확실한 것이 있다.
죽는다는 것과 살아 있다는 것...
눈물이 심장이 되어 영원히 묻을 수 있는 것이 있다.
사랑한다는 것...

－김소현, 〈기댈 수 없는 벽〉 전문

§

집착

집착... 특히 사랑에 대한, 그 판단 기준은 시간이다.

하루 중 반나절 이상 생각이 한 곳으로 모이면 그것이 집착이요, 당신이 모르는 우상숭배인 것이다.

집착에서 벗어날 수 있는 길은 크게 2가지...

멈춰라. 그것이 끝일지라도 그리고 자신만의 시간을 가져라. 인생은 그리 길지 않다. 올인하지 말고 상대의 반응에 따라 조금씩 움직여라.

다가온다면 마음을 비우고 편하게 반겨라.

소유하려는 순간, 집착은 되살아나고 모든 관계는 끝이 난다.

"단지 누군가를 사랑한다고 해서 무조건 감싸야한다는 뜻은 아니다.
사랑은 상처를 덮는 붕대가 아니다." -휴 엘리어트

"자신을 사랑하는 법을 아는 것이 가장 위대한 사랑이다." -마이클 매서

집착이 가져오는 결과와 벗어나기 위한 방법들

○ 결과

사람에 대한 집착… 상처, 원망, 외로움
돈에 대한 집착… 불안, 초조, 욕심, 강퍅함
술에 대한 집착… 불행

○ 방법

홀로임을 두려워하지 말라.
자신이 좋아하는 것을 찾아라.
불편한 모든 요소들을 거부하라. 안 맞는 옷은 결국 안 입게 되기 때문이다.
큰사람이 되려면 사랑이 전부가 아닌 일부라는 사실을 마음속에 새겨라.
사랑은… 상대의 반응이 아니라 내가 할 수 있는 최선의 것을 하는 것이다.
상대의 반응에 민감해지면 사랑이라고 착각하는 집착과 욕심만 생길 뿐.
따라서 민감해지는 시점에서는 절제와 인내의 시간을 가져라.

§

집착(執着)

내 삶을 무너뜨리는 중독적인 사랑…
끓어오르는 열정을 주체할 수 없을 때에는
모든 것을 중지해야 한다.

신이 나를 너무 사랑하사
감정이 이끄는 데로 몸을 맡기면
독이든 화살촉이 내 심장을 관통한다.
독은 서서히 퍼져 세포 골수 마디마디에
잔인한 고통을 주고...

정녕 당신이 아니라 하시면
내 눈과 귀를 멀게 하시고
내 심장을 부서지지 않는 빙하로 만드소서...

당신의 작은 실수가
인간의 모든 것보다 나으니...

-김소현, 집착 〈청야〉중에서... 2013. 11. 30.

✠

아파하는 청춘을 위하여...

만물이 푸르던 시절,
사랑이라는 물과 불 사이에서
귀한 시간들 바람같이 흘러갔다.
진실을 가려버린 자존심
자신이 만든 오해라는 구덩이
상처받기 싫어하면서 나의 언행이 누군가에게 상처를 주고 어긋난 타이밍, 밥 대신 술로...
악의 좌석에 이끌려 하늘이 하늘로 바다가 바다로
꽃이 꽃으로 보이지 않았던 그 시절
사랑이 제일인 줄 알았건만
시간이 흐르니 다른 소중한 것들이 너무 많았다.
아파하는 청춘들이여...
인생에는 사랑만이 있는 것이 아니다.

-김소현, 아파하는 청춘을 위하여 〈청아〉중에서... 2013. 11.30.

✠

슬픔의 천사

밤하늘의 구름은 어둠에 가리어 보이지 않는다.
난 아무도 볼 수 없는 그 구름에 걸터앉아 하프를 치며
슬픔의 세레나데를 연주한다.

난 슬픔의 천사다.
슬픔 속에서 벅찬 기쁨을 느낀다.
내게 주어진 축복이기에 꺼져가는 촛불들을 품에 안고
기름을 부으려 한다.

사랑하는 이로부터의 이별 통보로 그 괴로움과 슬픔을
어찌할 줄 모르는 청춘의 눈물을 훔치어 밤하늘을 날자고 속삭인다.
오지도 않을 연락을 기다리며 절망의 늪에 빠져있는 이를 건지어

강가의 다리를 무대 삼고 고요한 달빛을 조명 삼아
함께 춤을 추자고 속삭인다.

무엇을 해도 아무 일도 없는데
존재 그 자체만으로도 자신을 용납하지 못하는 이에게
스쳐 지나가는 바람도 의식하지 말고 모든 마음의 문을 닫아
오직 하늘로부터 온 위로만 들어오게 하라고 속삭인다.

혼자라는 사실이
슬픔이 아닌 환희로 다가올 때
비로소 당신은 자유로워질 수 있다.

-김소현, 〈슬픔의 천사〉 전문

✤

사랑은 Business다

순간의 투자는 순간의 희열만 가져올 뿐 곧 사라진다.
부족한 투자는 방향을 잃게 하고
적절한 투자는 지속성과 안정성을 가져오며
과도한 투자는 영. 육. 혼 모두를 파괴시킨다.
결과에 요동치지 않을 각오로 투자를 확신할 때
비로써 사랑이라는 Business는 최고봉으로 완성된다.

-김소현, 〈사랑은 Business다〉 전문

§

이게 바로 사랑입니다

가난했던 대학 시절, 뭐든지 열심히 생활했던 한 청년...

축제, 소개팅, 낭만 등으로 대학 시절의 즐거움을 만끽해야 할 그 청춘은 이와는 상관없이 돈을 벌어 학업을 이어가야 했다.

도서관-강의실-일터-작은 자취방... 늘 정해져 있는 공간과 시간들, 그러한 순환의 틈 사이로 어느 날 빛이 들어왔다. 온화함과 사랑 그리고 밝은 미소를 지으며 그에게 다가온 한 여인, 그냥 같이 있고 싶어서 그는 간신히 새우잠을 잘 수 있는 작은 방안으로 그녀를 초청했다.

추운 겨울 보일러도 자주 고장이나 냉동고가 된 방에서 겹겹이 옷을 입어 혼자서 잠을 청했는데 그녀가 오니 작은 온풍기도 장만해 보고, 그래도 그녀가 추워할까 봐 밤이 되면 그녀를 꼭 껴안고 그의 온기로 그녀를 재웠다.
좁은 공간에서 그녀가 깰까 봐 숨조차 제대로 못 쉬고...

시간이 지나고 괜찮은 성적으로 졸업도 하게 되었고 취직도 하여 월급 받은 돈을 모아 약간 더 큰 평수의 월세 집으로 옮겼지만 좁고 초라했던 방에 익숙해져 버린 그녀는 잠이 들 때면 늘 벽에 밀착하여 잤고 그런 그녀를 그는 등 뒤에서 꼭 안고 잤다. 아침이 되면 벽과 그녀와 그는 하나가 되어 있었다.

그러던 어느 날 그녀가 심한 감기에 걸렸다. "뭐 먹고 싶은 거 없어?

잘 먹어야지 감기도 빨리 낫지"라고 말하자 그녀는 "개운하게 홍합탕"이라고 말했다.

어깨에 힘이 잔뜩 들어간 그는 그녀를 위한 요리를 준비했다. 매운 것 좋아하니 청양고추 썰어 넣고, 비타민 보충을 위해 호박, 버섯, 무, 대파도 썰어 넣고, 단백질 보충을 위해 뼈를 발라 잘게 썬 닭고기에 칼슘과 철분이 풍부한 굴 한 줌과 각종 해산물들, 감기에 좋다는 더덕, 감초, 당귀 등을 찬물에 담가 이물질을 제거한 후 홍합과 함께 끓인다. 그가 차린 홍합탕을 보며 그녀는 함박웃음을 지으며 말했다. "이게 잡탕이지 홍합탕이야, 그래도 감사히 먹을게.", 다음 날 아침 그녀는 감기에서 완전히 회복된 듯 일어나 그에게 말했다. "홍합탕이 아닌 사랑 탕으로 다 나았어요."

대학 졸업 후 갓 입사한 20대 중반의 한 청년이 있었다

값비싸 보이는 외제 차를 선보이며 자랑을 했다.

"입사한지도 몇 개월 안 되었는데 어디서 돈이 생겨 비싼 차를 구매했냐?"라고 물어보니, 직장인 대출금과 카드 대출로 어렵게 장만했다고 한다. "그 월급으로 원금은커녕 대출이자, 유지비, 보험료 등도 감당하기 어려울 텐데 왜 자기 수준에도 안 맞는 낭비를 하냐?"고 물어보자, 그 청년은 "미팅을 하면 요즘 여자들은 대뜸 차종부터 물어봐요, 차가 없으면 아예 상종도 안 하구요."라고 대답했다. 난 어이가 없어 그를 한참 쳐다본 후 말했다. "그럼 차가 없어지면 사귀던 여자도 바람과 함께 사라지겠네."

사랑이란 아무런 조건 없이 다가오는 것이다. 사랑이란 당신이 '무엇이기 때문에'가 아닌 '존재 그 자체'에 감사하는 것이다.

진실된 마음은 진실된 마음이 다가오는 법, 사랑을 얻기 위한 위선과 거짓은 결국 치명적인 상처만 남길뿐이므로 억지로 사랑을 만들지 말고 기다려라. 진정한 사랑을 찾는 것도 인내가 필요하다.

§

이게 바로 사랑입니다

이글거리며 지는 태양이 아니라도 꺼지지 않는 불멸의 영혼,
모난 인생 감싸주는 그대의 마른 손,
새벽을 깨우며 기도하는 그대의 간절함,
텅 빈 하늘을 수많은 별로 수놓은 그대의 깊은 마음,
고독한 등대를 달래는 갈매기 미소,
지금 내 눈 안에 가득 차 있는 당신
이게 바로 사랑입니다.

-김소현, 이게 바로 사랑입니다 〈청아〉중에서... 2013. 11. 30.

✤

기도하는 사랑

누군가를 위해 아무도 모르게 기도한다는 것은
최고로 아름다운 사랑의 방식입니다.

기도한다는 것은 몹시도 간절함을 바란다는 것인데
기도 후의 표현은 상대에게 굳이 말을 안 해도
성령의 힘에 의해 감동으로 다가오지만

인간적인 표현은 대부분 담고 있는 것이 아닌
단지 스쳐 지나가는 자기 위로만 될 수 있습니다.
"내가 이렇게까지 너를 생각한다는..."

진실로 누군가를 사랑한다면
그들을 위해 남몰래 기도하세요.

-김소현, 〈기도하는 사랑〉 전문

✣

한 달만 그대보다 더 살았으면...

만일 하늘이 그대를 원하여 먼저 데려간다면,
더도 말고 한 달만 그대보다 더 살았으면 합니다.

그대를 떠나 내가 먼저 하늘로 간다면
홀로 남겨질 그대 때문에 내 영은 자유롭지 못할 테니...

한 달만 더 살아서
춥지도 덥지도 않고
눈도 비도 내리지 않는
위로는 아름다운 강산이 아래로는 청정바다가 보이는
변함없이 온화한 날씨와 적절한 바람이 부는 그곳에
그대를 묻을 겁니다.

밤이 되면 그대가 좋아하는 포근한 퀼트 이불을 함께 덮으며
이불속 작은 세상에서 제 온기를 나눌 것이고,

낮이 되면 그대가 좋아하는 멜롯 와인과 갓 구운 바게트로 식사를 하고
아름다운 꽃들은 한 줌 꺾어 고이 잠든 그대 입가에 한 아름 웃음을 짓게
하렵니다.

그리고 시간이 흘러 한 달이 되는 날에는
지상에서의 마지막 기도와 함께
그대 곁에서 제 눈도 영원히 감길 겁니다.

–김소현, 〈한 달만 그대보다 더 살았으면...〉 전문

✤

Soul Mate

젊은 날...
구름을 잡으러 낚싯줄을 던졌는데
그대라는 천상의 영이 걸렸습니다.
어느덧 세월이 흐르고 또 흘러 기력이 다하면
우리의 몸도 흐려지겠죠...

시야가 흐려지면
온화한 향기로 그대라는 걸 알 수 있을 거예요.

후각이 흐려지면
부드럽지만 연약한 나를 위해
강해지고 거칠어진 살결로 그대라는 것을 알 수 있을 거예요.

촉각이 흐려지면
나를 편히 잠재우는 그대만의 숨소리로 그대라는 걸 알 수 있을 거예요.

청각마저도 흐려지고, 모든 육적 감각이 흐려져도
내 영을 감싸는 사랑으로 그대라는 걸 알 수 있을 겁니다.

-김소현, 〈Soul Mate〉전문

⚜

지금 고백하세요

사랑, 그 지독한 슬픔 알기에...
당신이 바람이라면,
당신이 흙이라면,
당신이 나무라면,
당신이 별이라면,
당신이 사람이 아닌 그 무엇이라면
멈추라고 단호히 말합니다.
전부 부질없는 것이니...

하지만
당신은 사람이기에
고백할 수 있습니다.
당신은 사람이기에
상대의 거절에 상처를 받을 수 있습니다.
당신은 사람이기에
슬픔이라는 돌들을 쌓아
추억이라는 인생 탑도 만들 수 있습니다.

이루어져도 못 이룬다 해도
사랑은...
사랑입니다.

-김소현, 〈지금 고백하세요〉전문

✛

사랑이란...

사랑은... 당신과 나 사이에 틈을 주지 않습니다.
사랑은... '있는 그대로의 나'를 완벽하게 수용합니다.
사랑은... 그것을 대체할 만한 것이 아무것도 없고, 모든 가치를 초월합니다.

우리가 이 땅에 태어난 목적도 사랑이요,
우리가 살아야 할 이유도 사랑입니다.
따라서 우리에게 사랑이 없다면, 우리는 더 이상 아무것도 아닙니다.

-김소현, 〈사랑이란...〉전문

§

NEVERTHELESS
heartburn LOVE madness
absolute loneliness IS great mistake
gloomy river MY long stored tears
desperation LIFE bitter smile

"사랑에 대한 집착보다는 무언가에 미쳐 있는 게 낫다."

"무모(無謀)한 용기는 자기실추(自己失墜)의 지름길이다."

"사랑은 당신의 예술창작에 더욱 깊은 감수성을 자아낼 수 있지만,
상처는 이것을 승화시킨다."

"사랑이란 함께 함이요, 신께서 우리에게 원하시는 것은 함께 함이라.
함께함이란 눈앞에서 계속 볼 수 있음이 아니라,
마음 깊은 중심에 뿌리 박혀 있는 것이다."

"큰사람이 되려면 사랑이 전부가 아닌 일부라는 사실을 마음속에 새겨라."

"사랑은... 상대의 반응이 아니라 내가 할 수 있는 최선의 것을 하는 것이다."

"사랑이란... 내가 먼저 성장한 후 상대방도 성장시키는 것이다."

"사랑이란 당신이 '무엇이기 때문에'가 아닌 '존재 그 자체'에 감사하는 것이다."

"진정한 사랑을 찾는 것도 인내가 필요하다."

"상처란 진실이 아닌 것에 진실을 준 대가이다."

Chaos
of
Faith

"우리의 시련에는 신의 목적이 있다."

Art 34. 물이 바다 덮음 같이

청야(淸夜) 김소현 / 91x116.8 (LxH,50F) acrylic on canvas 2017

바다는 온갖 세상의 모든 물을 다 받는다고 해서 바다라 한다.
하지만 바닷물은 사람이 마실 수 없다. 즉, 물이라고 해서 다 마실 수는 없다는 것이다.
본 작품에서 의미하는 물은 영혼의 생명을 유지해주는 생명의 말씀, 즉 진리이고,
바다는 세상을 뜻하며 '물이 바다 덮음 같이'라는 말은
생명의 말씀인 진리가 온 세상을 덮어 참다운 진리의 세상으로 됨을 뜻한다.

【목성】목성은 태양계의 다른 모든 행성을 모두 합친 것 보다 두 배 이상 크고,
시속 수백 킬로미터의 바람이 불며, 태양으로부터 받은 에너지보다 더 많은 열을 내뿜고,
400년 이상 지속하고 있는 거대한 태풍이 있다.

Art 35. 목성의 42계절

청야(淸夜) 김소현
116.8x91 (LxH,50F) 혼합매체 acrylic on canvas 2017

목성의 구름들도 다채로운 색들을 띠고 있어 정확한 색을 판단할 수 없고
날씨와 구름은 끊임없이 변하고 있다. 저자는 이러한 목성의 다양한 특성들을
다채로운 색과 조합하거나 분열시켜 표현하였다.

Art 36. 목성의 8구름

청야(淸夜) 김소현
116.8x91 (LxH,50F) acrylic on canvas 2017

Art 37. 목성의 12바람

청야(淸夜) 김소현
116.8x91 (LxH,50F) acrylic on canvas 2017

Art 38. 풀은 마르고 꽃은 시들다

청야(淸夜) 김소현 / 91x116.8 (LxH,50F) acrylic on canvas 2017

전체적인 작품의 주제는 인생무상(人生無常)이다. 하지만 여기에는 반전이 있다.
작품의 스토리를 보면 아래에서 위로 진행된다. 파란만장한 청춘기를 거쳐 살아온 인생을
되돌아보고 점검하는, 중·장년층을 지나 노년기에는 성찰과 포용의 시기를 거치고
결국은 한 줌의 재가 되어 사라진다. 하지만 영원하지 않기에 인생의 의미가 있을 수 있다.
따라서 우리는 유한한 삶을 인정하고 받아들여 모든 죽어가는 것을 사랑하는 마음으로
세상의 모든 것에 가치를 부여해야 한다.

대화1. 사명

Karis〉

외롭고 삶에 지친 당신에게 필요한 것은 기도가 아니라 포옹입니다.

영적인 삶에 잔뜩 심각해지는 것이 아니라 좋은 식사와 따뜻한 대화입니다.

하나님께서 당신에게 원하시는 것은 어렵거나 심오한 것이 아니라, 쉽게 화내지도 말고, 쉽게 좌절하지도 말고, 큰일이 아닌 작은 일에 충실하고 슬퍼하지도 말라는 것입니다. -헨리나우웬 《사랑의 존재 中》

집사님〉

전도사님, 힘드실 때 기도밖에 드릴 수 없는 제 현실이 죄송하고 안타깝네요. 우리는 하늘에 소망을 두고 그분의 섭리 속에서 지금의 고난은 내일의 영광과 족히 비교할 수 없다는 사도바울의 고백을 마음 깊이 새기어 모든 고통을 헤쳐 나가요.

Karis〉

감사합니다. 고독에는 2가지가 있대요.

외로움이라는 부정적인 요소로 받아들일 것인지 아니면 신과의 특별한 만남과 친밀감의 시간으로 만들 것인지... 고독에서 벗어나려고 몸부림치면서 악과 타협하게 되고, 사람들의 관심을 받으려 하고, 그들에게 더 잘 보이려고 많이 아는 척, 많이 가진 척, 많이 잘난 척들 하잖아요. 그러면 그들이 자신에게 더 다가올 거라 착각하면서 말이죠. 문제는 이러한 그릇된 관념으로 인하여 정작 자신의 소중함을 발견하지 못하고 오히려 사람들 비위를 맞추느라 더욱더 외로워지고 더 큰 상처를 받게 된다는 것이죠. 고독 중에 신의 뜻을 헤아릴 수 있다고 하니 고독과 침묵하는 훈련을 하려 합니다. 모난 돌을 다듬고 다듬어 반짝이는 조약돌을 만드는 것처럼, 나약하고 허점 투성인 저를 많이 가르쳐 주시고 기도도 부탁드립니다.

집사님〉

뭐 하나 제대로 해 드리지 못하고, 항상 안타까운 마음뿐...

계속 기도드릴게요. 주께서는 전도사님을 통하여 하시고자 하는 뜻이 있으니 우리는 그것을 이루어 드려야지요. 인내로 승리하세요.

Karis〉

집사님 때가 되면 계획 중인 자살방지 및 치유센터 그리고 도심 속 24시간 열린 기도원이 설립되리라 믿어요. 전 그분을 신뢰합니다.

그때가 되면 꼭 도와주세요. 주께서 집사님과 저의 숨겨진 내면의 빛을 꺼내어 쓰실 것을 믿어요. 빛이 본래 어둠에서 왔대요. 세상도 어둠에서 시작되었고... 저희의 사명은 이 어둠을 빛으로 물들게 하는 것 같습니다.

저희가 할 일이 많아요. 주께서도 당연히 집사님의 건강을 돌보겠지만, 집사님도 많이 노력하세요. 그래서 전 오늘도 들기 싫은 숟가락을 억지로라도 들려고 합니다.

대화2. 심령이 가난한 자

Karis)

집사님, 심히 괴롭습니다.

우울증이 또 시작되었고, 사는 게 버겁기만 합니다.

현실도피일 수는 있지만 모든 것을 정리하고 어디론가 훌쩍 떠나버리고 싶습니다. 몸도 마음도 모두 지쳐 기도도 할 수 없고, 눈물만이 빗물처럼 흘러내릴 뿐... 하고 있는 일, 하고 싶은 일, 해야 할 일... 모두가 부질없다는 생각만 들어요. 절망, 좌절 그리고 침체의 연속......

중보기도 부탁드립니다.

집사님)

성경에 이런 말씀이 있습니다.

"심령이 가난한 자는 복이 있나니..."

여기서 심령이 가난한 자란 자기 자신도 구제 못 하고 아무것도 할 수 없는 영적인 상태에 있는 자가 겸손히 신께 부르짖으며 도와달라고 하는 자예요. 심령이 가난한 것은 우리의 어떠한 노력으로도 극복할 수 없어요.

"도와 달라, 도와 달라..." 자기의 의와 자존심 모두 버리고 주께 당당히 "도와주세요."라고 하세요.

강가에서 작은 배를 타고 노를 젓는 한 소년이 있었어요.

배의 틈이 갈라진 것도 모르고 노를 젓다가 배에 물이 차자 다급해진 소년은 주변에 다른 배들도 있었지만 도움을 청하지 않고 자기가 스스로 해결할 수 있다는 자신감에 넘쳐 겉옷을 벗어 틈을 메꾸어 보고 주변의 잡동사니를 모아서도 메꾸어 보지만 결국 배는 가라앉고 말았어요.

받을 줄도 알아야 줄 수도 있습니다.

혼자만이 가지고 있는 엄청난 고통의 짐들을 모두 모두 주께 풀어버리고 그분의 도우심을 간구하세요. 신의 기적은 지금도 일어나고 있는데...

Karis〉

어떤 기적이요?

집사님〉

70세가 넘은 제가 한참 젊으신 전도사님과 대화가 된다는 것도 전도사님의 말씀을 듣기 전에 저도 이 말씀을 누군가로부터 갑자기 받았다는 것도, 전도사님께서 처해있는 상황을 어떻게 알고 그 상황에 맞는 말씀을 저를 통해 전달하신 것도 모두 모두 기적입니다. 기적이란 아주 큰 것만 바라보면 보이지 않습니다. 일상에서의 작은 기적을 깨달아야만 큰 것도 볼 수가 있어요.

대화3. 하늘로부터의 사랑

Karis〉

집사님, 요즘 근황이 어떠신지요?

집사님〉

말은 못 해도 많이 힘들었어요.

Karis〉

왜요? 어디 아프신 건 아닌지?

집사님〉

아니요, 몸이 아니고 마음이요.

모든 것이 믿음과 기도 부족이지요.

Karis〉

집사님, 전 기도가 잘 안 될 때 가끔은 글로 적어서 기도드려요...

문자로 했던 기도문 하나 읽어 드릴게요.

O God,

기도가 안 되어 문자로 기도드립니다.

제가 아닌 다른 이들에게는 좋은 말만 합니다.

늘 작은 것에 감사하고, 당신의 달란트는 위대하고 훌륭하며, 주께서 당신을 아주 많이 사랑하시고, 지금 고난 중에 있더라도 이는 크게 쓰시려고 하는 연단이니 이 또한 감사하고...

이렇듯 제 입술은 타인들에게 위로하고 있지만, 정작 제 영은 지쳐만 가고, 하늘로부터의 사랑과 은혜가 충만하다고 입에서는 선포하지만, 실상은 한숨만이 제 삶을 감싸고 있습니다. 부디 겉으로 드러나는 충만함이 아닌 내적인 충만함으로 감동이 될 수 있도록, 그 감동이 이웃에게도 전파될 수 있도록 당신의 무조건적 사랑을 간구합니다.

어린 자녀가 아버지한테 원하는 것은 첫째로 사랑과 관심입니다.

사랑이 충만한 자녀는 비뚤어지지도 낙담하지도 않고 오히려 그 사랑을 다른 이들에게도 나누지 않을까요?

사랑 없이는 제가 무엇을 한들, 영광에 영광을 더한들 아무것도 아니라 생각합니다. 부디 **제 영을 당신의 사랑으로 가득 채워 주소서.** 애정결핍으로 초래되는 것은 세상과의 단절뿐입니다. 부디 **위로부터의 충만한 사랑이 임하여 모든 것을 이길 수 있게 되기를** 기도드립니다.

집사님〉
감사합니다. 너무 획기적이고 감동적입니다.

Karis〉
부족하지만 한 가지 발견한 것이 있는데...
"속에 있는 근심, 걱정, 말 안 해도 아시겠지." 하지 말고, 속에 있는 것 전부 주께 토하세요. 시간이 지나면 변화되고 있는 자기 자신을 발견할 것이고, 그것이 응답인 것 같습니다.

집사님〉
감사합니다.

Karis〉

"우는 아이 떡 하나 더 준다."라는 말이 있죠.

주의 자녀들 셀 수 없는 모래알처럼 얼마나 많습니까?

잘나고 똑똑하여 기도가 필요 없다고 생각하는 자녀들에게는 "알아서 잘 하겠지."하며 신경을 안 쓰실 수도...

그래서 저는 매일 주님을 붙잡습니다.

집사님〉

저도 속에 있는 근심, 걱정을 저 자신이 내면으로 끌어들여 제 영을 다치게 하는 오류를 범하지 않고, 쉬지 않는 기도로써 주님을 붙잡겠습니다.

대화4. 이것 또한 지나가리라

집사님〉

좋은 글 받아 나누려고 합니다.

고통 중에 있는 전도사님께 약간이라도 위로가 되었으면 합니다.

「이것 또한 지나가리라...」 This, too, shall pass away...

어느 날 다윗 왕이 반지를 하나 갖고 싶었다.

"나를 위한 아름다운 반지를 하나 만들되 내가 승리를 거두고 너무 기쁠 때 교만하지 않게 하고, 내가 절망에 빠지고 시련에 처해 있을 때 용기를 줄 수 있는 글귀를 넣어라." "네 알겠습니다. 폐하."

세공사는 그 명령을 받들고 멋진 반지를 만들었다. 반지를 만든 후 어떤 글귀를 넣을지 계속 생각했지만 좀처럼 다윗이 말한 두 가지 의미를 지닌 좋은 글귀가 떠오르지 않았다.

고민하고 고민해도 마땅히 좋은 글귀가 떠오르지 않아 다윗의 아들 지혜의 왕인 솔로몬을 찾아갔다.

"왕자시여, 다윗 왕께서 기쁠 때 교만하지 않게 하고, 절망에 빠졌을 때 용기를 줄 수 있는 글귀를 반지에 새기라도 하시는데 어떤 글귀를 적으면 좋겠나이까?"

솔로몬이 잠시 생각한 후 말했다.

"이것 또한 지나가리라" "This, too, shall pass away."

지혜서 '미드라쉬'에 나오는 유대인들이 항상 즐겨 읽는 구절이다.

나치 학살 시에도 이 구절을 붙잡고 유대인들은 이겨 낼 수 있었다고 한다.

지금 잘 나간다고 우쭐대십니까? 이것 또한 지나가리라.

지금 너무 괴롭고 슬퍼서 하루를 살기 힘드신가요? 이것 또한 지나가리라.

아름답고 예쁜 젊음이 영원할 것 같은가요? 이것 또한 지나가리라.

인생은 항상 돌고 돈다. 항상 잘 나가던 사람도 어려움이 생기고, 지금은 어렵고 힘들지만 꿈이 이루어지는 그 날이 언젠가는 올 수 있다. **힘든 일과 좋은 일은 시계추처럼 왔다 갔다 한다는 것을 명심하라...**

Karis〉

"이것 또한 지나가리라." 좋은 글 감사합니다.

집사님, 제가 너무 힘들어 사는 것이 버겁고 '이번엔 또 어떤 시련과 고난이 찾아올까?'라는 두려움 때문에 기도하기를 그리고 주님께 다가가기를 피하고 있습니다. 먼저 하늘나라로 가버린 후배의 유언도 시간이 갈수록 지키지 못할 것 같다는 생각이 들고, 집필 중에 있지만 이 부족한 인격체로 과연 무엇을 하겠다는 것인지 허무한 생각만 감돌고 있을 뿐입니다.

현실과 이상의 괴리감, 기대도 안 하지만 사람들에 대한 실망감은 점점 커져만 가고, 똑딱거리는 시계 소리가 저에게는 부담으로 다가옵니다. 우주의 미아처럼 갈 바를 알지 못하고 외로이 떠돌고만 있습니다.

부족한 저... 이해해 주시고 중보기도 바랍니다.

집사님〉

전도사님, 인간은 위로는 할 수 있어도 해결은 할 수 없습니다.

이는 오직 신의 권능으로만 해결할 수 있어요.

제가 감히 드릴 수 있는 것은 어디서부터 왔는지 모르지만, 오늘도 제 손에 쥐어진 말씀과 기도뿐입니다.

우리는 늘 능력을 원하고 우리 가운데 놀라운 신의 기적이 일어나기를 원합니다. 하지만 신께서 우리에게 능력을 주시는 것보다 더 원하시는 것이 있습니다.

신의 능력으로 우리의 모든 문제를 해결해 주시는 것보다 더 우리에게 소망이 되고 힘이 되는 것은 우리가 아프고 힘들 때마다 신을 향해 "아버지"라고 부를 수 있는 자격이 우리에게 주어졌다는 것입니다.

"주여, 제가 다 이해하지 못하고 받아들일 수 없는 이 모든 상황 가운데서도 제가 주 앞에 부르짖어 기도합니다. 제 마음을 아시는 아버지, 제가 해결할 수도 없는 아픔도 다 아시는 아버지…"

주께서는 아버지라 부를 수 있는 자격을 우리에게 주셨지만, 어쩌면 우리가 참 믿을 수 없는 주님을 믿고 있다는 생각이 듭니다. 우리는 어떤 문제에 봉착했을 때, 우리가 해결해야 할 일을 만났을 때, 무슨 공식에 대입하는 것처럼 기도하고 응답을 기다립니다.

물론 주께서는 이렇게 기도해도 때가 되면 응답해 주십니다.

하지만 우리의 문제가 해결되지 않으면 더 이상 신이 전지전능하다고 믿지 않는 것이 아닌지 모르겠습니다. 예수님은 마지막으로 십자가 위에서 처절하게 기도하셨습니다. "아버지여, 나의 원대로 마시옵고 아버지의 원대로 하옵소서."

이것은 우리의 소원이나 비는 것으로 끝나는 주술적인 기도가 아닙니다.

능력이 많으신 우리의 주님 앞에 아버지라 부르며 우리를 향한 신의 뜻이 무엇인지를 묻는 것이야말로 우리 신앙의 능력이자 신의 능력입니다.

이 세상 모든 문제를 해결하기 때문이 아니라 이 세상의 모든 문제 가운데서도 우리에게 한없는 사랑을 베풀어 주시는 주님, 고통 하는 모든 자를 사랑하시는 아버지이십니다.

그 아픔을 아시는 주님, 우리가 아파할 때 가장 힘들어하고 우리가 눈물

흘릴 때, 같이 눈물을 흘리시는 분이 우리의 주님이십니다.

오해하지 마십시오. 신께서 우리 문제를 해결하실 능력이 없다는 것이 아닙니다. 그렇지만 우리에게 가장 큰 기적은 우리에게 문제가 있을 때마다 주께서 우리의 삶에 직접 개입하셔서 우리를 향한 주의 사랑이 무엇인지를 잊지 않고 보여주신다는 것입니다. 그것이 신의 능력이요, 우리가 그분을 믿는 이유입니다.

Karis⟩

O God,

무엇인가를 바라던 것에 대한 응답보다는 주님의 자녀 됨이 가장 큰 축복이요 능력임을 깨닫게 해주소서. 인간적인 마음에 사로잡혀 보여지는 것들로만 판단하여 분노하거나 좌절하지 않게 해주시고, 마음 깊숙한 곳에 뿌리박혀 있는 당신의 사랑을 제대로 표출시킬 수 있도록 늘 제 영을 새롭고 거룩하게 다듬어 주소서... 인간들의 보편적인 생각으로써 주님께서 당연히 이 일을 이루시리라 판단했던 점 회개하며, 성취보다는 신의 뜻을 먼저 헤아리려는 자녀가 되게 하여 주소서...

대화5. 환난은 인내를, 인내는 연단을, 연단은 소망을...

Karis〉

두드러기가 또 올라왔어요. 언 6년째, 약은 점점 강화되고 몸과 마음은 지쳐만 갑니다. 원인도 없고 세상 어디에도 해결방법이 없는... 내부로 퍼지면 기도가 막히거나 호흡곤란으로 사망까지 이른다던데... 정신적으로도 괴로운데 원인 모를 병까지... 에라... 퍼지든 말든 치료를 중단하고 방치하려 했어요. 선교든 자선사업이든 어느 누가 들어도 빛이 되고 좋은 일인데 왜 계획했던 일마다 순조롭게 진행이 안 되고, 주님도 당연히 이 일을 도와주시리라고 믿었건만 은혜는커녕, 시련과 고통뿐입니다.

그런데 이러한 영적 침체기에서 신의 분노하심을 느낄 수 있었어요...

"난 너에게 나의 모든 영을 불어 넣어 창조했느니라. 하늘보다도 더 넓고 바다보다도 더 깊고, 우주보다 더 셀 수 없는 사랑으로 그리고 이 세상 모든 만물보다도 더 아름답고 거룩하게... 내 모든 소망과 간절함으로 그렇게 그렇게 너를 창조했건만, 넌 늘 고통과 번뇌라는 악을 이기지 못하고 내가 준 네 몸을 함부로 혹사하며 자학하지 않았느냐... 내가 너에게 자유를 주었기에 나에 대한 믿음 하에 어떠한 두려움도 없이 너 스스로가 담대히 모든 것을 극복해야 하건만.... 매번 시련이 올 때마다 믿음과 성찰로 극복하기는커녕 실족하거나 자기연민에 빠지거나 심지어 너를 창조한 나까지도 원망하며... 난 너의 계획이 아닌 네 자체를 사랑하노라. 네가 나를 위해 그 어떤 영광된 일을 한다 해도 그것은 너의 의(義)일 뿐, 내가 너에게 진실로 원하는 건 함께 호흡하며 서로의 사랑 안에 거하여 한마음 한뜻이 되는 것뿐이었다.

내가 너에게 다가오는 모든 시련을 물리친다면 너는 나의 자유로운 영혼이 아니라 늘 명령에 복종해야 하는 노예밖에 안 되느니라...

내가 너를 죽이려고 이 땅에 창조한 것이 아니라 너를 단련시킨 후 정금같이 나가게 하려 함이고, 나의 전지전능한 능력을 이어받아 온 우주 만물을 맘껏 누리게 함이다."

그 어떤 것으로도 표현할 수 없는 놀라운 은혜와 사랑...

그 사랑으로 모든 것을 극복해 봐야죠...

이 세상은 유한하나 네 영은 무한하니, 어차피 주어진 인생... 헛된 야망과 깊은 절망으로 마냥 흘러가게는 할 수는 없죠. 세상에는 안 되는 일이 더 많대요. 매가 물고기를 잡을 수 있는 확률은 10%, 공평하신 주님은 이러한 매의 특성을 알아 일주일 동안을 굶어도 살 수 있게 창조하셨고, 치타가 사냥에 성공할 확률은 50%, 하지만 뒤에서 사자와 하이에나가 치타가 잡은 먹이를 기다린대요. 치타는 그들을 이길 수 없어요. 그래서 결국 먹이가 치타에게 돌아갈 확률도 10%라 합니다.

뭘 해도 안 되는 것...
그것도 감사해야죠.
10%의 성공에 근접해 가고 있는 것이니.

집사님〉
이번에도 승리하셨네요.

성경 말씀이 떠오릅니다.

"우리가 환난 중에도 즐거워하나니 이는 환난은 인내를 인내는 연단을 연단은 소망을 이루는 줄 앎이니라." "인내를 온전히 이루라. 이는 너희로 온전하게 구비하여 조금도 부족함이 없게 하려 함이라."

전도사님의 환난과 연단 그리고 인내... 이는 곧 해와 같이 빛나는 큰 면류관이 될 것입니다.

절망하지 않는 자만이 이 세상에서 승리할 수 있다고 합니다.

어니스트 섀클턴(Ernest Henry Shackleton, 1874-1922)의 일화는 유명해요. 그는 남극 탐험가였습니다. 섀클턴은 최초로 남극 대륙횡단이라는 과제에 도전했지만, 그가 남극 대륙횡단에 성공함으로써 유명해진 것은 아니었습니다. 그는 27명의 대원과 함께 인듀어런스(Endurance)호를 타고 항해를 시작했는데 여러 문제가 발생하면서 남극에 갇히게 되었습니다. 영하 30도의 기온에서 배는 남극 빙벽에 634일간 갇혀 있었고... 인듀어런스호가 출항하기 1년 전 캐나다 탐험가가 비슷한 문제를 겪었는데, 고립된 지 수개월 만에 11명의 대원이 야수로 변해 서로 때려죽이고 도둑질하다가 결국 모두 죽고 말았답니다. 그런데 섀클턴의 리더십으로 27명의 대원은 634일 만에 한 명의 낙오자도 없이 영국으로 무사히 귀환했습니다. 더 놀라운 것은 그 참혹한 시기에 어떤 사람이 일기 속에서 "지금 이 순간이 참으로 행복합니다."라고 고백했다는 것이었습니다. 그것은 섀클턴이 27명의 대원에게 매일 매일 동기를 부여했기 때문입니다.

"살아 있는 동안 절망하지 마라. 내가 숨을 쉬고 있는 동안 결코 절망하지 마라. 그리고 절망하지 않는 우리는 서로 배려해야 한다."

그들은 서로 배려하는 공동체를 이루었고, 서로를 격려하여 절망에 빠지지 않고 죽음에서 벗어날 수 있었다고 합니다.

이는 곧 절망하지 않는 자만이 세상이라는 혹한의 남극에서 살아남는다고 할 수 있습니다.

전도사님, 어떠한 극한의 절망이 온다고 해도 절대로 좌절하지 말고 더 나아가 신의 무한하신 능력을 믿고 절망의 심해 한복판에 있는 영혼들마저 살리시기를 바랍니다.

Karis〉

좋은 말씀 감사합니다. 기도 하나 할게요.

O God,
번뇌와 좌절로 파괴되는 뇌세포들,
부정적이다 못해 세상을 바라보기도 싫은 두 눈,
풀리지 않는 마음속의 응어리들,
정처 없이 떠도는 발걸음, 지친 어깨,
쥐고자 할 힘도 무의미한 것처럼 늘 풀어져 있는 두 주먹,
맑은 척 가장하지만 매섭고 냉혹한 오월의 변화무쌍한 날씨와도 같은 이
강퍅함들... 스스로가 늪에 빠져 헤쳐 나올 생각조차 하지 않는 깊은 절망과
좌절을 부디 용서하여 주시고, 내일 일을 알 수 없는 수많은 사건사고로 얼
룩진 황폐한 이 땅이지만, 그럼에도 불구하고 어둠에서 빛을 만들고자 싸
우고 있는 주의 자녀들에게 오직 주만 바라볼 수 있는 강한 믿음을 주시고,
우리의 소망들이 꿈으로 끝나지 않고 현실화되기를 기도드립니다.

집사님〉
환난과 고난의 늪 속에서도 주님의 품으로 더욱 파고드는 전도사님께 욥
이 승리했던 것처럼 큰 영광과 축복의 날이 곧 올 것이라 믿습니다.

대화6. 인생의 풍랑을 지날 때

Karis〉

어떤 방송에 이런 멘트가 있더군요.

아프리카 아이들, 죽으려고 태어난 이는 없다.

저 또한 고난과 시험과 악의 대적들을 물리치고자 이 땅에 태어난 것이라면 부디 거두어 달라고 기도했을 겁니다.

기도 후... 소망, 간구, 시험, 고난, 좌절...

기도 후... 응답, 감사, 고난, 고난, 고난, 좌절

부르심 이후... 노력, 노력, 시련, 고난, 고난, 고난, 영적 쇠약...

기쁨 이후... 슬픔, 슬픔, 분노, 원망, 영적 침체...

기도하겠습니다.

O God,

기도가 안 되는 것이 아니라, 기도하기가 두렵습니다.

뜻을 알고자 소망을 바라고 직면한 문제들을 가지고 기도를 한 것이지 색다른 시험과 고난을 달라고 기도드린 것이 아닙니다.

기쁨에 대한 간구를 하면 잠시의 기쁨 이후 연속적인 슬픔과 고통으로 심히 괴롭고, 감사에 대한 간구를 하면, 작은 감사 이후 엄청난 불행들이 밀려온다는 두려움에 마음 편히 웃지도 못하고 있습니다.

하늘로부터의 사랑을 간구했지 인간으로부터의 배신과 상처, 실망을 간구하지는 않았습니다. 시험 달라고 기도드린 적 없습니다.

고난의 늪에 빠져 영육혼 모두가 지쳐있는데 형태만 다른 고난을 달라고 기도드린 적 없습니다. 사랑을 갈망했지 원수들의 대적을 증가시켜달라고

기도드린 적 없습니다. 주님의 역사하심에 대한 믿음은 확고하지만, 그 가운데 은혜나 사랑을 찾아볼 수 없습니다. 부디 이 자녀의 고통스러운 심정 헤아려 주시고 평안의 길로 인도하여 주시기를 기도드립니다.

집사님〉

저는 개인적으로 우리 인생에 비가 쏟아지면 주님이 우산을 준비해 주셔야 한다고 생각했습니다. 아니면 비를 맞지 않도록 날씨를 조절해 주시던가.

하지만 제가 만난 주님은 항상 우산이 없었고 날씨도 조절해 주지도 않았습니다.

사람들이 고통받고 죽어가는 현장을 볼 때마다 저는 "주님, 지금 바로 주께서 뭔가를 하셔야 합니다."라고 생각했습니다. 하지만 주님은 어디선가 누군가에게 무슨 일이 생기면 지구를 지키고 사람들을 구하는 만화 속의 슈퍼 영웅들처럼 '짠'하고 나타나지 않으셨어요.

그저 고통받는 이들과 더불어 고통받으셨고, 우리를 부둥켜안고 같이 울고 계셨습니다. 무능하게 보이기도 하고 비겁하게 보이기도 한 평범한 우리의 아버지와도 같은 모습이었습니다.

저는 개인적으로 주님의 고난을 다룬 영화를 볼 때마다 때리면 맞고, 찌르면 찔리고, 못 박으면 박히는 대로 죽음의 고통을 그대로 흡수하던 주님이 그렇게 싫었습니다. 그렇지만 한 가지 제가 잘 나갈 때는 우리와 함께 계시는 주님이 내 삶에서 뒷전이 되었지만, 주님은 우리가 잘 나갈 때뿐만 아니라 아무도 찾지 않을 때, 태풍이 부는 것 같을 때에도 어느 때 든 제 마음에 오셔서 늘 함께 계셨습니다. 우산도 없이 그저 미천한 저를 위해 비를 같이 맞고 계셨어요. **세상을 사는 동안 주님의 능력에는 문제가 없었습니다. 다만 주님의 시간을 우리의 시간에 견주어 판단하는 것이 늘 문제였습니다. 진정한 경건, 참된 성화는 노력한다고 성취되는 것이 아니라 때를 기다**

릴 줄 아는 인내와 믿음과 바라봄을 통해 이루어집니다. 시편 기자인 다윗의 처절한 외침과 불같은 믿음을 통해 다시 한번 힘내시기를 바랍니다.

"나의 고난이 매우 심하오니 여호와여 주의 말씀대로 나를 살아가게 하소서. 여호와여 구하오니 내 입이 드리는 자원 제물을 받으시고 주의 공의를 내게 가르치소서."

"나의 생명이 항상 위기에 있사오나 나는 주의 법을 잊지 아니하나이다. 악인들이 나를 해하려고 올무에 놓았사오나 나는 주의 법도들에서 떠나지 아니하였나이다."

"주의 증거들로 내가 영원히 나의 기업을 삼았사오니 이는 내 마음의 즐거움이 됨이니이다. 내가 주의 율례들을 영원히 행하려고 내 마음을 기울였나이다."

시인은 말씀만이 자신의 삶에 인도자이며 구원자임을 고백하며 어떤 암흑과 같은 상황이나 위협이 올지라도 불의와 타협하거나 주의 법을 떠나지 않을 것을 다짐했습니다. 오직 주의 말씀을 기업으로 삼고 그 뜻을 따르는 자에게 어떤 환난이나 극도의 위기 가운데서도 앞서 행하시며 길을 열어 주십니다.

아침에 눈을 뜨면 맞이하고 싶지 않을 태양일지라도 당당히 맞이하세요.
풍랑의 순간에도 '왜'라고 하는 대신에 '무엇'이라고 질문하십시오.
"주님 제가 이 풍랑에서 무엇을 배우기를 원하십니까? 이 상황을 어떻게 사용하고자 하십니까?"

우리의 시련에는 신의 목적이 있습니다.
그분은 귀하게 사랑하시는 이들의 삶에 시련을 허락하시고, 십자가 아래로 내모는 모든 것을 기꺼이 감수할 수 있게 하십니다.

인생의 풍랑을 지날 때, 길 잃은 영혼들이 구원을 받고, 소망 없는 자들이

돌연 확신의 소망을 가지게 되는 것을 종종 발견하는데, 그들은 인생의 풍랑을 통해 믿음과 소망을 얻게 되고, 시야와 마음이 정화되며, 상한 감정들이 빠르게 치유됨을 느낄 수 있었습니다.

"우리에게 가장 어두운 시간이 신의 능력이 가장 강하게 나타나는 때입니다."

우리는 오직 믿음을 통해서만 불행에 대처할 수 있고, 그분을 정면으로 마주할 수 있습니다. 주님이 바라시는 믿음은 우리가 원하는 대로 되지 않으면 믿기를 중단하는 믿음이 아니라, 신속하게 응답이 오지 않고 상황이 더욱더 악화되더라도 믿기를 중단하지 않는 믿음입니다.

아무런 해결책이 없고, 모든 인간적인 노력이 수포(水泡)로 돌아갈 때 신의 가장 큰 기적이 찾아올 것입니다. 그리고 오직 그분의 기적만이 거친 풍랑을 잔잔히 가라앉힐 것이고요.

계속해서 기도하겠습니다. 우리 모두를 위하여...

"산들이 떠나며 언덕들이 옮겨질지라도 나의 자비는 네게서 떠나지 아니하며 나의 화평의 언약은 흔들리지 아니하리라. 너를 긍휼히 여기시는 여호와께서 말씀하셨느니라." -성경

Karis〉

O God,

어려운 상황에 놓여 있을 때, 왜 주께서 나를 그냥 그대로 두시는지 원망할 때가 많았음을 고백합니다. 주님은 나를 가장 잘 아시기에 가장 좋을 때에 가장 좋은 것을 내게 주실 거라는 그 믿음으로 오늘을 살게 하여 주소서.

대화7. 큰 사람이 아닌 거룩한 사람이 되어지기를

Karis)

소리 없이 죽어가는 영혼들이 늘어만 갑니다.

소위 세상이 정신병이나 우울증으로 단정하여 위로는커녕 나약하다는 둥, 먹고 살기도 힘든데 배부른 소리 하고 있다는 둥, 날카롭게 정죄만 하여 고통 중에 있는 영혼들을 오히려 죽음의 길로 인도하는 듯합니다.

그들은 병이 있는 환자가 아니라 단지 마음이 너무너무 아픈 인간일 뿐 인데...

제 후배의 죽음을 보면서, 저 또한 고통의 바다에서 외로이 표류하고 있었기에 전부 일 수는 없겠지만, 그들의 아픔을 공감할 수 있을 것 같습니다.

그래서 나름 자살방지 및 힐링 기도 모임을 위한 곳을 설립하고자 노력했지만 제 능력으로는 무엇을 해도 역부족이었습니다.

제 마음에 응답이 없는 주께도 많이 서운했고...

주께서 도와주지 않는다면 닥치는 대로 일을 늘려 자본을 확보하려고 했습니다. 후배의 자살을 막지 못했다는 죄책감일 수도 있고...

나라에서나 하는 일을 당신이 뭔데 그 일을 하느냐고 당신 영이나 잘 돌보라는 사회적 비난 속에서도 어찌 되었든 옳은 일이라 생각했기에 밀고 나가려고 했지만, 우주에 떠도는 소행성의 파편처럼 늘 외롭고 고통스럽기만 했습니다. 갈 바를 알지 못하여 헤매고 있는 저를 위하여 기도 부탁드립니다.

집사님)

전도사님, 힘내세요.

저보다도 더 영성이 깊은 분께 제가 무어라 말할 수는 없을 것 같습니다.

말씀 하나 받은 것이 있어요. 상황과 맞지 않을 수도 있겠지만 적게나마 위로가 되었으면 합니다.

우리는 성취나 야망이 아니라 거룩함을 추구해야 한다.

신앙생활은 정답을 알아가는 것이다.

여전히 우리의 본능은 커지는 것, 계획했던 일이 성취되는 것을 바라지만, 주께서는 우리로 하여금 거룩함을 더 원하신다.

"큰 집에는 금 그릇과 은그릇 뿐만 아니라 나무 그릇과 질그릇도 있어 귀하게 쓰는 것도 있고 천하게 쓰는 것도 있나니 그러므로 누구든지 이런 것에서 자기를 깨끗하게 하면 귀히 쓰는 그릇이 되어 거룩하고 주인의 쓰심에 합당하며 모든 선한 일에 준비함이 되리라." -성경

세상 사람들은 능력 있는 사람을 좋아한다.

그릇이 큰 사람을 좋아한다.

그렇지만 주님이 쓰시기에 합당한 사람은 깨끗한 그릇, 거룩한 그릇이다.

여기서 '거룩'은 히브리어로 '카도시'라는 단어로 '구별된 것'이라는 뜻을 가지고 있다. 즉 거룩은 세상과 구별되는 것이다. 세상이 큰 것을 추구할 때 그것과는 구별되는 삶을 사는 것이 거룩이다.

우리는 everybody가 아니다. 온 세상 사람들이 다 그렇게 산다고 해도, 온 세상 사람이 탐욕과 야망에 빠져 산다고 해도 우리가 그것을 따라가지 않는 건 우리가 주님의 자녀이기 때문이다. 이것을 자각하는 것이 **'거룩'**이다.

Karis〉

감사합니다.

자기 의로 무엇인가를 성취하려고 했던 것 또한 야망인 것 같습니다.

'해야만 한다'라는 강박관념에서 벗어나 거룩한 것을 추구하는 삶이 되기

를 원하며 매일 제 삶을 깨끗하게 연단하여 주님이 쓰심에 합당한 깨끗한 그릇이 되기를 노력하겠습니다.

이 말씀을 들으니 예전에 받은 말씀 하나가 떠오릅니다.

글로벌 기업들에서 중요한 자리에 배치되어 빠르게 승진해가는 사람들의 공통점 중 하나는 보스를 보좌하는 비서실이나 기획실 출신들이 압도적으로 많다는 것이다.

그것은 보스에게 아부했기 때문이 아니라 그들이 보스에게 있어서 편하고 익숙한 사람이었기 때문이다.

언제든지 보스가 전화할 수 있고, 의견을 물어볼 수 있고, 일을 시킬 수 있고, 함께 어디를 가자고 해도 결코 부담이 없는 사람이기 때문이다.

그렇게 할 수 있는 것은 그의 삶의 우선순위가 철저하게 리더에 맞춰져 있고, 준비가 철저해서 어떤 돌발 상황에도 유연하게 대처할 수 있는 능력이 있기에 가능한 일이다.

물론 비서실이나 기획실 출신이라고 다 그런 것은 아니다.

고집이 너무 세서 보스도 일을 시키려면 조심스러운 사람이 있다.

자기 딴에는 '나는 보스도 함부로 못 하는 사람이야'라고 생각할 수 있겠지만, 그것은 어리석은 생각이다. 십중팔구는 보스의 외면 속에서 사라질 것이기 때문이다.

주님의 사람은 주께서 찾아오기에 편한 사람이어야 한다.

항상 마음이 활짝 열려 있는 까닭에 주님이 부담 없이 찾아오셔서 대화할 수 있는 사람, 주님의 계획하심을 바로 행동으로 실천하는 사람이다.

"주께서는 늘 우리와 소통하기를 원하고,
그분에게는 소통의 단절이란 없다.
소통의 단절이 있다면
그것은 우리 인간들이 만들어 낸 것뿐이다."

갈 바를 알지 못하는 이에게

길을 잃고 방황을 하면 신께서는 어디로 가야 하는지 정확히 가르쳐 주시지 않는다. 단, 가야 할 길로 이끌기 위한 시련과 고난을 허용할 뿐...

쉬운 길은 삶에 있어 참다운 의미나 깨달음을 모르고 마치 우주의 이치를 망각한 채 무의미한 땅을 걷고 있는 것과 같다.

좁지만 어려운 길...

다수가 가는 길이 아닌 신의 뜻을 담고 있는 양심이라는 저장소가 지정한 길, 그만두고 싶거나 불안한 마음보다 어떠한 역경이라도 반드시 극복해서 꼭 해야만 한다는 마음이 더 생긴다면 그 길이 자신이 원하는 길이요, 가야 할 길인 것이다.

누구나 다 저마다의 십자가를 짊어지고 있다.

유독 자신에게만 주어진 고통의 짐이 아닌 모든 이들이 전부 가지고 있는 각자의 짐인 것이다. 하지만 십자가의 길에서 반감과 이탈과 좌절과 포기를 수용한다면, 길은 더 이상 열리지 않는다.

"고통은 인간을 생각하게 만든다. 사고는 인간을 현명하게 만든다.
지혜는 인생을 견딜만한 것으로 만든다." -J.패트릭

"괴로움이 남기고 간 것을 맛보아라. 고통도 지나고 나면 달콤한 것이다." -괴테

§

신을 경외하라

신은 우리가 원할 때마다 밥상을 차려 주거나 밥을 먹여 주지는 않는다.

단 우리로 하여금 상을 차릴 수 있는 방법과 밥을 먹을 수 있는 방법 그리고 체하지 않고 영양가 있는 것을 골고루 먹게끔 할 수 있는 지혜와 과식과 유해한 음식으로부터 몸이 상하지 않게 절제라는 예방책을 사전에 넌지시 알려 줄 뿐...

하지만 모든 섭리와 이치를 무시하고 자기 고집과 과욕을 부린다면, 자신이 애써 차린 밥상이라도 신께서는 순식간에 그 상을 엎을 것이다.

－김소현, 〈신을 경외하라〉전문

§

3차 회담

(G: God, D: Devil, M: Me)

M : O God,

현실과 이상의 괴리감으로 심적 고통에 시달리고 있고, 하고 있는 일이 행여 부질없는 것이 아닐까 하는 생각에 확신마저 흔들리고 있으며, 미래에 대한 불확실성으로 인한 극도의 불안감으로 잠조차 제대로 이루지 못하고 있습니다. 목표를 위해 무엇인가는 하고 있지만, 그 무엇이 자꾸만 저를 무의미함으로 이끄는 것은 아닌지 몸과 마음이 분산되어 혼돈에 혼돈을 거듭하고 있습니다. 타인을 전적으로 의식하는 것은 아니지만 저의 일련의 진행들이 모래성을 쌓는 것처럼 회의적으로 바라보는 시선들도 싫습니다. 문제는 그러한 시선들에 저 또한 공감되어 가고 있다는 것입니다. 심지어 주님도 저를 외면하는 것 같다는 부정적인 마음이 떠나지 않습니다.

부디 칠흑 같은 어둠 속에 빠져들어 빛도 희망도 잃고 있는 이 자녀를 궁휼히 여기시어 은혜를 베풀어 주소서...

G : ...(답 없음)

M : 부디 은혜를 베풀어 주소서...

G : ...(답 없음)

M : 제 기도를 듣고는 계신지요? 아니면 저에게 전혀 관심이 없는 것인지

요?

G : …(답 없음)

M : 제가 아주 많이 부족하고, 주께서 뜻하는 계획에 저의 자리가 없다면 그렇다고 말씀해 주소서. 희망이라는 단어가 저의 착각 속에서 이루어진 것인지, 그것만이라도 확인해 주소서.

G : …(답 없음)

D : 쯧쯧… 너의 신은 너에게 전혀 관심이 없어, 몰랐었나??
너는 늘 실패와 좌절이라는 꼬리표를 달고 살았잖아.
당신이 믿고 의지하는 신은 당신을 아예 염두에 두고 있지도 않아.
당신보다 더 똑똑하고 더 강하고 더 지혜로운 자들이 얼마나 많은데, 당신같이 나약하고 보잘것없는 인간한테 왜 기대하겠나?
당신에게 있어 신이라는 존재는 없다고 생각해. 그리고 남들처럼 현실에 묻혀 돈, 명예, 권력을 손에 쥐게 할 성공이라는 것에만 집중하고, 괜히 따지도 못할 별을 쳐다보고 푸념이나 하지 말고…

G : 난 네 곁에 있다. 늘 그랬듯이…

M : 주여… 살아계심은 알고 있지만, 솔직히 저에게 역사하심[1]은 잘 모르겠나이다.

사막 한가운데서 물을 얻기 위해 모래를 파야 하는 상황이라면 적어도

---

1 역사하심이란 땅에 씨를 뿌리는 것과 씨가 자라서 식물이 되고 꽃이 피어 열매 맺을 수 있도록 물을 주는 것을 의미하는데, 여기서는 우리를 적합하게 만들어 목적을 성취할 수 있게 능력과 은혜 그리고 축복을 주심을 뜻한다.

삽이라도 주셔야 하는 것은 아닌지요. 즉 세상이라는 거대한 공격만 있었지 그것들과 대항하여 싸울 그 어떤 무기나 방패도 저에게 주지 않았나이다.

G : ...(답 없음)

M : 주여, 부디 뭐라고 말씀 좀 해 주십시오.
답답하고 막막하고 서럽고 괴롭기만 합니다.

G : ...(답 없음)

D : 안 중에도 없다니깐... 네가 주라고 부르는 존재에게는...
헛수고 하지 말고, 남들처럼 자기 지갑이나 채울 생각해. 그들처럼 자신을 위해 호의호식(好衣好食)할 수 있는 길만 찾아 가라니깐...
너는 특별하지도 거룩하지도 않은 존재야. 오히려 그런 생각들이 너를 더욱더 힘들게 할 뿐이니... 3가지만 미친 듯이 집중해, 그러면 네가 세상을 이길 수 있고 신에게 의지할 필요도 없어. **"돈, 명예, 권력."**
이 3가지만 집중해, 여기에 주의할 것들이 있어, 모든 관계는 철저히 내게 이익이 되는지 아닌지만 판단해, 아니라면 전부 배제해.
배려, 선의, 정의, 진리, 사랑, 긍휼, 도리... 다 필요없다니깐.
가치 있는 삶... 누구 좋으라고...? 세상이 네가 고통 중에 있을 때 무엇을 해 주었는데... 사명??? 신이라는 존재도 너에게 무엇을 했고... 지금부터라도 다시 목표를 설정해. 신, 인간, 세상 모두 배제하고 오로지 이 3가지를 쟁취하기 위한 것과 너 자신의 이익만을 생각해.

M : 그런 것 같습니다.

그렇다면 제 마음을 붙잡는 이 미묘한 확신이라도 부디 거두어 주소서...

지금부터라도 철저히 제 자신만의 이익만 좇게 이 이상한 거부심리만이라도 거두어 주소서...

G : ...

   ...

   ...

그것이 양심이라는 것이다. 양심은 누구나 가지고 있는 나의 선물이다.

양심은 옳지 않은 것에 대하여 반응을 하지만, 그 반응을 알면서도 인간은 애써 외면하면서 스스로가 사악한 길을 선택하려 한다. **양심의 호소에 귀 기울여라. 그것이 나의 뜻이요, 너의 길이니라.**

세상적 유혹에 휩쓸리지 말고, 고통의 눈물에 굴복하지 마라.

나도 하나의 인격체이다. 기도를 통해 너는 늘 나의 뜻을 밝히기도 전에 너의 말만 끝내고 상황을 판단하고 결정해버렸다. 나는 자녀들이 원하는 모든 것을 채워주는 자도 아니요, 내 자녀들을 소유물로 간주하여 통제하고 정제하거나 조종하려는 자도 아니다. **내(신)가 하는 일은 너에게 자유의지를 심어주고, 네가 원하는 것을 이루기 위한 숨은 재능들을 찾을 수 있게 도와주고 그것을 발전시킬 수 있게 영감과 지혜를 심어 주는 것이다.**

또한, 네 삶 속에서 고통과 시련을 허용시킴과 동시에 극복할 수 있는 능력도 부여하여 너 자신이 뜨겁게 열망하는 것을 보다 구체적이고 실제적인 형태로 이룰 수 있게 하는 것이며, 그 어떠한 악의 화살이 너를 과녁 해도 절대로 관통하지 못하게 하는 것이다. 네가 가진 것을 너는 알 수 없지만, 손과 발이 그것을 보여주리라, 머리와 마음이 그것을 밝히리라.

비가 오면 난 너에게 우산이 될 수 없다. 네가 비를 맞으면 나도 비를 맞고, 네가 실족하면 나도 그러하리라. 네가 일어선다면, 나도 일어설 것이다.

너와 내가 하나가 되었다는 증거는 네 영혼 속에서 맴도는 확신을 붙잡고 흔들림 없는 의지가 신념이 되어 굳어졌을 때 알 수 있을 것이다.

너는 너의 목적에 대하여 나와 심도 있게 상의한 적이 있느냐?

해결방법은 나에게 있는데 넌 내가 아닌 다른 이들과 깊게 상의하고 결정하였다. 그리고 난 이후 좋지 않은 결과물을 가지고 나를 원망했었고, 그럼에도 불구하고 너에게 서러웠던 것이 아니라 안타까웠고 괴로웠다.

기도란 일방적인 너의 바람을 가지고 계속해서 이루게 해 달라는 통보가 아니다. 천국은 밝은 빛만 있지만, 이 세상은 빛과 어둠이 공존하기에 하늘에서도 이루어짐이 이 땅에서도 이루게 할 수 있는 길을 서로가 함께 모색하는 과정이 기도이다. 그 과정 속에서는 반드시 믿음, 소망, 사랑이 있어야 한다. 세상은 성공의 요인을 돈, 명예, 권력이라 하지만, **이러한 세상을 승리할 수 있게 하는 요인은 믿음, 소망, 사랑이다.** 이 3가지는 항시 같이 공존해야 한다.

솔직함으로 나에게 다가오라. 그리고 내가 네 안에 거하여 하나가 될 수 있게 알게 모르게 **네 안에 존재하고 있는 세상적인 것들을 비워 나의 영으로 가득 채워라.** 그러면 너의 영은 세상의 짐들을 풀어 버리고 깃털과 같이 가벼운 마음으로 자유함을 얻으리라.

어떤 이들은 감사하지도 않으면서 감사한 척, 지혜롭지도 않으면서 지혜로운 척, 속은 썩어가고 피와 살은 말라가는데도 은혜로운 척하며 나에게 다가온다. 그런 행위들이 마치 나를 위한 겸손인 것처럼 또는 자신이 성인으로 된 것 같은 착각인 것처럼... 이는 나를 속이고 자신도 속이는 어리석은 짓이다.

아기들이 아프거나 배고플 때 운다. 운다는 것은 무엇인가 불편하다는 신호이고, 그 신호를 받아야 부모가 행동으로 옮긴다. 하지만 불편함에도 불구하고 아무런 신호를 보내지 않으면 사망까지 이를 수 있다.

원망하는 것과 솔직한 자신의 심정을 토로하는 것은 엄연히 다르다.

원망은 자신에 의해 결정된 좋지 않은 결과에 대하여 나에게 책임을 전가하는 행위이고, 자신의 심정을 토로하는 것은 좋은 열매를 맺기 위하여 방법들을 모색해가는 시정 가능한 상태이다. **문제가 있으면 솔직히 다가오라.**

나는 모든 섭리를 상반되는 균형으로 만들어 놓았고, 서로 공존하게 하였다. 선과 악, 빛과 어둠, 하늘과 땅... 하지만 상반되는 대상 중 하나가 없으면 다른 하나도 존재하지 않는다. 선만 있으면 악을 알 수 없고, 악만 있으면 선을 알 수 없다. 빛만 있는 곳에서는 어둠을 볼 수 없고, 어둠만 있는 곳에서는 빛을 볼 수 없느니라.

균형의 힘.

전지전능한 나와 불완전한 네가 둘 다 공존해야 나는 자녀를 얻게 되고, 너는 아버지를 얻게 된다.

"어린아이는 가슴에 품은 생각을 기도하지 못한다. 다만 울음을 터뜨릴 뿐이다. 그러면 어머니는 그 울음소리 속에서 그의 배고픔을 알게 된다." -사무엘 러더포드

"신앙은 모든 지식의 처음이 아니라 끝이다." -괴테

"받을 줄도 알아야 줄 수도 있다."

"신의 은혜는 갚으라고 주신 것이 아니라,
그 은혜에 감사하고 기뻐하며 누리라고 주신 것이다."

"일상에서의 작은 기적을 깨달아야만 큰 것도 볼 수 있다."

"힘든 일과 좋은 일은 늘 시계추처럼 왔다 갔다 한다."

"인간은... 위로는 할 수 있어도, 해결은 할 수 없다."

"성취보다는 신의 뜻을 먼저 헤아리려는 자가 돼라."

"절망하지 않는 자만이 이 세상에서 승리할 수 있다."

"우리에게 가장 어두운 시간이 신의 능력이 가장 강하게 나타나는 때이다."

"순간이 모여 평생이 되고,
선택이 모여 인생이 되듯,
고통을 선택하지 말고 희망을 선택하라."

"신앙생활은 정답을 알아가는 과정이다."

"세상은 큰 그릇을 지닌 사람을 좋아하지만,
신께서는 깨끗하고 거룩한 그릇을 가진 자를 좋아하신다.

"우리는 everybody가 아니라 세상과 구별된 거룩한 자들이다."

"신의 사람은 신께서 찾아오시기에 편한 사람이어야 한다."

"아침에 눈을 뜨면 맞이하고 싶지 않을 태양일지라도 당당히 맞이하라,
풍랑의 순간에도 '왜'라고 하는 대신에 '무엇'이라고 질문하라."

"우리의 시련에는 신의 목적이 있다."

"신은 늘 우리와 소통하기를 원하시고,
그분에게 있어 소통의 단절이란 없다.
소통의 단절이 있다면
그것은 우리 인간들이 만들어 낸 것뿐이다."

"세상을 사는 동안 신의 능력에는 문제가 없었다.
다만 신의 시간을 우리의 시간에 견주어 판단하는 것이 늘 문제였다.

"모든 섭리와 이치를 무시하고 자기 고집과 과욕을 부린다면,
자신이 애써 차린 밥상이라도
신께서는 순식간에 그 상을 엎을 것이다."

"실용성 없는 논리는 필요 없다.
최고로 좋은 것을 내 것으로 만들려는 의지를 선택하라."

본 저서 「카오스의 별」은 상위 몇 퍼센트가 아닌 다수의 우리들이 실제로 겪고 있는 현 상황과 문제들을 거론하고 예화 하면서 단순히 생각과 깨달음으로만 그치는 철학적 관념도 아니오, 생각과 깨달음 그리고 마음까지 다스리는 심리학적 측면을 추가시키는 것으로 그치는 것이 아니라, 책을 덮는 순간 바로 현실을 직시하고 실천에 옮기게 할 수 있는 강한 의지를 심어 놓은 책이다. 예화들을 보면 '나에 대한 이야기잖아......' '맞아 내 주변에서 이런 일들이 일어나고 있어.' 하며 대다수가 공감할 것이다. 즉 본 저서는 나와 내 주변에서 일어나고 있는 현실들을 보여주지만, 그 속에 내재된 문제들에 대한 해법을 막연한 아니면 난해한 구조로 풀어나가는 것이 아니라, 현실적이고 타당성 있게 접근하여 풀어나감으로써 현실을 외면하거나 그대로 쫓아가는 것이 아니라, 현실을 인정하되 올바른 선택하에 내 의지대로 이 상황들을 나답게 변화시키고 풀어나가라는 해법들을 제시하였다. 아무리 좋은 말과 글이라도 자신의 삶에 직접 적용되지 않으면 먹을 수 없는 보기 좋은 떡에 불과하다. 따라서 저자는 본 저서를 통하여 여러분 모두의 마음속에 나라는 주체성을 강하게 확립시켜 '세상 속의 나'가 아닌 '내 안의 세상'으로 자기 자신을 인생 최고의 주연으로 만들려는 의지와 강한 자존감이 뿌리내리기를 바란다.

고통 받고 있는 이에게 필요한 것은
섣부른 충고가 아닌

함께하는 한 잔의 술과 깊은 경청입니다.
배고픈 이에게 필요한 것은
인내하라는 말이 아닌 따뜻한 밥 한 끼입니다.
삶에 지치고 외로운 이에게 필요한 것은
백 마디의 말이 아닌 따뜻한 포옹입니다.
절박한 이에게 필요한 것은
확실하지도 않은 미래에 대해 기대를 심어주는 것이 아닌
당장 생계부터 해결할 방법들을 모색하는 것입니다.
누군가가 당신을 간절히 사랑한다는 것을 안다면
생을 포기하는 것 대신 살아보려는 의지를 선택할 것입니다.
이 글이 당신의 소중한 친구가 되기를 바라며...

카오스의 별

발행일 : 2018년 1월 2일
지은이 : 청야 김소현
펴낸이 : 박승합
펴낸곳 : 노드미디어
주 소 : 서울시 용산구 한강대로 320(갈월동)
전 화 : 02-754-1867, 0992
팩 스 : 02-753-1867
홈페이지 : http://www.enodemedia.co.kr
전자우편 : nodemedia@daum.net
출판사 등록번호 : 제 302-2008-000043 호(1998년 1월 21일)

ISBN :**978-89-8458-314-6**

정가 17,800원